Ody'r Teid Yn Mynd Mas?

Mair Garnon James
gyda Jon Meirion Jones

Gomer

I Carys, Meinir ac Emyr
a'r wyrion Ynyr, Edryd, Oliver, Benjamin,
Garnon a Raphael

Cyhoeddwyd yn 2013 gan
Wasg Gomer, Llandysul, Ceredigion SA44 4JL
www.gomer.co.uk

ISBN 978 1 84851 361 7

Dymuna'r cyhoeddwyr gydnabod cymorth
Cyngor Llyfrau Cymru.

Argraffwyd a rhwymwyd yng Nghymru gan
Wasg Gomer, Llandysul, Ceredigion.

DIOLCHIADAU

Diolch yn arbennig i Jon Meirion am ei amser a'i amynedd yn casglu f'atgofion i'w rhoi ar gof a chadw. Diolch i Wasg Gomer am ofyn i glywed yr hanes yn y lle cyntaf a thywys y gyfrol i olau dydd. Fel awdur nad yw'n medru darllen nac ysgrifennu'r un gair bellach, diolch i Meinir am ddarllen y cwbl i mi drosodd a throsodd. Ond mae fy niolch pennaf i bawb sy'n rhan o'r stori a fu'n gwmni i mi ar hyd y daith.

Cwareli'r Co'

MA NHW'N DWEUD eich bod chi'n nabod lleisiau ymhell cyn eich bod chi'n gallu siarad. A llais Mam wrth y fainc lechen tu fas tŷ ni yw nghof cyntaf. Chi'n gweld, fan hyn rodd popeth yn digwydd – crafu tato, golchi dillad, glanhau sgidie a sgrwbo'r *brass*. Mewn siôl neu wrth gwt y ffedog, fe fyddwn i yno. Yma ydw i o hyd, cofiwch, a phe byddech chi'n sefyll ar stepen y drws, fyddech chi'n deall yn iawn pam dw i heb symud bant!

Ma nhw'n dweud bod menywod yn siarad llawer mwy na dynion. Wel, roedd dwy fenyw yn ein cartre ni, Mam-gu, y frenhines yn dweud y drefen, a Mam druan. Dyw hi'n ddim syndod mod i wedi troi mas i fod yn siaradwraig felly gyda'r holl glebran, trafod a chwestiynu ar yr aelwyd. Do, fues i'n rhoces fach unwaith, a daw un o gwestiynau dyddiol Mam yn ôl i'r cof. 'Ody'r teid yn mynd mas?' medde hi wrth ei gwaith ar y fainc gan wneud i fi sylwi ar lannau afon Teifi a rhyfeddod natur.

Ma nhw'n dweud bod Lland'och yn un o bentrefi hyfrytaf Cymru. Wrth gwrs 'i fod e!

Dyna pam mae e'n bentre gwyliau poblogaidd, a slawer dydd roedd pobol hefyd yn dod 'ma ar eu gwyliau. Y cyfarchiad cynta dw i'n ei gofio yw, 'Croeso gatre, pryd ti'n mynd 'nôl?'

Prin bod anadl rhwng y ddwy frawddeg. Nid yn unig pobol yn dod gatre o'r môr oedd yr ymwelwyr hyn, ond merched a bechgyn a weithiai i ffwrdd mewn llefydd fel Caerdydd a Llundain yn dod 'nôl ar wyliau i aros gyda'r teulu. I ferch ifanc, roedd hi'n werth mynd i'r cwrdd ar nos Sul ym mis Awst i weld ffasiwn diweddaraf merched Llundain; a weles i ddim byd tebyg i sodlau'r rhain. Ond pobol yn nabod ein gilydd oedden ni gyda theuluoedd wedi byw am sawl cenhedlaeth yn yr un man. A dweud y gwir wrthoch chi, fi yw'r bumed genhedlaeth yn y tŷ 'ma yn y Cwm, a dw i'n credu bod hynny'n help i'r holl atgofion lifo 'nôl.

Y cof yw'n llygaid i bellach. Mae cof yn hir ymaros. Ac 'o weld llun a chlywed llais', fel y canodd Isfoel unwaith am deledu, rwyf mwyach yn uniaethu fy mhrofiadau â llinellau tebyg ond annhebyg o waith Gerallt Lloyd Owen –

Pe meddwn dalent plentyn
I weld llais a chlywed llun.

Mae 'ngolwg i wedi dirywio ers peth amser ac ym Mehefin 2010 pan fu raid i mi roi'r gorau i yrru modur sylweddolais yn llawn sefyllfa a natur fy mhroblem. Doeddwn i ddim yn gweld pethau'n glir fel roeddwn i ers tro, wynebau'n gymylog fel mae môr a mynydd ac adeiladau, a fy nheulu agos, perthnasau a ffrindiau mewn nudden barhaol. Y diwrnod o'r blaen roeddwn i draw yn y Gwbert a gofynnais i Meinir, y ferch, 'Ceffyl basiodd fanna?'

'Nage,' medde hi, 'dyn yn cario *surfboard*.'

Macular Degeneration yw enw'r clefyd llygaid sydd arna i, ac erbyn hyn dw i wedi fy nghofrestru'n rhannol ddall.

Fe ofynnodd y meddyg i fi a oeddwn i'n deall ystyr *macular degeneration*, ac atebais mod i'n deall y gair dirywio'n iawn gan fod hynny wedi digwydd i sawl rhan o nghorff i ers blynyddoedd ond mod i heb sylweddoli y gallai ddigwydd i'r llygaid hefyd. Fedra i ddim gwylio'r teledu na darllen achos mae'n weithred ffwdanus i ddarllen un gair ar y tro gyda chwyddwydrau pwerus. Dyw adnod ac emyn a barddoniaeth ddim yn wledd i'r llygad mwyach, ond diolch byth mae'r rheiny wedi'u hysgrifennu ar dudalennau'r co'.

Alla i ddim coginio fel yr o'n i'n arfer chwaith. Cofiwch chi, mae 'na rai pethe rwy'n dal i neud os alla i. Dw i ddim yn gallu dilyn rysáit o lyfr ond, wrth lwc mae rysáit arbennig iawn gyda ni yma yn Lland'och, Bara Wan Tŵ yw hwnnw. Sdim angen llyfr coginio arna i gan fod pob elfen o'r rysáit naill ai'n ddau neu'n un o bopeth – y wan tŵ ontefe?

Cymerwch gwpan neu fŷg gweddol o seis a dilyn y cyfarwyddiade fel hyn:

2 fŷg o fflwr
1 mŷg o siwgwr
1 mŷg o syltanas
1 wy wedi'i dorri mewn mŷg a'i ffusto yn y mŷg
a'i lond o laeth
1 llwy ford o fenyn

Cymysgwch y cwbwl gyda'i gilydd a'i bobi yn y ffwrn mewn tun bara ar 200°c am awr – mae hyd yn oed yr amser a thymheredd y ffwrn yn dilyn yr un patrwm wan tŵ. Wedi gweud 'ny, lwyddes i i neud cawlach rhyw ddwrnod a rhoi'r gymysgedd yn y ffwrn ar 100° am ddwy awr! Dyw Bara Wan tŵ ddim cweit cystal wedyn. Ond ma'r wyrion 'na sy 'da fi'n ffoli ar Fara Wan Tŵ Mam-gu ac fe fyddwch chi hefyd.

MA NHW'N DWEUD wrth i un synnwyr wanhau mae un arall yn cryfhau a diolch byth mae nghlyw i'n dda iawn. Gallwn glywed adenydd cricsyn yn curo o bellter.

Flynyddoedd yn ôl roeddwn i'n ddisgybl i'r cerddor Andrew Williams a doedd ei lygaid yntau ddim yn dda o gwbwl. Cofiaf amdano'n reido rhyw racsyn o feic a mynd ffwl pelt i lawr rhiw'r 'Ropeyard' yn Aberteifi. Ei sylw oedd, 'Wrth agosáu at bont Aberteifi a heb weld dim, fydden i'n gwrando'n ofalus ar y sŵn i wybod ai lori, býs neu fodur, neu hyd yn oed dractor neu foto beic oedd yn croesi afon Teifi i gwrdd â fi. Gwyddwn faint o frêcs i'w rhoi wedyn fel penwast ar y ceffyl haearn. Roedd fy nghluste fel llyged i fi'. A dw inne'n teimlo'r un peth.

'A feddo gof a fydd gaeth,' medde'r bardd ontefe? Cyfaredd cof yw hiraeth. Wel, mae'n dipyn o gyfaredd i fynd ar y siwrne 'ma, siwrne faith yn ôl i'r dechreuad. Dewch 'da fi . . .

Gardd Achau

Er mai James yw'n steil i wedi priodi, mae'r rhan fwyaf o bobol yn dal i gyfeirio ata i fel Mair Garnon. Enw digon anghyfarwydd yw Garnon yn y parthe hyn erbyn heddi, ond y sôn yw eu bod nhw, y Garnoniaid, wedi mudo o'r Almaen oddi ar y bedwaredd ganrif ar bymtheg pan oedd tir cyfoethog yn cael ei rannu rhwng y plastai. Daeth dwy gangen i Sir Benfro ac mae'n debyg eu bod o gefndir cefnog iawn. Cyfeirir at un gangen ohonynt fel Garnoniaid Tre-fin a'r llall fel llwyth Cilgerran, Boncath a Blaen-ffos a gwelir sawl cyfeiriad atynt ar gerrig beddau ym mynwent eglwys Cilgerran a chapel Blaen-ffos. Yn wir, ychydig iawn o Garnoniaid Cilgerran sydd ar ôl. Ond trueni'n wir na fyddai rhagor o rai cyfoethog ar ôl hefyd! Mae Garnon Mills, Cilgerran, yn parhau, a hyd yn oed yng Nghaernarfon fe welir Stryd Garnon, ac fe welwch gwpwl yn y llyfr ffôn hefyd. Ond un o Garnoniaid Tre-fin oedd fy nhad.

Hoffwn gyflwyno cangen fy mam i chi'n gyntaf. Fy mam-gu, mam fy mam, oedd Mary George ac yn hanu yn wreiddiol o ardal Pen-caer, Sir Benfro. Bellach, mae'r bwthyn a'i chyn gartref, Carn-folch, yn dŷ gwyliau er mai rhan o dir tyddyn ydoedd. Dw i'n adnabod Lowri Williams a'i gŵr Tecs sy'n byw nawr yn hen Fans Capel Harmony gerllaw Carn-folch ac rwyf wedi cael sawl gwahoddiad 'nôl i Ben-caer i weld yr hen fwthyn.

Un o Land'och oedd gŵr Mary George, sef fy nhad-cu David Davies, ond roedd geirfa a thafodiaith Pen-caer yn drwch ar leferydd ei wraig. Yn anarferol i ferch, cafodd ddau gwarter o ysgol gaeaf; er roedd galw arni, fel llawer o'r plant, i fynd mas i fugeilio'r defaid a'r gwartheg yn y ffermydd pan ddeuai'r gwanwyn a'r haf. Byddai'r ychydig geiniogau yn gymorth at gynhaliaeth y teulu. Cawsai wersi gan ei meistr i'w hymarfer wrth fugeilio. Byddai Ysgol Trefaser yn cynnal addysg yn y fro, a byddai addysg efallai yn costio hanner coron y chwarter a choron am ddysgu seiffro – sef trin ffigyrau a symio i fyny.

Roedd Mam-gu yn un o wyth o blant, tair o ferched a phump o fechgyn. Bu'n gweithio i feddyg yn Abergweun yn paco pils. Cyfeiria'n amal at 'Defi 'nghefnder a roddodd bensiwn i ni' – sef David Lloyd George, Prif Weinidog Prydain Fawr gynt. Chi'n gweld, Williams George, Fferm Tresinwen, oedd hen dad-cu Mary George, fy mam-gu a David Lloyd George. Roedd hi'n wraig ddeallus ac yn ddarllenwraig frwd. Dangosai falchder mawr o weld ei mab Clement a'i fab yntau, Dafydd, a Carey fy mrawd yn mynd i Brifysgol Bangor ac i Goleg y Bedyddwyr Bangor i ddilyn cwrs yn y weinidogaeth.

A sut daeth hi, Mary George, i adnabod David Davies a'i frawd Enoch – dau o blant Bell View, tŷ sydd lan ar y rhiw yn Lland'och – gwedwch? Dau fasiwn oeddynt a gafodd waith yn Wdig i baratoi harbwr, cei ac angorfa i longau pleser anferth a moethus fel yr R.M.S. *Mauretania*. Cyfarfu David ac Enoch â Mary ac Ellen yn yr un cyfnod. Tyfodd y garwriaeth a phriododd dau frawd â dwy chwaer. Arhosodd Enoch yng

Nghwm Isa' Abergweun ac aeth David 'nôl i fyw yn Bell View pan fu farw ei fam. Bwthyn bach isel dau ben â dowlad oedd Bell View ar y pryd, ac yno sefydlodd nyth a theulu a dyfodd maes o law. Ganed saith o blant iddyn nhw, chwech yn Abergweun ac un, Clement, yn Lland'och. Bu farw tri ohonyn nhw oddeutu'r 8 oed: un o'r peritoneitis a gwenwyn yn y gwaed; un o'r hyn a elwir yn *lock-jaw*, sef *tetanus*, wedi iddo dorri rhan o'i law â chyllell a brynwyd yn ffair Abergweun, a'r ferch hyna o lid yr ymennydd.

Mam, sef Mary Ann – ond fel Polly roedd pawb yn ei hadnabod – oedd y pedwerydd yn y teulu; Sally, ei chwaer, oedd yr ail a'r babi bach ar y pryd oedd William George. Ymrestrodd William George yn y fyddin ar ddechrau'r Rhyfel Mawr, a bu'n ymladd ym mrwydr waedlyd ffosydd y Somme. Yn 1916, cafodd y teulu frysneges yn dweud ei fod ar goll a thybiwyd ei fod wedi ei ladd, ond ymhen amser daethpwyd o hyd iddo mewn ysbyty yng Ngwlad Belg ac yn dioddef yn ofnadwy o effaith nwy mwstard. Ni fedrai yngan yr un gair oherwydd y llosgiadau mewnol i'w wddf a'i ysgyfaint, ond daeth adre ymhen amser wedi cyfnod i ymarfer a gwella. Ond ni wellodd o'i anafiadau'n llwyr a bu farw'n ŵr cymharol ifanc yn 44 oed yn 1935.

Cododd William siop groser yn Llys Aeron, Lland'och ac wedi ei farwolaeth annhymig cydiodd ei wraig, Lizzie, merch o Gwmgwrach, yn awenau'r busnes.

Mae'r symud teuluol o Land'och i Abergweun, 'nôl a mla'n, wedi chwarae rhan bwysig yn nhwf a datblygiad ein teulu drwy garwriaeth a phriodasau. Byddai fy mam, Polly, yn teithio lawr i Abergweun yn gyson i weld ei chwaer, Sarah Jane. A thrwy'r mynd a dod y cyfarfu Polly â Mansel Carey Garnon – saer prentis yn iard goed Brodog, Abergweun. Roedd yn grefftwr dawnus a gofalus ac yn unig fab i deulu Tafarn y Ship and Anchor yn Abergweun. Cyfeiriwn at fy mam-gu o ochor fy nhad fel 'Grandma', er mwyn gwahaniaethu rhwng y ddwy.

Fel crwt ifanc ar ddiwedd y bedwaredd ganrif ar bymtheg, roedd ei esiampl, ei hunanddisgyblaeth a'i egwyddor foesol o fod yn fab i dafarn ac yn llwyrymwrthodwr yn safiad i'w edmygu. Roedd y dafarn – gyferbyn â chapel Hermon, capel y Bedyddwyr yn y dre – mewn safle strategol i weld y torfeydd yn tyrru tua'r capel yn ystod Diwygiad 1904–05. Cafodd y cynnwrf hanesyddol, y rhethreg ddramatig a'r awyrgylch emosiynol ddylanwad dwfn a hirgyrhaeddol ar Mansel. Doedd dylanwad gwrthwynebu'n gydwybodol i ryfel ddim wedi cyrraedd ei gylchoedd yntau ar y pryd ac fe ymrestrodd yn y fyddin a mynd i Ffrainc i ymladd dros ryddid yn erbyn yr Almaen.

A chredwch neu beidio, ymunodd â'r rhyfel fel llwyr-ymwrthodwr a glynodd at yr egwyddor honno trwy'r holl gyflafan. Mewn sefyllfa lle câi'r milwyr ddracht o *rum* yn amal cyn mynd dros wefus y ffos, gwrthodai Mansel y cynnig bob tro. Wedi i'r swyddog estyn glasied neu gwpaned o wirod iddo, byddai'r milwr wrth ei ysgwydd wedi ei ddwyn a'i yfed cyn i Mansel dynnu anadl.

Dychwelodd fy nhad o'r Rhyfel Mawr yn ddianaf. Bu'r fagwraeth ddisgybledig yn sail gadarn i'w gymeriad, ac ni siaradai lawer am ei brofiadau ar feysydd y gad, fel llawer o'r cyn-filwyr o'r cyfnod.

Priodwyd fy nhad a mam – Mansel Carey Garnon a Mary Ann Davies – yng nghapel Blaenwaun yn 1923. Ganed Carey yn 1924 a finnau yn 1928. Ailgydiodd fy nhad yn ei grefft gynhenid fel saer coed ac fe'i cofrestrwyd yn Glerc y Gwaith wrth iddo arwain gweithwyr i adeiladu estyniad i Ysgol Sirol Aberaeron. Gweithiai ar Sadyrnau hyd yn oed, ac roedd cael *lodgings* yn rhan o'r drefn bryd hynny. Fe barhaodd y cytundebau adeiladu a fe fuodd yn arwain y fenter i godi Ysgol Gynradd Aberteifi ar y safle lle mae'r ganolfan iechyd heddi.

Cyn cychwyn yr Ail Ryfel Byd bu fy nhad yn cydweithio â'r D.C.R.E. (Deputy Chief Royal Engineers) a'r Weinyddiaeth Amddiffyn i adeiladu gwersyll yr R.A.E. ym Mharc-llyn, rhwng Aber-porth a Blaenannerch. Daeth gwahoddiad arall i'w ran i gymryd gofal o'r swyddfeydd yn Aberhonddu, eto o dan y D.C.R.E. Bu'n lletya yno ac yn defnyddio bysus y Western Welsh i gael dychwelyd i Land'och ar y penwythnosau ac ar wyliau cyhoeddus.

Er mai eglwyswyr oedd teulu fy nhad, roedd yn un o gant a rhagor a fedyddiwyd yn afon Gwaun yng nghwm Abergweun yn y Bedydd Mawr adeg Diwygiad 1904. Y gweinidog ar y pryd oedd y Parchedig Dan Davies, ac ymhen llai nag awr roedd wedi bedyddio'r 'pum mil'.

Hen lanc oedd y Parchedig Dan Davies ac roedd ganddo howscipar i gynnal y cartref a gofalu amdano. Yn ystod rihyrsal fawr y Sul cyn y Gymanfa Ganu roedd y gweinidog yn llywyddu a chroesawodd bawb gan ddweud, 'Croeso cynnes i chwi i gyd i'r rihyrsal ola. Mae'n braf gweld cymaint wedi dod ynghyd, ac yn enwedig y rhesi o ferched glandeg ar yr oriel yn eu blwmyrs gwynion.' Aeth ton o chwerthin trwy'r gynulleidfa fel chwa o wynt dros gae gwenith.

Y noson honno, ni fu'r howscipar yn hir cyn ei roi yn ei le wedi iddynt ddychwelyd i'r Mans. Addawodd ymddiheuro. Felly, ar y Llun – ar ddydd y Gymanfa – gwnaeth y Parchedig

Dan Davies yr hyn a ofynnwyd iddo a chyhoeddodd, 'Croeso cynnes eto i'r Gymanfa Ganu yn gynulleidfa hardd – yn enwedig y merched hardd a glandeg yn eu blowsys gwynion . . . ac wedi gadael y pethau eraill 'na . . . gartref!' Mae amheuaeth ynglŷn â'r cymal ola 'na: efallai mai rhyw wag lleol a'i hychwanegodd i roi blas ar y stori.

Bu Nhad yn Fedyddiwr selog trwy'r blynyddoedd dilynol ac fe'i hanrhydeddwyd yn ddiacon yng nghapel Blaenwaun, Lland'och.

Gŵr cymharol dal oedd fy nhad wedi ei doi â chopa o wallt tywyll cyn iddo ei golli yn weddol ifanc. Ond parhaodd ei fwstás llwyn eithin yn addurn cofiadwy. Er mai gŵr tawel ei ymarweddiad ydoedd ar y cyfan, roedd ganddo ddawn i siarad yn gyhoeddus. Byddai'n gweddïo'n gyhoeddus ac o'r frest, ac roedd yn faswr da a sicr ei nodau. Fe ganai yng nghôr y capeli yn y cyfnod pan oedd hi'n beth cyffredin i lwyfannu oratorios mawr – y *Messiah*, *Elijah* a'r *Hymn of Praise* – ym Methsaida, capel cyfleustra yn y pentre ag ynddo organ bib. Byddai gwahoddiad i unawdwyr proffesiynol o fri gymryd y rhannau blaenllaw yno. A'r diwrnodau hynny – diwrnodau o safonau uchel a chyfraniad cyfoethog y werin leol i glodfori'r Bod Mawr drwy gân a chorws buddugoliaethus – oedd yr unig droeon y gwelais fy nhad yn gwisgo tei-bow!

Doedd dim segurdod yn perthyn i Nhad – diwydrwydd oedd ei nodwedd amlycaf. Medrai gerfio pren garw i greu addurniadau trawiadol a roddai'n anrhegion priodas i aelodau'r teulu. Cofiaf iddo greu hambyrddau celfydd hefyd, a whilber bren gref.

Fe ddychwelodd ag amryw o gasys pres oedd yn dal ffrwydron unwaith adeg brwydrau'r Rhyfel Mawr. Mae llawer ohonynt yn dal yn fy nghartref yn Bell View. Dy'n nhw ddim yn edrych fel casys dal ffrwydrau oherwydd trwy ddwylo crefftus a gofalus fy nhad fe'i gweddnewidiwyd i fod yn saseri lludw, jwgiau, hetiau bychain, cyllyll papur, bachyn ar gyfer botymau esgidiau a bwrdd *cribbage*. Mae'r crefftwaith celfydd i'w edmygu'n fawr. Rwy'n eu trysori. Roedd fy nhad yn smociwr trwm, a byddai mwg y Gold Flake yn chwyrlïo oddeutu ei ddiwydrwydd wrth iddo greu darnau hyfryd allan o bethau oedd yn rhan o'r atgofion na fynnai eu rhannu o'r drin a'i amser ar faes y gad.

Doedd gan fy nhad ddim modur na fan, ond yn hytrach gyrrai foto feic yn ei ieuenctid. Roedd cerdded i bobman yn rhan o'r bywyd gwledig bryd 'ny. Doedd hi ddim yn anghyffredin cerdded yr holl ffordd i Aber-cuch a 'nôl wedi mynychu'r Cyrddau Mawr. Cofiaf am un digwyddiad wrth i'r degau ar ddegau o aelodau gyrchu at y cysegr ym Mlaenwaun – roedd Cwm Degwel yn ddu gan bobol!

Roedd Mam yn fenyw weddol dal hefyd gyda gwallt eitha tywyll a frithodd drwy'r blynyddoedd. Roedd fy mam-gu ar y llaw arall yn ben olau, a dywedir fod Meinir, fy ail ferch, yr un sbit â hi ac yn dyst i'r ffordd y gall nodweddion teuluol fynd heibio i ambell genhedlaeth. Un eofn a hyderus oedd Mam a phrofiad helaeth o lwyfannu ganddi'n ifanc iawn. Byddai'n adrodd a chanu mewn *penny readings* ac eisteddfodau bychain. Fe feithrinodd gof di-ail ac roedd pinsied fach o hiwmor fan hyn a fan 'co yn nodweddiadol o'i siarad. Doedd dim yn well ganddi na thynnu coes, a medrai roi gydag arddeliad ynghyd â derbyn tipyn o sbort ar ei chownt ei hunan hefyd.

Mynychodd Mam ysgol wnïo yn Aberteifi mewn tŷ ar ochor dde'r ffordd i mewn i'r mart ger Mercantile Aberteifi.

Yn gyd-ddisgybl iddi oedd Esther, mam Margaret Harris, a ddaeth yn bennaeth adran gwyddor tŷ yn Ysgol y Preseli.

Menyw ymarferol, gymen a threfnus oedd Mam ar yr aelwyd a'i hegni a'i gofal drosom yn ddiarhebol o ymroddgar. Roedd yn Fedyddwraig i'r carn a doedd hi ddim yn fwrn arni fynd i oedfa'r Sul, cwrdd gweddi neu gwrdd paratoad, a bydden ni'n mynd fel teulu i achlysur bendithiol a phwysig. Roedd e'n rhan o'n cynhysgaeth a'n cred on'd oedd e? Medrai Mam a Mam-gu ddilyn sol-ffa, ond chlywais i mo Mam-gu'n canu o gwbwl. Gofynnais iddi unwaith, 'Glywais i mo chi Mam-gu'n canu erio'd!' Ei hateb oedd, 'Wedodd rhyw feirniad wrtha i unweth mewn *penny-reading* – "Pwy wedodd wrth y ferch fach 'na ei bod hi'n gallu canu?" A chanes i ddim nodyn wedi hynny.'

Roedd Mam yn rhoi lle i weinidogion adre i fwrw'r Sul; fydden nhw'n cyrraedd ar fore Sadwrn ar gyfer y Sul ac efallai fydden nhw'n aros hyd ddydd Llun, a byddai rhai gweinidogion yn aros hyd fore Mawrth hyd yn oed. Roedden nhw'n cael croeso mawr a chornel dawel yn y parlwr i baratoi a thiwnio eu neges ar gyfer yr oedfa.

Dôi chwaer Mam-gu, Martha, a'i mab David – a oedd yn offeiriad yn yr eglwys – yn amal i Bell View. Ar y pryd roedd fy mrawd, Carey, yn bymtheg oed ac yn ddisgybl yn Ysgol Sirol Aberteifi. Ceisiodd Martha a David ddylanwadu ar Carey i fynd i'r eglwys – er mwyn cael gwell cyflog a dringo'r ysgol o fewn hierarchiaeth yr eglwys. Wel, os do fe! Alla i weld ysgwyddau Mam yn sgwaru am 'nôl nawr, a hithau'n paratoi i roi terfyn ar y ddadl gyda'r frawddeg bendant, 'Os ffeilith e wneud pregethwr Baptist, *wedyn* geith e fynd i'r eglwys.' Aeth y ddau o Bell View a'u cynffon rhwng eu coesau.

Roedd perthynas dda rhwng nhad a mam ar yr aelwyd.

Ei air ef oedd yn ddeddf. Os byddai ei ateb yn 'na' i rywbeth, wel feiddien ni ddim holi pam, ond yn hytrach ei dderbyn yn ddigwestiwn. Fe fentren ni chydig yn agosach i'r asgwrn gyda Mam, ond dw i'n diolch am y fagwraeth gyfoethog a phwrpasol a gawson ni. Dros Nadolig, cyn dyddiau radio a theledu, fydden ni'n chwarae â gemau mathemategol, ac roedd y bwrdd pres *cribbage* o wneuthuriad fy nhad yn atyniad mawr ac yn gyfrwng i hogi cyflymder meddwl – y wobr oedd ennill, roedd hynny'n fwy na digon.

Alla i ddim cofio fy nhad yn codi ei lais erioed, ac eto roedd disgyblaeth lwyr dros aelwyd a chymuned gyfan yn cynnwys parch at rieni a chymdeithas. Ac nid rheolau tynn a chulni oedd y terfynau arnom, ond yn hytrach dyna oedd y ffordd o fyw. Cadwodd fy nhad ei egwyddorion hyd ddiwedd ei oes, ac ro'n i'n edmygu hynny.

Pan oeddwn ar fin mynd i Goleg y Barri i cael hyfforddiant cwrs addysg i fod yn athro, gwyddwn fod salwch wedi taflu ei gysgod dros fywyd fy nhad. Cafodd ei gyfyngu i'w wely yn ei boenau a dôi meddyg y teulu – Sgotyn o'r enw Dr Brownlie o Aberteifi – draw i Bell View yn gyson i gynnig chwistrelliad o *morphine* i liniaru ychydig ar ei artaith. Gwrthodai fy nhad dderbyn unrhyw gyffur, a'i eiriau cadarn bob tro i'r meddyg oedd, 'Pan fydda i'n barod i wynebu fy Nghreawdwr rwyf am fod yn sobor.'

FE'M GANWYD ar 10 Gorffennaf, 1928 am hanner awr wedi un ar ddeg y nos. Wedi i'r storc ddod heibio i Lland'och a Bell View, daeth y meddyg teulu, Dr. Lloyd Davies, Aberteifi, a'r fydwraig draw hefyd achos benderfynais i ddod i'r byd yn draed gyntaf. Cyrhaeddais yn llai o ran pwysau na'r cyffredin ond yn iach ac yn ddianaf – yn y llofft uwchben y parlwr. Doedd neb yn mynd i'r ysbyty ar gyfer genedigaeth yn y cyfnod hwnnw, heblaw mewn argyfwng. Cawsai Carey, fy mrawd, hefyd ei eni gartre, yn yr union un ystafell, bedair blynedd ynghynt.

Ro'n i'n rhannu gwely gyda Mam pan o'n i'n fabi bach, ond wedyn creodd Nhad, y crefftwr, wely bychan, twt a chyfleus i fi fel y gwnaeth i'm brawd. Fel y tyfwn byddai'r gwely'n mynd yn fwy ac o'n i'n teimlo'n falch a phwysig fod gen i wely wedi'i wneud gan fy nhad yn arbennig i mi. Does dim cof gen i fod pram yn tŷ ni. Mae'n fwy na thebyg bod un yn eiddo i'r teulu, ond y cymorth pennaf i famau, ac yn enwedig yn ein cartref ni, oedd y siol, wedi'i gwneud o wlanen lwyd gyda rhes o ffrinj o'i hamgylch. Daliai Mam, a phob mam arall, y babi ar un fraich a rhwymo'r siol yn dynn amdano cyn arwain y pen arall dros yr ysgwydd chwith, o amgylch y cefn, dan y gesail dde a'i thwco dros y babi ac o dan y gesail chwith. Fel hyn roedd dwy fraich Mam yn rhydd. Awn lawr i'r pentre i siopa gyda Mam fel papws bach cynnes yn rhwymau'r siol. A yw babanod yr oes hon yn cael eu magu gymaint sgwn i?

Byddai rhywun yn dal y clefydau arferol wedi mynd i'r ysgol. Daeth y frech a'r dwymyn goch, y doben a'r pâs o gwmpas, ond nid oes cof gennyf i fi eu dal i gyd – dim ond y frech goch falle. Roedd sôn am difftheria a'r dwymyn goch yn creu ofn ymhlith rhieni pawb. Mae'n debyg i fi gael sawl math o niwmonia fwy nag unwaith a bydde Mam yn mynd draw i'r feddygfa yn ei thro i dalu'r meddyg am y gwasanaeth. Does gen i ddim cof ein bod yn talu swm wythnosol neu fisol i gronfa fel yswiriant meddygol ar y pryd, ond rwy'n meddwl mai dyna'r arfer.

Roedd aelwyd Bell View yn un gysurus a chariadus a chefais, yn ôl y sôn, ddigon o ffŷs a sylw i wneud fy magwraeth gynnar yn un hapus a maethlon. Nid oedd braidd dim trafnidiaeth yn symud ar hyd y feidir o flaen y tŷ a chawn lonydd i chwarae ar ei hyd ac oddeutu'r hen gartws, sy'n garej bellach. Byddwn yn chwarae siop a thŷ bach yn yr hen dwlc. Roedd Jaci Soch a'i deulu wedi gadael y twlc ymhell cyn hynny. Mae'n rhyfedd fel y cofiwch am rai pethau flynyddoedd wedyn; rwy'n cofio bod sgrin *mesh* ar ffenest y llaethdy cyn dyddiau'r rhewgell, ac mae hynny'n aros yn y cof. Dw i hefyd yn cofio sut beth oedd arogl powltis i drin clwy'.

Byddwn yn chwarae gyda Lilwen Stephens a Marion Jenkins; Marion yw mam-gu Claire Jones, cyn-delynores y Tywysog Siarl. Chwaraewn hefyd gyda rhai o'r merched hŷn yn y pentre, fel Dilys Williams, merch y gof a weithiai yn 'Refel drws nesa, a gyda Gwyneira John, mam Rhian, sy'n paratoi pysgod a sglodion blasus yn siop sglods Bowen yn y pentre heddi.

Dw i'n cofio bydde dau gatalog yn dod drwy'r post yn gyson, sef *Oxendale* a *J. D. Williams* a byddwn i'n treulio oriau yn torri pethau allan o'r rhain a'u gludo mewn i gopi bwc. Fydden ni'n cymysgu blawd a dŵr i wneud glud ac yn ei ddefnyddio i weddnewid ystafelloedd yn y tŷ drwy wyrth y papur wal, yr un glud fyddwn i'n ei ddefnyddio ar gyfer fy nghasgliad o luniau. Wrth gwrs, llunie o gelfi a llestri a phethau fydden i ddim yn eu gweld gatre oedd yn cael mynd i mewn i'r copi bwc a fydden i'n mynd i'w ddangos e wedyn i fy ffrindiau oedd hefyd yn hoff o wneud yr un peth. Roedd tipyn o ddiwydiant wedi tyfu o amgylch y busnes copi bwc 'ma.

O oed cynnar iawn byddwn i'n cerdded gyda Nhad a Carey bob bore Sul i fyny i gapel Blaenwaun. Cymerai ryw hanner awr, neu fwy, gan ddibynnu faint o loetran a wnawn ar y ffordd. Cynhelid ysgolion Sul i oedolion a phlant ym Mlaenwaun ac yng nghapel Bethsaida yn y pentre bob prynhawn Sul. Awn i festri Bethsaida, nid nepell o'n cartref, ar gyfer yr ysgol Sul. Cyn mynd i'r ysgol ddyddiol, ro'n i'n gallu rhedeg y sol-ffa oddi ar *Curwen's Modulator*, sef y siart sol-ffa. Wel, roedden ni'n cael ein trwytho'n gymwys iawn gan athrawon ymroddgar, on'd oedden? Hannah Davies, ysgolfeistres ysgol y babanod oedd yr arweinydd yn Bethsaida a Fanny Griffiths oedd yn dysgu'r sol-ffa. Fe ddysgon ni holl emynau'r plant yn rhaglen y Gymanfa Ganu ar ein cof cyn dydd y gymanfa. Roedden ni'n gorfod gorchuddio'n rhaglenni â chlawr papur naill ai o ddarn o bapur wal neu dudalen mas o gatalog rhag i'r copïau ddwyno, ac roedd pawb yn adnabod ei gopi rhaglen ei hun yn ôl patrwm y papur. Wrth i ddydd y Gymanfa agosáu byddai'r cloriau dros dro'n cael eu tynnu i arddangos rhaglenni glân, newydd yr olwg, heb un staen o de na baw dwylo nac olion siwgr o loshin.

Roedd y Nadolig yn amser cyffrous i ni. Cymerem bob un ran yn y cyngerdd a oedd wedi'i baratoi gan athrawon yr ysgol Sul. Ac yn ddi-ffael, byddai ymddangosiad yr hen ŵr yn ei got goch a'i sach yn creu ofn ar y plant lleiaf, a phwy all eu beio nhw am ofni cwrdd â dyn hollol ddierth â barf wen. Beth sy'n bod arnon ni oedolion yn meddwl bod pob plentyn yn mwynhau cwrdd â'r hen Sioni? Un o hoelion wyth pregethwyr y cyfnod oedd fy ngweinidog, y Parchedig John Thomas; fe oedd y ffigwr canolog i bob gweithgaredd: roedd e'n biniwn cadarn. Roedd meithrin y cof yn beth pwysig ac elfennol yn ei athrawiaeth, a byddai'n cymell pawb i ddysgu popeth ar ei gof.

Doedd dim arholiad ysgrythurol yn cael ei gynnal ym Mlaenwaun a Bethsaida. Ond roedd Drama'r Nadolig yn un o uchafbwyntiau calendr y capeli. Pwy oedd i chwarae Mair a Joseff eleni? Cefais i fod yn angyles fach, ac i ddweud y gwir rwy'n angyles o hyd!

BYDD SAWL UN yn cofio, mae'n siŵr, am fy mrawd, Carey, yn ohebydd crwydrol y BBC gyda'i feicroffon yn ei law. Byddai'n holi pobol ar strydoedd Abertawe neu'r tu allan i'r Vetch neu gae Sain Helen gan eu rhwydo i roi eu barn am bethau. Bu'n ymchwilydd trylwyr i'r gyfres *Cofio* gyda rhaglenni fel *Yr Hen Drempyn*, *Cwm Tawelwch: Nant y Moch* a *Hedd Wyn* yn glasuron ar y teledu.

Ond gweinidog oedd Carey. Doedd e ddim yn foi 'B.D.' – roedd ganddo'i syniadau diwinyddol ei hunan. Roedd yn fachgen cymdeithas a chwmni ac roedd ei ddawn dweud a'i sgwrs fyrlymus ynghyd â'i natur fusneslyd yn gweddu i'r dim i gymysgu gyda phobol, i siarad â nhw ac i gofnodi eu profiadau. Roedd fy mrawd yn alluog iawn a'r gallu mathemategol ar flaen ei fysedd. Er i Carey serennu mewn sawl pwnc, nid oedd eu hangen arno i ddilyn cwrs gweinidog. Gofynnais iddo unwaith, 'Ble wyt ti'n cael amser i wneud y pethe 'ma i gyd?' A'i ateb oedd, 'Rwy wedi gwneud diwrnod o waith cyn dy fod di wedi codi o'r gwely!' Roedd Carey yn foregodwr plygeiniol erioed ac roedd yn dynnwr coes nef-anedig, yn enwedig coes ei chwaer.

Pan safodd Carey y *scholarship* roedd nifer y disgyblion o Sir Benfro oedd yn cael mynd i Ysgol Ramadeg Aberteifi yn gyfyngedig ond daeth fy mrawd yn gyntaf ar y rhestr. Cafodd hyfforddiant a chefnogaeth academaidd gan ei ewythr, Clement Davies, a'r Parchedig John Thomas, a bu Twm 'r Allt, pysgotwr doeth a galluog o bentre Lland'och hefyd yn ei baratoi a'i ddysgu yn enwedig mewn Groeg a Hebraeg cyn iddo fynd i'r coleg ym Mangor – meddylwch fod pysgotwr cyffredin yn gallu siarad yr ieithoedd hynny!

Yn bymtheg oed roedd Carey'n hynod awyddus i bregethu mewn oedfa'n gyhoeddus yng nghapel Bethsaida. Ond er ei frwdfrydedd a'i gyffro, cytunodd Carey â'i deulu i fynd trwy'i bethe'n araf bach ar yr aelwyd yn gyntaf. Roedd Mam-gu yn ffaeledig ac yn methu mynd i'r cwrdd, ond roedd hi hefyd yn awyddus i glywed ei hŵyr yn cyflwyno'r oedfa gyntaf, air am air, a hynny ym mharlwr Bell View, mor raenus ac urddasol ag y medrai. Roedd mor falch fod Carey, fel ei mab Clement, yn bwriadu mynd i'r weinidogaeth. Anogodd y ddau hyd orau ei gallu hi, gan awgrymu gwelliannau a chyngor yn hytrach na beirniadaeth – falle fydde Mam-gu wedi gwneud cystel gweinidog â Clement a Carey.

Daeth Mam a Nhad, Mam-gu a finne ynghyd yn y parlwr i fynd drwy holl drefen y gwasanaeth. Dechreuodd Carey trwy ddiolch am y cyfle, fel tae e mewn pulpud cyn cyflwyno emyn, yna'r darlleniad, a'r weddi o'r frest. Nid oedd y rhan nesaf o'r oedfa yn y sgript – roeddwn yn un ar ddeg oed ac yn ddrygionus iawn, medden nhw, er na choeliaf i fawr o hynny. Fe gyhoeddais yn reddfol fod y casgliad i'w wneud. Symudais yn ysgafndroed tua'r seld a gafael yn un o'r platiau gwerthfawr gan symud ymhlith fy nheulu i dderbyn eu rhoddion a'u hoffrwm. Roedd hi'n ddefod gyfarwydd i fi a theimlais y dylai'r 'cwrdd' yn Bell View fod mor agos at y gwir â phosibl. Nid aeth fy nghyfraniad i lawr yn dda iawn, ond fe'i cofir hyd heddi am fy fflach o ysbrydoliaeth.

Symudodd Carey yn hwylus a hyderus trwy ysgol a choleg

cyn cael ei ordeinio'n weinidog ar gapel Ruhamah ym Mhen-y-bont ar Ogwr. Bu'n gweinidogaethu yno, yn arwain, yn bugeilio, yn diwallu anghenion ac yn ysbrydoli aelodau a bro am bedair blynedd ar ddeg. Symudodd wedyn i Gapel Gomer yn Abertawe.

Roedd gan Carey dueddiadau at y genhadaeth ers dyddiau ei ieuenctid ym Mlaenwaun. Yn wir, rwy'n cofio Carey a fi'n casglu dros y genhadaeth o ddrws i ddrws ac yn cofnodi cyfraniadau'r pentrefwyr ar garden blygiedig. Ac yna caem lyfr am hanes y cenhadwyr cynnar neu *Taith y Pererin* wedi ei lofnodi gan swyddogion y capel ac yn cynnwys cydnabyddiaeth y gweinidog neu arolygwr yr ysgol Sul. Roedd Carey yn aelod cyson o'r cynadleddau cenhadol a ddigwyddai ym Mhlas y Cilgwyn ger Castellnewydd Emlyn; llenwai ei wyliau haf ag ymgyrchoedd a gweithgareddau'n ymwneud â'r Achos. Dros y blynyddoedd daeth Carey i adnabod ffrindiau newydd o bob cwr o wledydd Prydain a chenhadon bydeang. Nid oedd yn syndod iddo gael ei ddyrchafu'n drefnydd a chynrychiolydd i Gymru dros y Bedyddwyr. Gorffennodd â'i waith fel gweinidog ond parhaodd i bregethu'n gyson.

Prynodd Carey dŷ yn Abertawe a bu'r cartref hwnnw'n angorfa i'w deithio aml. Yn ystod un o'i ymweliadau pell ac agos cafodd ddamwain ffordd ddifrifol iawn. Bu'n anymwybodol mewn ysbyty am gyfnod hir a chafodd ei deulu amser pryderus iawn yn gofidio am ei gyflwr. Ond yn raddol daeth allan o'r *coma* a gwella o'i ddolur a dychwelyd i'w gartref ac at ei deulu.

Roedd Carey wedi cyfarfod â Marian Howells yn ystod y cyrsiau a'r cynadleddau yn y Cilgwyn a phriododd y ddau a ganwyd mab iddynt o'r enw Tudor. Disgleiriodd Tudor ym myd addysg, aeth i Goleg Trinity Hall, Caer-grawnt ac yna dilyn gyrfa yn y gyfraith. Heddi mae'n farnwr llys yng nghylch Durham a rhanbarth Tyne a Wear.

Rwyf finnau'n falch iawn o gynnydd a llwyddiant amryw o aelodau fy nheulu, ond i Clement Davies, fy ewythr, a Carey Garnon, fy mrawd, roedd eu magwraeth a'r gefnogaeth a gawsant i sefydlu eu gwreiddiau yn nhir diwylliedig a dwfn y capel a'r fro yn elfennau cyfoethog a gyfrannodd at eu llwyddiant ac at ansawdd eu cyfraniadau. Aeth y ddau, ac eraill hefyd – gan gynnwys fi fy hun –trw'r felin gyhoeddus. Roedd cymryd rhan mewn oedfa, cyngherddau a chymanfaoedd yn brofiad gwerthfawr a'r anogaeth i ddarllen a gweddïo o'r frest heb bapur yn talu ar ei ganfed. Dw i'n cofio amdana i'n ifanc iawn yn mwmian gweddi, yn ansicr fy ngeiriau, fy meddwl yn niwlog – ond roedd 'Amen! Amen! Amen!' y Parchedig John Thomas a'r diaconiaid yn fy nghymell i fynd ymlaen rywsut rywffordd. Anogid pawb i wneud eu gwaith yn raenus, a thyfodd ein hyder.

Cefais i a Carey wersi piano gan ein cymydog, Fanny Mary Griffiths, a oedd yn organydd ym Mlaenwaun. Roeddwn i'n ddisgybl gweddol frwdfrydig, ond medrai Carey ei rowndio hi â'i fys bach, er mor fygythiol oedd golwg y dystysgrif A.L.C.M. yn hongian mewn ffrâm dderi drwchus ar y mur yn y parlwr.

Datblygodd Carey ei brofiad gan feithrin ei dalentau a'u hogi ymhellach pan oedd yn fyfyriwr yng Ngholeg Bangor. Bu'n arwain nosweithiau llawen â'i fwrlwm, ei hwyl a'i hiwmor naturiol gan rwbio ysgwyddau a gair a thonc â chymdeithas. Dyna oedd cyfnod Triawd y Coleg, Bob Roberts a Charles Williams ac aeddfedodd Carey'n gyhoeddus gyda'r don adloniadol euraidd honno.

WNCWL CLEMENT oedd yr unig un o saith o blant Dafi a Mary Davies, sef fy nhad-cu a mam-gu, a anwyd yn Bell View. Nid oes neb arall yn y teulu gwasgaredig a fedyddiwyd â'r un enw. Ystyr yr enw Clement yw 'tirion' a bu cystal â mam a thad i fi gyda'i ofal tyner a'i gyngor doeth wedi i fi golli fy rhieni o fewn yr un flwyddyn. Fe addysgwyd Clement yn ysgol y pentre, Ysgol Ramadeg Aberteifi ac yn Adran y Bedyddwyr, Coleg Bangor ar gyfer mynd i'r weinidogaeth. Yno cyfarfu â geneth landeg, Gwen o Gaernarfon, a oedd yn astudio Cymraeg yn y brifysgol ar yr un pryd.

Roedd Clement yn ymwelydd cyson â Bell View wedi iddo adael gartre a soniai'n amal am un digwyddiad. Un diwrnod ac yntau newydd briodi, safai tu fas i ddrws y tŷ yn edrych dros bentre cysglyd Lland'och pan ddaeth cymeriad lleol, a chyn-forwr heibio a'i gyfarch.

'Priodas dda Clement. Un o ble yw'ch gwraig chi?'

'Un o'r "north",' oedd yr ateb.

'Machgen bach i, druan â chi. Tacle ar diawl y'n nhw, mae un 'da fi gatre!'

Merch Swyddfa'r Post Twtil oedd Gwen a byddwn i wrth fy modd yn mynd ar wyliau yno. Losin o bob lliw mewn poteli, cyfle i stampo llyfrau pensiwn a benthyg y stamp i wneud mwy o batrymau; mynd am drip i Landudno neu'r Rhyl – dyna beth oedd antur! Yr adeg honno dim ond yn yr haf oedd modd prynu hufen iâ ac roedd eistedd mewn *deckchair* yn ei fyta'n brofiad bendigedig.

Wncwl Clement a anogodd tair o 'nghyfnitherod o Dredafydd – Teivy, Ellen a Mary – i fynd i weithio gyda'r Swyddfa Bost ac i Dwtil yr aeth Teivy ac Ellen. Fe dreuliodd Jeff a fi a'r plant sawl gwyliau haf hyfryd yng nghwmni Teivy ac

Ellen, ac mae'r cysylltiad teuluol â'r gogledd yn parhau gyda'r croeso twymgalon ar aelwyd Basil, mab Teivy, a'i wraig Lydia yn y Bontnewydd.

Wedi cwblhau'r cwrs diwinyddol ordeiniwyd Wncwl Clement yn weinidog ym Mhen Llŷn ar ddwy eglwys y Bedyddwyr, Llithfaen (sydd wedi cau bellach) a Thyddyn Siôn, ger y Ffôr, sy'n dal yn eglwys fedyddiedig. Wedi priodi Gwen, ganed mab iddynt – Dafydd Gwilym. Pan oedd Dafydd yn ddwy oed, derbyniodd Clement alwad i eglwys y Graig y Bedyddwyr yng Nghastellnewydd Emlyn. Fel arweinydd ysbrydoledig a ffyddlon arhosodd yno am weddill ei oes. Dilynodd Dafydd Gwilym gamau ei dad i'r weinidogaeth. Cafodd ei ordeinio ar Ynys Môn cyn symud i Gaerdydd yn athro yng ngholeg yr enwad ac yna'i ddyrchafu'n brifathro.

Dôi Wncwl Clement draw i Bell View yn gyson gan ddod â phregethwyr i gwrdd â Mam-gu a hithau'n mwynhau hyn y fawr. Fe welais y rhan fwyaf o ogledd Cymru, diolch i Wncwl Clement a'i deithiau pregethu ac iddo fe hefyd mae'r diolch am hafau hir a braf gyda'r plant mewn carafán yn Nhre-saith. 'Does unman yn debyg i gartref', meddai'r gân, a Bell View oedd y cartref hwnnw i Wncwl Clement.

DAU GEFNDER sydd gen i ar ôl erbyn hyn – Dafydd Gwilym yng Nghaerdydd a Defi Joseph yn Llanuwchllyn. Mae D.J. neu David Joseph *Rhyddid* Davies, a rhoi iddo ei enw llawn, yn 94 oed. Mae'r cof am ddiwedd y rhyfel yn 1918 yn amlwg yn ei enw bedydd, cymaint oedd yr argraff a greodd diwedd y rhyfel ar ei dad. Ymgartrefodd D.J. ers rhai blynyddoedd yn y gogledd ac mae wrth ei fodd yn y pentre diwylliannol lle mae Elin Mair, ei ferch ieuengaf, yn byw.

Mae Defi Joseph yn dathlu ei ben-blwydd dridiau cyn y Nadolig, ond yng nghyfnod ei ieuenctid ac yntau'n brysur iawn yn helpu ei fam yn y siop groser arferai ddweud, 'Ches i ddim carden pen-blwydd na charden Nadolig erio'd pan we'n i'n grwt. Wedd dim amser 'da nhw i gofio pethe fel cardie!'

Mae'n rhyfedd fel mae arferion siopa wedi newid. Fyddai pobol Lland'och ddim yn meddwl am fynd i dref Aberteifi i siopa am fwyd a nwyddau eraill gan fod popeth ar gael yn y pentre. Yr unig dro awn i'r dre i siopa oedd i brynu esgidiau neu ddillad newydd, a doedd hynny ddim yn digwydd yn amal y pryd 'ny. Prynwn fwyd ffres yn gyson, ac ar ddydd Iau fydden i'n mynd lawr â'r rhester siopa i Lys Aeron a byddai'r negeseuon i gyd yn cyrraedd yn hwylus mewn bocs nos Wener mewn fan. Roedd mynd i'r siop yn gyfle gwych am sgwrs a rhoi'r byd yn ei le 'fyd!

Siopwr oedd D.J. a gadawodd yr ysgol yn ifanc oherwydd bu farw ei dad. Cadwai D.J. siop gyda'i fam am gyfnod, yna cafodd ei benodi'n bostfeistr y pentre. Person yn hoff o bobol yw D.J., gyda gwên, hoffter a chwrteisi'n dod yn naturiol iddo. Roedd cymaint o gydnabod wedi symud i'r ochor draw nes byddai'n gofyn, 'Pwy sy'n byw fan hyn? A phwy sy'n byw ochor draw'r hewl?'

Gŵr tal, golygus a gosgeiddig yw Defi Joseph yn sefyll yn unionsyth fel ffon heb unrhyw duedd i grymu. Chredech chi ddim ei fod yn bwrw mla'n yn ei oedran wir. Dyma ddyn cymen a thrwsiadus ei wisg a chymen a gofalus wrth ei gyfrifoldebau hefyd. Bu'n ysgrifennydd ariannol capel Blaenwaun ac ef hefyd yw'r diacon hynaf yno. Rydych yn ddiacon am byth ym Mlaenwaun! Fe'i bendithiwyd â doniau cerddorol, a chofir amdano gan aelodau corau a gwrandawyr yn canu gyda Chôr Meibion a Chymysg Llandudoch, Côr yr Eisteddfod yn ystod y Steddfod Genedlaethol yn 1976, Côr Meibion Blaen-porth a Chôr Pensiynwyr Aberteifi a'r Cylch o'r cyfnod pan sefydlwyd y côr.

Cyn-athrawes sydd bellach yn byw ym Mryste yw Elizabeth, merch hyna' Defi Joseph, mae'n briod ag Alan, bachgen o Aberteifi. Caiff y teulu cyfan barhau'r cysylltiad â Sir Benfro gan eu bod yn berchen ar gartre haf yn Nhrefdraeth.

Mae ail blentyn Defi Joseph, Calvin, yn byw yng Nghanada gyda'i deulu ac wedi ennill doethuriaeth mewn fferylliaeth ac newydd ymddeol. Ac er ei enw, credwch neu beidio, mae'n Fedyddiwr i'r carn! Gwraig fferm yw Elin Mair, ei ferch ieuengaf, sydd hefyd yn athrawes yn Ysgol y Berwyn a chan ei bod yn gyrru heibio'i gartref bob dydd mae'n galw a throi mewn i wneud yn siŵr bod ei thad yn iawn. Ces i'r fraint o ddysgu'r rhain i gyd yn Ysgol Lland'och, ond do'dd yr un ohonyn nhw'n folon cyfadde mod i'n fodryb arnyn nhw dros eu crogi.

Mae Defi Joseph a finne wedi bod yn agos erioed. Wedi'r cyfan, yr un fam-gu oedd gennym ni, a byddai'n galw yn Bell View yn rheolaidd, hyd yn oed yn ei ieuenctid. Galwai heibio ar y ffordd adre o'r cwrdd bore Sul ym Mlaenwaun i weld Mam-gu a byddai hithau yn ei thro yn atgoffa Mam, 'A wyt ti wedi gwneud pwdin reis i fois William?' Bydde Mam yn ateb, 'Drycha 'ma, bydd eu mam nhw wedi gwneud cinio erbyn byddan nhw adre.' Ond roedd ateb gan Mam-gu iddi eto, 'Mae Defi Joseph, Vincent a Timothy wedi cerdded lawr o Flaenwaun – byddan nhw wedi treulio'r reis mhell cyn cyrraedd adre.'

Wedi llanw bobo ddishgled iddyn nhw roedd edrych mlaen mawr at y ffest a chwmpo mas – pwy oedd yn mynd i gael y badell enamel a chrafu'r grofen frown a'i llond o flas nytmeg.

Mae Lland'och yn parhau yn bwysig iawn i D.J. – daw lawr yn gyson rhwng ei ymweliadau â Bryste a Chanada. Ond bydd yn dychwelyd o wlad y fasarnen goch cyn i'r oerfel gaeafol blynyddol gyrraedd.

Gardd Achau

ROEDD MYND i Ysgol y Cyngor ac adran y babanod am y tro cyntaf yn ddiwrnod cyffrous iawn. Ni fyddai'r rhieni yn ein hebrwng, ond yn hytrach awn ni blantos mân yng nghwmni ein brodyr neu chwiorydd hŷn. Y bwriad oedd mynd o dan nawdd a gwarchodaeth fy mrawd Carey o ddrws y tŷ i ddrws yr ysgol. Ond nid felly fuodd hi.

Roedd plant Lland'och yn cael eu hadnabod yn ôl ardaloedd gwahanol y pentre – plant Pen-rhiw, plant y Cwmins, plant Pentre Llangwm – un o blant y Cwm oeddwn i. Roedd Billy a Mani Lewis yn cael eu hadnabod fel plant y Cwm gan fod eu modryb, Magi Lewis, wedi cymryd gofal ohonyn nhw wedi marwolaeth eu mam. Roedd Billy yr un oedran â Carey a Mani Emanuel yr un oedran â fi. Y brodyr hŷn oedd i fod i'n gwarchod ni ar y ffordd i'r ysgol, ond wedi troi'r cornel uwchben ein tŷ ni dechreuodd y bechgyn gico cerrig a raso mla'n ffwl pelt gan 'y ngadael i ar ôl gyda Mani. Ac felly, aethon ein dau, law yn llaw, yn fodlon ein byd, yn teimlo'n jocôs fel petaem yn mynd i Affrica neu ben draw'r byd.

Roedd adran y babanod yn yr ysgol o dan arweiniad y brifathrawes, Hannah Davies. Ar y staff hefyd oedd Miss Annie Evans a oedd yn adnabyddus i ni'r plant fel Teacher Annie.

Fy nhad-cu a mam-gu, David a Mary Davies,
neu Dafi a Mari Dafis, Bell View.

Ship and Anchor, Abergweun – cartre nhad,
a'i trodd yn llwyrymwrthodwr.

Y Bedydd Mawr yn Abergweun yn 1904 a nhad yn un o'r rhai
oedd i'w bedyddio.

Grandpa a Grandma, Henry ac Ann Garnon, Abergweun
a nhad, Mansel.

Mansel a Polly, fy rhieni, ar ddiwrnod eu priodas yn 1923.

Fy mrawd Carey wedi dotio ar ei chwaer fach.

Tair cenhedlaeth o flaen Bell View – Mam, fi a Mam-gu.

Wedi gwisgo'n barod ar gyfer mynd i'r bar!

Taith i Landudno i weld y teulu yn y 'north'
yng nghwmni Ellen a Teivy.

Dweud ffarwél: Wncwl William George yn mynd â'i fam (yn yr het) a gweddill y teulu ar wyliau yn ei gar newydd; Edith â'i pharasol, fi ym mreichie Mam a Carey ar *running board* y car yn barod i fynd.

Ni'n pedwar tu fas i Bell View a nhad yn methu cuddio'r *plaster of Paris* ar fy nghoes wedi i fi gwmpo.

Te ar y bar yn yr haf: Edith, Mam, Mary a ni'r plant.

Diwrnod cyrddau ordeinio Carey ym Mhen-y-bont ar Ogwr.

Merched chwaer Mam, Anti Sali: Edith, Mary, Ellen,
Margaret a Teivy yn y blaen.

Y merched eto – Edith, Margaret, Ellen, Mary, Teivy – a fi, mewn priodas flynydde'n ddiweddarach.

Wncwl Clement, sef y Parch J. Clement Davies, ei wraig Gwen a'u mab, Dafydd.

Fi pan o'n i tua ugain oed.

Parti Cyd-adrodd Aelwyd Llwynihirion yn cystadlu yn Eisteddfod Treorci 1947. 'Co fi yn y canol.

Eisteddfod yr Urdd Machynlleth 1952 yng nghwmni fy ffrind Lilwen, ar y chwith, a Mair Hughes o Gemaes, cyd-fyfyrwraig yn y Barri.

Tair o ddosbarth ysgol Sul Bethsaida – fi, Lilwen a Bethan Morris.

Fi a Jeff ar drip i'r Mwmbwls.

Fy ffrind Nance a fi gyda chyfeillion ar y daith fawr draw i'r Almaen.

Amser te yng Ngwersyll yr Urdd Llangrannog. Oedd, roedd hwyl i'w gael.

Parti Nadolig Aelwyd Teifi ac Aelwyd Ffynnon-groes yn ymuno.

Gee geffyl bach a fi yn yr Alban ar ein hantur.

Ar yr iard waelod roedd dau dŷ cerrig, cadarn yr olwg. Ac yn y cyfnod pan es i'r ysgol am y tro cyntaf roedd y naill yn gartref i bennaeth y babanod a'r llall i bennaeth yr ysgol iau. Ond gan fod tŷ gan Hannah Davies yn y pentre, gosodwyd y tŷ i Washington Thomas a'i wraig. Fe, Washington, oedd asiant Bois y Sân, y pysgotwyr, ac yn gyfrifol am gasglu'r eogiaid a'r sewin a'u pacio'n ffres i'w cludo'n ofalus ar y Cardi Bach cynharaf o orsaf Aberteifi i orsaf Paddington, Llundain ac ymlaen i dai bwyta moethus y ddinas.

Fydden ni'n eiste'n ddisgybledig mewn rhesi o ddesgiau hirion a oedd yn dal pump o blant yr un mewn dosbarth cymysg o ugain neu ragor. Bydden ni'n ysgrifennu llythrennau a ffigurau ar lechen mewn ffrâm bren gyda phensil o lechen hefyd. Doedd poeri na defnyddio llewys i lanhau'r llechen ddim yn dderbyniol ond cariwn racsyn o glwtyn i lanhau wyneb y llechen a macyn i sychu trwyn. Caem chwarae â chlai, nid Plasticene, a blociau pren ac abacws. Un o'r ymarferion mwyaf pwysig a defnyddiol oedd dysgu laso sgidiau. Roedd digon o gryddion yn y pentre bryd hynny ac roedden nhw'n paratoi stribedi lledr i bob plentyn gyda llygaid fel sgidiau arnyn nhw. Bydden ni'n plethu'r lasys a'r careion a chlymu dolen hefyd, a hyd yn oed pan oedden ni'n gwisgo esgid ben-glin uchel nelen ni i'r dasg o glymu lasys edrych yn hawdd ymhell cyn dyddiau felcro.

Doedd dim gwisg ysgol fel sydd heddi, ond byddai modd adnabod plant y tloty, wyrcws Albro Castle, drwy eu gwisg wahanol, y bechgyn â thei streipiog a'r merched â'u ffedogau gwynion. Roedd toriad gwallt y merched yn fyr iawn er mwyn glendid, mor wahanol i ferched y pentre â'u *ringlets*, plethau a gwallt hir wedi ei glymu â rhubanau pert. Aeth rhai o'r plant i fyw i'r wyrcws am fod un neu ddau o'u rhieni wedi marw neu'r tad yn wael ac yn methu gweithio i gynnal y teulu. Effeithiodd clefyd TB ar lawer o deuluoedd yn ystod y cyfnod hwnnw a magwyd plant a aned tu fas i briodas yno hefyd – gofal sylfaenol iawn a gâi'r plant druan yno.

Wyneb o slats concrit oedd ar iard yr ysgol yn hytrach na cherrig a phorfa fel oedd mewn rhai ysgolion. Roedd y lle chwarae'n gyfyng, ond gydag ychydig o ddychymyg fe fydden ni'n creu sawl byd i fyw ynddyn nhw ac yn chwarae gêmau traddodiadol hefyd. Roedd *scotch* yn gêm boblogaidd iawn. Gyda darn o sialc, darn o lechen neu garreg feddal ag awch iddi byddem wedi cynllunio rhyw ddwsin neu lai o flychau o'n cynllun ein hunain. Wedyn byddai angen dod o hyd i garreg o'r maint iawn i'w thaflu i'r blychau yn ystod y gêm, ac yna neidio a hopian. Bydden ni hefyd yn chwarae cip neu gwato oedd yn llawer o hwyl. Weithie gêm o droelli top fyddai'n mynd â'n bryd ni – roedden ni'n defnyddio rilen o focs gwnïo mam a hoelen wedi ei bwrw i mewn i'w blaen i greu'r top ac yna'n dysgu sut i droelli'r top am yr hiraf, bydden ni'n dod yn rial giamstars ar hyn yn ddigon clou. Roedd gan bob plentyn, fwy neu lai, gylch a bachyn – un haearn i'r bechgyn ac un pren i'r merched – oherwydd roedd digon o ofaint i greu'r haearn a digon o wiail i'w plygu yn y pentre.

Tu fas i'r ysgol a chyn dyddiau iechyd a diogelwch a'u rheolau tynn roedd y Morfa a'r Netpwl yn rhan o'n tirwedd chwarae ni'r plant. Mewn un cornel roedd y *standards*, sef rhesi o byst pren cadarn â darnau croes a ddefnyddid gan Fois y Sân i sychu'r rhwydi ar ôl eu defnyddio i bysgota pyllau dyfnion afon Teifi. Byddem ninnau'r merched ynghyd â'r bechgyn wrth ein boddau yn defnyddio'r *standards* yn rheolaidd – yma roedd ein *gymnasium*. Bydden ni'n hongian wrthyn nhw fel mwncïod o'r jyngl, a cherddded arnyn nhw fel acrobatwyr syrcas. Gallem sefyll ar ein pennau a phwyso'n traed yn eu herbyn a'u dringo nhw fel cathod. Pe byddai rhywun yn ein gwylio, bydden nhw'n siŵr o feddwl ein bod ni'n paratoi ar gyfer yr Olympics.

Un o'r traddodiadau rhyfeddaf ac unigryw i Ysgol Lland'och oedd ymateb y plant i'r llongau masnach a ddôi i fyny afon Teifi. Wrth i'r llongau agosáu at dro Pwll y Castell bydden ni'n clywed yr hwter yn canu a heb unrhyw gyfarwyddyd oddi wrth yr athro codai pawb ar eu traed fel côr adrodd cyn mynd allan i'r iard a rhedeg lawr i ymyl yr afon ger y Netpwl. Dw i'n cofio gweld y llong, y *Drumlough*. Roedden ni'n sefyll ar wefus y lan gan edrych i lawr ar wyneb y dŵr. Pan ddôi'r llong heibio wedyn allen ni edrych i lawr ar ei dec ac yn amal byddai rhai o dadau'r plant yn rhan o'r criw. Bydden nhw'n codi llaw ar y plant a ninnau'n ymateb yn llawn cynnwrf bob tro. Ar brydiau angorai'r llong ger yr iard lo i ddadlwytho rhan o'i chargo cyn mynd ymlaen i'r cei yn Aberteifi. Byddai llongau eraill fel yr *Enid Mary*, y *Pegwen*, yr *Eskburn* a'r *Castle Green* yn mynd lan hyd at bont Aberteifi. Dechreuodd nifer o forwyr Lland'och eu gyrfaoedd ar un o longau'r Teifi Steamship Company. Nid oedd yn waith proffidiol iawn oherwydd dim ond rhyw £1-17s yr wythnos oedd cyflog morwr, ac roedd yn rhaid iddo ddarparu ei fwyd ei hun, a'i ddillad gwely, a doedd fawr o gysur ar fwrdd hen dwba fel y *Drumlough*.

Peilot afon Teifi oedd Tom James Bowen, sef tad Tony a Clive Bowen sy'n dal i fyw yn y pentre. Roedd tri ohonynt yn y cwch peilot – y *Dancer* – Tom Bowen, ei hanner brawd Benjamin Richards a'u cefnder Jaci Davies. Âi'r cwch allan mor agos â phosib tuag at y 'bar' yn ôl y tywydd. Y bar yw'r man lle ma'r afon yn cwrdd â'r môr. Codai Tom Bowen bolyn mawr ar ddec y cwch peilot a'i symud i'r chwith (*port*) neu i'r dde (*starboard*) i ddangos pa gyfeiriad roedd angen i'r llong ddilyn. Darllenai capten y llong hyn a chywiro'i gwrs yn ôl y galw, ond mewn tywyllwch defnyddient hen lamp reilffordd – gan fflachio coch i'r *port* a gwyrdd i'r *starboard* a gwyn am *ahead*. Gwaith Jaci'r cychwr oedd gosod 13 o ganghennau bedw yn y mwd i ddynodi'r sianel ddiogel i fyny heibio Lland'och. Arnynt hongiai lampau glowyr wedi'u cynnau oherwydd doedd yr *hurricane lamps* yn werth dim: roedden nhw'n diffodd o hyd. Byddai llong yn cyrraedd Aberteifi ymhen ugain munud, ac wrth hwylio mas rhaid oedd hwylio yn erbyn y llanw, ryw hanner awr cyn y llanw uchel a chyrraedd gyferbyn â Thafarn y Fferi lle'r oedd digon o ddŵr erbyn iddi ddechrau dyddio.

Roedden ni'n clywed hwter arall yn Lland'och hefyd, sef caniad hwter y ffatri crysau gwlanen Helanna, oedd yn eiddo i deulu'r Williams, y Briar. Clywn y 'wennol' yn saethu a symud ym mheiriannau'r gwëydd, ac rwy'n cofio mai enw'r prif wehydd oedd Offi Edwards.

Arhosodd sain yr hwter yn gwmpeini i fi pan oeddwn i'n fyfyrwraig yng Ngholeg y Barri. Clywn hwteri'r llongau mawrion naill ai'n dod mewn i ddociau'r Barri neu'n hwylio i fyny i Gaerdydd. A minnau'n gorwedd yn fy ngwely diddos dôi ton o hiraeth am Land'och drosof o glywed yr hwteri.

Roedd gweld a chlywed straeon y morwyr yn siŵr o fod wedi rhoi syniadau ym mhennau bechgyn hŷn yr ysgol. Gan fod y Netpwl yn rhan o'n maes chwarae ni a neb yn gwarchod yno, penderfynodd rhai o'r bechgyn fynd i forio. Aeth un ferch gydwybodol lan at T. H. Evans, y prifathro, gan ddweud wrtho a'i gwynt yn ei dwrn, 'Syr, mae'r bois wedi mynd mas mewn cwch!' Roedd gan T.H. arfer o gario'r ffon y tu fewn i goes ei drowser a'i hongian gerfydd gwefus ei boced. Edrychai'n gwmws fel Wyatt Earp, siryf y gorllewin gwyllt a reiffl Winchester yn hongian wrth ei ystlys. Gwelodd y bechgyn a'r cwch yn hwylio'n braf dros Bwll y Castell. Wrth weiddi dros yr afon roedd adlais naturiol yn atseinio o'r graig ger Fferm y Castell. Heb fod yn rhy gynhyrfus gwaeddodd yn ddigon clir i'r bechgyn ei glywed. 'Nawr te, bois bach, na ddigon o'r dwli 'na, mae'r teid yn troi. Dewch miwn! Dewch miwn!' Clymwyd y cwch wrth y lanfa a dringodd y bechgyn i fyny'r llwybr serth tuag at y morfa. Yno roedd T.H. yn disgwyl amdanynt yn ymddangos yn ddigon jocôs a disgybledig. Ond wrthyn nhw basio, tynnwyd y ffon a chafodd pob bachgen slasiad gref a chywir ar ei ben-ôl. Fuodd dim rhagor o fordeithiau wedi 'ny.

Un trip arbennig yn unig a gofiaf o'r ysgol gynradd ac o'n i'n ddeg oed ar y pryd. Ymateb i gynllun y G.W.R. a Chegin Gymraeg yr Amgueddfa Genedaethol yng Nghaerdydd oedd cefndir y trip cofiadwy. Fe'n cludwyd yn y Blue Glider (bws Lewis Williams) draw i orsaf Aberteifi i ddal trên y Cardi Bach i Hendy-gwyn ar Daf gan godi plant o ysgolion eraill ar y daith cyn dal yr *express* ymlaen i Gaerdydd. Nid oedd y rhan fwyaf ohonom wedi teithio ymhellach na'r dre neu'r mart yn Aberteifi.

Wedi cyrraedd yno, un o'r atyniadau mwyaf cyffrous oedd y sta'r symudol yn siop fawr Marks and Spencers – wir i chi. Ar y pryd, dim ond mynd i fyny a wnâi'r sta'r i fynd at y storws. Cawsom hwyl fawr yn esgyn yn osgeiddig ac yna sgrialu i lawr y grisiau traed a rownd mewn cylch dro ar ôl tro. Roedd cystal â ffair Aberteifi i ni'r plant. Wedi gweld rhyfeddodau'r amgueddfa a chanol y ddinas roedd yn bryd mynd 'nôl i'r orsaf a pharatoi i fynd ar y trên am adre, trên heb goridorau ond â drws i bob *compartment*. Miss Jenkins oedd yn dosbarthu'r tocynnau gan fod T.H. wedi mynd draw i'r BBC i drafod sgriptiau rhaglen radio o'r enw *Teulu'r Mans*. Rhifodd Miss Jenkins y tocynnau amryw o weithiau ond roedd un tocyn dros ben bob tro. Doedd neb wedi sylwi fod rhywun ar goll, nes i Basil Blake ddweud, 'Mae Consyn, ar goll!'

'Ble mae e?'

Bu chwilio mawr amdano a ffoniwyd o'r orsaf i'r polis a gofyn iddyn nhw whilo amdano. Daethon nhw o hyd iddo'n eistedd yng nghanol y ddinas, ei ddwylo yn ei boced . . . yn staro ar y trams. Cludwyd e 'nôl i orsaf yr heddlu lle cafodd gwpaned o de, swper a gwely mewn cell y noson honno. Yn y cyfamser aeth y plant a'r athrawon 'nôl ar y trên heb Consyn Coll.

Aeth T.H. lawr i weld y teulu gyda'r newyddion ond doedd dim angen pryderu drosto.

'Mae'r rhocyn yn saff, ac mi fyddan nhw y polis yn ei roi ar y *Mail Train* yn ystod oriau mân y bore. Fydd e'n cyrraedd Aberteifi am chwech y bore ar y Cardi Bach.' Dyna oedd trip a hanner. Llawer o sbri a hwyl a diweddglo diogel i'r oen colledig.

Ond roedd y daith i Gaerdydd wedi gadael argraff arbennig ar fy ffrind Glenys Phillips a minnau. Roedd y New Continental Café wedi agor yn Queen Street yn y ddinas; hwnnw, oedd y tro cyntaf i ni'n dwy weld dynion yn gweini bwyd mewn cot a chwt ac roedd eu gweld yn cario *tray* uwch eu pennau ar flaenau eu bysedd ac yn llawn o lestri a bwyd yn rhyfeddod o'r mwyaf. Dim ond y Parchedig John Thomas roeddwn i wedi'i weld mewn cot o'r fath mewn priodas, angladd neu ar Sul cymundeb!

Fuon ni'n dwy'n siarad am y profiad am ache wedyn. Un o orchwylion disgyblion dosbarth hŷn Ysgol Lland'och oedd paratoi coco twym i blant y Cipin gan eu bod yn cerdded cryn bellter i gyrraedd yr ysgol a chael brecwast cynnar iawn. Wedi paratoi'r cwpanau o goco twym penderfynodd Glenys y byddai'n cario'r *tray* a'r llwyth o gwpanau coco ar flaen ei bysedd a dros ei phen fel y gweinyddwyr yng Nghaerdydd. Llithrodd Glenys dan bwysau'r llwyth a disgynnodd hithau, y cwpanau a'r coco yn shils rhacs shibidêrs ar y llawr. O hynny mla'n, gwell oedd gweini â dwy law a'r hambwrdd o'ch blaen dan lygaid, cerddediad a chanolbwyntio gofalus.

Sdim cof 'da fi am gael arian poced cyson. Fyddwn i ddim yn poeni Mam a Nhad yn ormodol, ond rwy'n siŵr pe byddwn wedi gofyn am drêt fach mi fyddwn wedi cael rhywbeth. Ond wedyn, pan oeddwn yn agosáu at un ar ddeg oed ro'n i'n cael pishyn whech disglair ar ddydd Sadwrn. Cofiwch chi, fyddai'r pishyn whech hwnnw ddim yn para mwy na'r dydd Sadwrn yn 'y mhoced i.

Fe drefnen ni fod ceiniog yn mynd tuag at y tocyn i fynd ar y Blue Glider o Land'och i Aberteifi. A hefyd, cadw ceiniog arall i dalu am y daith 'nôl. Fydden ni'n mynd i weld ffilm yn y *matinee* yn y Pav, yr hen Pavillion Cinema, yn Aberteifi. Dwy geiniog oedd y tâl mynediad. Ond ffyrymau caled, meinciau pren, heb gefn oedd yr hyn a gaem i eistedd arnyn nhw am ein harian – a hynny reit yn y blaen, mor agos fel bod ein trwyne ni'n cwrdd â'r sgrin bron. Roedd ffilmiau cowbois yn boblogaidd; rwy'n cofio gweld Roy Rogers, Hopalong Cassidy a Randolph Scott. Ffilmiau â digon o sŵn a mynd ynddyn nhw oedd yn denu tyrfaoedd o blant i weiddi a sgrechian a mwynhau.

Rwy'n cofio Mam yn mynd am y tro cyntaf i'r Pav. Roedd llawer, fel hithau, heb gamu drwy ddrysau'r sinema cyn y ffilm

Proud Valley gyda'r canwr croenddu Paul Robeson yn y brif ran. Gyda chymaint o sylw a sôn am y cawr o America, tyrrai pobol yn eu cannoedd i'w weld gan lenwi pob sêt. Yr unig seddau ar ôl y diwrnod hwnnw oedd y ffyrymau blaen, a phan ddaeth y cwymp dan ddaear, cafodd Mam ofn ofnadw, bu bron iddi neidio o dan y sêt i'w hamddiffyn ei hun rhag y don ddu enfawr a ymddangosai mor real wrth ddod allan o'r sgrin.

Wedi neilltuo pedair ceiniog ar gyfer y bws a'r sinema roedd gennyf ddwy geiniog yn sbâr. Awn i'r siop tships a chael gwerth ceiniog neu ddwy mewn cwdyn papur triongl. Ac un o'r pleserau pennaf oedd sugno'r finegr a oedd wedi cronni yng ngwaelod pigyn y cwdyn. Fe alla i eu blasu nhw nawr!

Wrth gwrs, wedi ennill lle yn y Cownti Sgŵl yn Aberteifi nid oedd y chwe cheiniog ar ddydd Sadwrn yn ddigon ar gyfer angenrheidiadu'r wythnos. Cawn arian i brynu cinio ysgol ac i brynu 'cisis'. Na, nid cusanau oedd y rhain ond gair unigryw Lland'och am losin, da-da, swîts, melysion neu tyffish; a 'cysen' oedd un. Byddwn i'n cael y *kisses* go iawn yn nes ymlaen yn fy mywyd.

Pan gyrhaeddai negeseuon o'r siop ein tŷ ni, wedi eu cario fel rhan o'r gwasanaeth, byddai Mam yn cwato'r cisis yn saff. Cofiaf i'r Mint Imperials gael eu bedyddio yn 'cisis y diaconiaid'. Ond roedd Mam hefyd yn gwneud toffi blasus iawn. Fel rhan o'r rysêt arbennig defnyddiai fenyn a siwgwr a'u berwi'n dda, codai lwyaid wedyn a'i osod mewn dŵr oer ac fe welai sut y byddai'n caledi i weld a oedd yn barod i'w osod ar bapur *greaseproof*. Roedd y menyn ynddo'n ei wneud yn reshlyd neu'n seimllyd. Byddai Mam yn ei dorri wedyn yn ôl y galw i'w rannu rhwng pawb a'i fwyta gyda phleser mawr. Byddai Mam wedi gwneud menyn drwy gadw'r hufen o dop y llaeth a ninnau'n ei siglo mewn llestr gwydr nes iddo droi'n lwmpau bach o fenyn.

Roedd tad fy ffrind Betty yn gweithio yn un o siopau *chemist* y dre. Adeg rhyfel roedd losin o bob math wedi ei ddogni ond roedd modd cael losin annwyd heb gwpons, a gofalai tad Betty fod siâr go dda ohonyn nhw i ni. A dweud y gwir, o styried faint o fynd oedd ar y losin annwyd, mae'n rhaid ein bod ni'n hollol glir o annwyd drwy gydol y rhyfel!

Wrth gwrs, fe hoffwn fynd i siop bapurau Miss Wigley i brynu cisis o fy newis i, os byddai ceiniog neu ddwy yn sbâr. Pwysai bopeth a gosod y cisis mewn cwdyn tri chornel. Ymhlith y ffefrynnau roedd *boiled sweets*, Humbugs, Rosebuds pinc a gwyn neu Pear Drops. Roedd rhai bach a rhai mawrion, yn *gobstoppers* bron â bod, llenwent gegau plant parablus yn hawdd iawn a'u tawelu. Cadwem rai yn sbâr a'u cynnig i'r athrawes oedd yn cymryd y wers wnïo am un prynhawn yr wythnos. Roedd hi'n dwli amdanynt, ac wrth eu sugno ni allai ond cau ei cheg ac felly methai roi pregeth i ni.

Prynwn Sherbet mewn cwdyn a defnyddio lolipop i'w ddipo ynddo a'i sugno. Hoffwn lapo'r powdwr ac âi lan fy nhrwyn ambell waith. Ro'n i'n hoff iawn o linyn hir du o *Spanish liquorice* weithie. Medrwn roi ceiniog mewn peiriant hefyd a chael bar bychan tenau o siocled Nestlé amdani – nefoedd. Fi oedd yn rheoli shwd o'n i'n gwario'r chwe cheiniog ar ddydd Sadwrn, ac roedd yn fanteisiol i fi os oedd y siopwr yn fy adnabod, achos weithie gelen i fwy am fy ngheiniog.

Roedd dydd Gwener yn ddydd pwysig i Mam-gu ac i finnau. Fi oedd yn cael mynd i nôl ei phensiwn o swyddfa'r post. Roedd 'Defi 'nghender' wedi rhoi coron yr wythnos iddi dros y blynyddoedd a hithau wedi cael dim oddi wrth y Llywodraeth wedi claddu ei gŵr. Gydag amser fe gyrhaeddodd Mam-gu ei thrigain oed. Câi gymysgedd o ddarnau arian ac wedi'u sgwaru ar y bwrdd fe'u didolai yn ofalus. Dros y blynyddoedd roedd adroddiadau eglwys Blaenwaun hefyd yn cynnwys mantolen o gasgliadau er lles tlodion y plwyf, ac un o orchwylion cyntaf Mam-gu oedd rhoi chwe cheiniog o offrwm ar gyfer oedfa'r Sul yng nghasyn y weinidogaeth. Gydag amser fe gododd pensiwn Mam-gu. Wedyn byddwn innau'n cael pishyn tair, ceiniog wen, fel rhodd o ddiolch oddi wrth fy mam-gu. Dydw i ddim wedi cadw'r un o'r rhain, yr arian yn llosgi gormod o dwll, ond mae gennyf ddarn grôt – rwy'n dal i ddefnyddio grôt fel term os oes rhywbeth yn werth pedair ceiniog.

Fyddwn ni ddim yn prynu comics ond yn hytrach fe brynwn *Cymry'r Plant* oherwydd dylanwad parhaol Mallt Williams, Pant Saeson, ar ddiwylliant y pentre. Roedden ni'n cael *Trysorfa'r Plant* fel teulu ac fe enillwn lyfrau yn wobrau am gasglu at y Genhadaeth. Caem glywed storïau yn adran y babanod ac iau yn ysgol y pentre ac roedd *Teulu Bach Nantoer* yn boblogaidd. Edrychwn ymlaen yn eiddgar at glywed y bennod nesaf a hyd yn oed ei chlywed am yr eilwaith neu'r trydydd tro. Nid oedd *Woman's Own* na chylchgronau selébs ar gael y pryd hwnnw. Ac ni chafwyd cyfoeth llyfrau T. Llew Jones nes oeddwn i'n athrawes.

Ond roedd gennym *wireless* yn y gegin. Un a redai ar fatris sych a gwlyb oedd hwn. Bob hyn a hyn câi'r batri gwlyb fynd lawr at Jim Sallis ac âi yntau â llond fan o'r llwyth trymaf posibl draw i'r dre i'w tsharjo. Dim ond i wrando ar bethau arbennig roedd y *wireless* yn tŷ ni, sef newyddion a gornestau paffio. Rwy'n cofio fy mam yn dweud wrtha i, 'Gofala fod digon o fatri ar ôl i dy dad gael gwrando ar ffeit Tommy Farr a Joe Louis o Madison Square Garden yn New York.'

ROEDD CHWAER fy mam, Sarah Jane, yn athrawes yn ysgol Treddafydd, Scleddau ar gyrion Abergweun. Bu farw ei gŵr, Mark Hale, a oedd yn brifathro ar yr ysgol, yn weddol sydyn pan oedd oddeutu ei hanner cant, a phwy gafodd ei apwyntio i lanw'r bwlch ond Waldo Williams. Os bu dau wahanol erio'd, dyna nhw! Gethen i fynd lawr i Scleddau gyda Mam pan oedd yn ymweld â'i chwaer ac o'n i wrth fy modd yn cyfarfod â Waldo. Ro'n i'n cael mynd mewn i'r ysgol, ac er mai croten fach oeddwn, roedd dawn Waldo i siarad â phlant wedi cydio ynof a chafodd effaith amlwg iawn yn fy mhrifiant cynnar. Fe gyferiai at enwau blodau gwyllt y cloddiau a'r meysydd a byd natur yn gyffredinol a byddai ganddo storïau difyr di-ri am enwau a geirfa Sir Benfro.

Pan symudodd fy modryb i Land'och ar ei hymddeoliad i fyw yn y Cwm ond rhyw gam neu ddau uwchben Bell View, ein cartref ni, nid dyna fu diwedd fy adnabyddiaeth o Waldo. Ar ei deithiau cyson heibio, a chyn y byddai'n croesi pont Aberteifi, bron heb eithriad byddai Waldo'n galw gyda fy modryb. Ac roedd gan ei merch lond llywanen o storïau difyr am Waldo yn ymateb i'r awdurdodau pan fyddai'n sefyll yn gadarn yn eu herbyn o ran cydwybod egwyddorol. Byddai Waldo'n teithio drwy Gymru benbaladr ar gefn beic ac eithrio pan gâi gymwynas gan fodurwyr trugarog. Cyn gweld Waldo ar ei feic, doeddwn i erioed o'r blaen wedi gweld dyn mewn oed yn gwisgo siorts. Cofiaf am fy mrawd, Carey, yn gwisgo trowser byr yn Ysgol Ramadeg Aberteifi hyd at ei bedair ar ddeg oed, a phan fydden ni'n dod adre o'r ysgol byddai'r dyn â'r siorts wedi pwyso'i feic yn erbyn wal tŷ fy modryb. Câi groeso cynnes, a dished o de a phryd o fwyd. Ond os byddai drws clo yno, dôi lawr i Bell View, lle câi groeso twymgalon hefyd, achos chi'n gweld, roedd drws agored yn tŷ ni i weinidogion a hoelion wyth y pulpud a fyddai'n gwasanaethu ym Mlaenwaun drwy'r amser. Byddent, yn eu tro, yn galw, yn setïa ac yn lletya yno. Wy'n cofio cwrdd â Lewis Valentine fwy nag unwaith yn tŷ ni – dyna i chi ddyn boneddigaidd.

Fel plentyn, do'n i ddim wedi sylweddoli mawredd Waldo, ond yr oedd yn ddyn digon gwahanol yn fy ngolwg i ac yn medru tynnu ar wrandawyr i rannu ac ymateb i'w storiau difyr. Roedd rhyw ffresni yn perthyn iddo ac roedd ei wên, ei ymadroddion a'i wybodaeth eang yn apelio'n iawn at feddyliau ifanc chwilfrydig. Ddwedwn i ddim fod hynodrwydd yn perthyn iddo, yn hytrach cynhesrwydd ac arbenigrwydd.

Bues i'n siarad ag e sawl gwaith ac yn rhannu bwrdd ag e dros bryd o fwyd gartre. Doedd ei farddoniaeth ddim wedi ei chyhoeddi bryd hynny ac o'n ni'n cael clywed am bethau newydd ac ardderchog oddi wrth Waldo yn gyntaf. Ef a gyflwynodd yr enw Twm-dili, sef y genhinen Bedr, imi. A chofiaf amdanaf yn myfyrio yn hir dros ei gerdd, 'Enwau'.

. . . Twm Dili, bachgen pennoeth,
Yn lle cap myn y lliw coeth.
Wedi'r dasg, wedi'r disgwyl
Mawrth a'i rhydd ym mhorth yr hwyl.
Hir erys yn yr oerwynt
Chwery'r gêm â chewri'r gwynt.

Chwardd y gwydn serch hwrdd i'w gorff,
Bid lawen, fachgen wychgorff.
Mynnai capten mewn cyptae
Ddeng ŵr fel campwr y cae . . .

. . . Hyd Ŵyl 'Hangel dawelaf
A'i pherl hwyr a'i Ffarwel Haf,
A gwig adfail, gwag ydfaes.
Ladi Mawrth, ledia i maes.

Tywysodd Waldo fi i fyd arall ac i rannu o'i allu meddylgar a flasai o'r tawelwch hwnnw y chwiliai amdano yn gynyddol.

Des i'n ffrindiau â'i chwaer Dilys a oedd yn dysgu yn Ysgol Ramadeg Abergweun. A medraf gyfaddef fod fy nhynfa tuag ati hyd yn oed yn fwy oherwydd fy adnabyddiaeth o'i brawd, Waldo.

ROEDD Y LLEOEDD yn Ysgol Sirol Aberteifi i ddisgyblion o Sir Benfro yn eitha prin. Rhaid oedd gwneud cais i sefyll arholiad yr *11 plus* oherwydd doedd dim pob rhiant am i'w plant gael addysg uwch. Teimlwn ar yr un pryd y dylai rhai gael y cyfle i fynd ond nad oedd amgylchiadau'r teuluoedd yn caniatáu hynny, roedd yn drueni mawr. Roedd plant o Landudoch, Cilgerran, Blaen-ffos, Trewyddel, Eglwyswrw, Crymych, Tegryn, Hermon, Bwlch-y-groes i lawr hyd at Fynachlog-ddu yn cael sefyll yr arholiad yn Aberteifi, ond o fan 'ny lawr aent i Ysgol Ramadeg Arberth.

Rhannwyd ein dosbarth yn Ysgol y Cyngor yn Lland'och yn ddau – y rhai oedd i baratoi ar gyfer yr arholiad er mwyn mynediad a'r rhai nad oedden nhw am wneud am wahanol resymau. Roedd rhaid mynd draw i Ysgol Sirol Aberteifi ar ddydd Sadwrn – fore a phrynhawn – yn haid o ysgolion gogledd Sir Benfro i sefyll yr arholiad mewn Cymraeg a Saesneg, mathemateg a *mental arithmetic* – ar wahân i ddisgyblion Sir Aberteifi: roedd ganddynt hwy eu diwrnod eu hunain. Fel arfer, byddai'r arholiad yn digwydd ym mis bach, a byddai'r canlyniadau'n cyrraedd oddeutu mis Mai.

Wedi cael gwbod fod dyn yn mynd i'r Cownti Sgŵl deuai cyfarwyddiadau o swyddfa'r ysgol fowr ynglŷn â rheolau newydd i ni, yn enwedig ynglŷn â gwisg, llyfrau, offer ysgrifennu a dillad ar gyfer chwaraeon, ac yn y bla'n. Yr un wisg oedd i ddisgyblion y ddwy sir. Roedd y merched yn gorfod gwisgo het, dwy ohonyn nhw, ond ddim ar yr un pryd chwaith – un *velour* ddu ar gyfer y gaeaf a het banamâ wellt o liw hufen yn yr haf. Addurnwn y ddwy het â bandyn gyda bathodyn yr ysgol a'r llythrennau C.C.S. – Cardigan County School. Buodd y rhyfel yn fendith i mi oherwydd ro'n i'n casáu gwisgo'r hen banama; ac wedi i rai o'r bechgyn neidio ar ei phen yn y bws a'i gwasgu fel pancosen doedd dim golwg rhy dda arni chwaith. Doedd hi ddim yn hawdd cael rhai newydd yn siopau'r dre yn ystod y rhyfel, felly rhoddwyd caniatâd i ni wisgo 'tam' (*tam o' shanter*) neu *beret* gyda bathodyn yr ysgol wedi ei wnïo arno.

Roedden ni ferched yn gwisgo blows wen neu grys a'r tiwnig bondigrybwyll â thair plet mlaen a 'nôl; yr hyn oedd yn cael ei alw'n *gym-dress* neu *gym-slip*. Gwisgai'r bechgyn drowsus a *blazer* a chapan fel y brodyr llwydion. Roedd pawb i wisgo tei, yn fechgyn a merched. Dw i'n cofio am fy mrawd, Carey, yn gwisgo trowser byr hyd at y ben-glin yn ystod ei ddwy flynedd gyntaf cyn graddio at drowser hir wedyn. Roedd y *gym-slip* yn ddefnyddiol iawn, oherwydd allen ni gwato pob mathau o bethau yn y pletiau. Ni feddyliai'r athrawon y byddai'r merched yn smoco yng nghyfnod 1939–45. Pan fyddai'r prifathro, Tom Evans, yn taro yn ei ben i archwilio'r bechgyn am sigaréts a matsys a'u cadw ar ôl wedi'r *assembly* dôi'r *gym-slips* yn handi iawn. Roedd y bechgyn gam o fla'n y prifathro, chi'n gweld, ac wedi trefnu pwy oedd am guddio'u stoc dros dro. Wrth i'r merched ddirwyn allan o'r neuadd, sleifiai'r bechgyn y tybaco, y sigaréts a'r matsys i mewn i bocedi diogel y *gym-slips.*

Fe wisgem sanau du gweddol drwchus dros y ben-glin gydag addurn coch ar eu pennau ucha a gardis da i'w cadw yn eu lle. Doedd dim sôn am neilons nes i'r *Yanks* ddod i'r bröydd, ac fe ddaethont i aros yn Albro Castle dros gyfnod y rhyfel. Roedd rhaid prynu pâr o ddaps, a siorts, sgidiau i chwarae hoci a ffon hoci hefyd. Rhaid oedd cael *satchel* leder i gario llyfrau, ond câi'r merched gario cês bach, a phan ddôi'r rhain i ben eu dyddiau, doedd hi ddim yn hawdd eu hadnewyddu nhw adeg y rhyfel er bod tri *saddler* yn nhref Aberteifi'r dyddiau hynny, yr adnoddau oedd yn brin. Bues yn lwcus, oherwydd bod fy nhad yn grefftwr medrus gwnaeth e gês bach pren, ysgafn i fi. Ar ddwrnod coginio yn yr ysgol byddem yn mynd â chynhwysion mewn basged. Yn y *stationery box* fe gadwen ni rwlyr, pensiliau, pen a sawl nib, rwber a naddwr ac roedd inc yn y busnes hefyd. Potel o Parkers Quink o'n i'n ei brynu mewn siop yn y dre. Yn yr ysgol gynradd, inc allan o bowdwr oedd y disgyblion yn ei ddefnyddio a dyletswydd dwy ohonom fel 'monitors inc' oedd llanw potyn inc pob desg ag inc ar fore dydd Llun.

Bob bore yn yr ysgol ramadeg, dôi'r ysgol gyfan ynghyd, yn brifathro, athrawon a disgyblion i'r neuadd i gynnal *assembly.*

Saesneg fyddai'r iaith fel arfer, er dw i yn cofio i ni ganu ambell emyn Cymraeg a chlywais rai athrawon yn darllen rhannau o'r ysgrythur yn Gymraeg. Ar y llaw arall, os oedd rhywun wedi troseddu, roedd yn llys agored cyhoeddus i'r prifathro ddod â'r *culprits* i gownt. Roedd cael eich galw ymlaen i'r llwyfan o flaen pawb yn fwy o gosb na chrasfa!

Dw i'n cofio'n dda am un digwyddiad. Roedd ffrind agos i fi yn lletya gyda ni fel teulu yn Bell View dros gyfnod y tymor, sef Glenys Williams. Fe gollon ni'r bws bore oherwydd jogi a sylweddolon ni y bydden ni'n hwyr yn cyrraedd erbyn y gloch. Fe gawson syniad i gyrraedd yr ysgol o gyfeiriad y Dingle a'r cyrtie tennis ar ôl dod draw o Land'och ar fws deg o'r gloch. Fe weithion ni mas y bydde'r dosbarthiadau yn dod allan o'r wers gyntaf a bydden ni'n gallu ymuno â'r llif yn naturiol wrth iddynt newid ystafell, fydde neb yn gwbod yn wahanol. Pwy oedd yno wrth y cyrtie tennis ond Tom Evans, y prifathro yn siarad ag Evan Williams, y garddwr. Daliodd pawb eu hanadl . . . Trwy'r dydd roeddwn yn disgwyl galwad i ystafell y prifathro. Ond y bore canlynol, yn yr *assembly*, a'r pedwar cant wedi ymgynnull, dyma'r prifathro yn ei Saesneg mowr yn cyfarch y lluoedd. Roeddwn yn teimlo'r fras a meddwn wrth Glenys, 'Na, sylwodd e ddim.' Ond beth glywon ni wedyn oedd, 'Will the two nice girls from St. Dogmaels who so kindly said "Good Morning" to me at ten o'clock yesterday morning come down the front and up on the stage.' O'r mowredd!

Un dal oedd Glenys. Roeddwn i ychydig yn wahanol o ran maint. I chi ga'l gwbod, we'n i yn fowr, ond ddim yn y llefydd reit. Ac roedd Glenys yn edrych yn dalach oherwydd ei bod hi mor fain. Fe orchmynnodd e Glenys i sefyll ar ben y gadair ar ben y llwyfan. Ofynnodd e ddim i fi sefyll ar y gadair, roedd ganddo ormod o barch at y gadair siŵr o fod. Safes wrth ei hymyl ond ddim ar ben dim byd. Cyn i ni adael y llwyfan glywes i Tom Evans yn dweud wrth ryw athro, 'One is tall and thin, the other one . . . otherwise.' O sefyll yng ngolwg holl lygaid yr ysgol, roedd y ddwy ohonom ni wedi dysgu'n gwers reit 'i wala.

O feddwl am y cofrestru boreol, dim ond fi a 'mrawd, Carey, fu yn Ysgol Sirol Aberteifi erioed â'r cyfenw Garnon. Doedd hynny ddim o fantais bob amser, a doedd dim dianc i fod fanna nag odd? Roedd fy mrawd yn alluog iawn ac rwy'n cofio geiriau Frank Bruce, yr athro mathemateg, 'You're quite good, but not as good as your brother.' 'Na drueni na fydde cyfenw cyffredin fel Jones gen i: gallwn gwato wedyn yng nghanol cyffredinoledd.

Yn amal iawn adeg rhyfel bydden ni'n clywed y newyddion trwy wybodaeth leol, o deulu i deulu nid fel rydym ni'n gwneud heddi, drwy sawl cyfrwng. Fe gollon ni lawer o fechgyn y pentre a oedd ar longau'r Llynges Fasnach. 'Lost with all hands' oedd y frawddeg frawychus wedi i long gael ei suddo gan dorpido'r gelyn. Wrth gwrs, roedd profiadau fel hyn ond yn rhy gyffredin i bentrefi glan môr fel Tre-saith, Aber-porth, Llangrannog a Threfdraeth. Cofiaf weld y *telegram boy*, Leonard Davies, yn cyrraedd y pentre ar ei feic â'r amlen lliw mwstard a oedd yn cynnwys neges o dristwch neu o lawenydd. Rhai o blant y Cwm a gollwyd oedd Eric Jenkins, Eddie Samon a Dewi Stephens.

Ond dw i'n cofio un digwyddiad arbennig iawn. Pobydd oedd George Cove, ac roedd yr un oedran â 'mrawd, ei wraig yn gyd-aelod gyda mi yng nghapel Blaenwaun. Peilot awryennau *gliders* oedd George ac unwaith iddynt ddisgyn o'r awyr doedd hi ddim yn bosib ailgodi. Daliwyd George a'i garcharu gan yr Almaenwyr ond llwyddodd i ddianc. Daeth ei sefyllfa i sylw mudiad y Gwrthsafiad yn Ffrainc a thrwy ryw drefen gudd fe'i symudwyd i Sbaen. A'r wybodaeth gyntaf a ddaeth i'r teulu oedd i'w fam gael galwad ffôn oddi wrth George o orsaf drenau Paddington yn Llundain. Yn y cyfamser bues i mewn dau wasanaeth coffa iddo – y naill yn Ysgol Aberteifi a'r llall yng nghapel Blaenwaun – buodd y teulu trwy felin hiraeth a thrawma cyn i'w mab ddychwelyd. Ond stori hapus o'dd hi yn y diwedd.

Un o'n ffrindiau cynnar i oedd Monica Williams ac roedd ei thad yn brif beiriannydd ar un o longau'r Llynges Fasnach. Arferai'r BBC ddatgelu enwau llongau a oedd wedi eu suddo yn yr Ail Ryfel Byd, naill ai yn yr Atlantig, oddi ar arfordiroedd gorllewin yr Affrig, neu yn y Dwyrain Pell. Roedd y ddwy ohonom yn chwarae yn ei chartref pan ddywedodd ei mam, 'Byddwch yn dawel am funud, rwy' am glywed y newyddion.' A'r wybodaeth echrydus a ddaeth dros y tonfeddi oedd bod yr SS *Leo Dawson* wedi ei tharo gan dorpedo: 'With the loss of all hands'.

Disgynnodd rhyw dawelwch arswydus ac oerllyd dros y tŷ a'r tair ohonom yn unig yn bresennol. Roedd tad Monica ar yr SS *Leo Dawson*, ddaeth e ddim 'nôl a bu farw Monica cyn cyrraedd un ar bymtheg oed. Dw i'n hollol grediniol bod ei hiraeth wedi ei llethu a'i bod hi wedi marw o dorcalon.

Yn yr ysgol, trefn naturiol a chyffredin oedd i'r prifathro Tom Evans gyhoeddi ar fore Llun yn yr *assembly* enwau'r cyn-ddisgyblion a gollodd eu bywydau ar faes y gad neu ar gefnforoedd y byd. Bechgyn oedden nhw'r rhan fwyaf, ond un bore enwyd nyrs ifanc o'r enw Hetty Tudor. Roedd yn gwasanaethu ar un o'r *troopships* a suddwyd. Sylweddoles i ddim o'r blaen fod merched yn cymryd rhan mewn rhyfel.

Roedd ei mam yn athrawes gerdd yn Aberteifi ac yn perthyn i deulu cyfarwydd iawn yn y dref. Mae ei chwaer bellach dros ei naw deg, sef Lynn Tudor, a hithau'n enillydd yn yr Eisteddfod Genedlaethol fel unawdydd ac yn aelod o Gôr Pensiynwyr Aberteifi a'r Cylch hyd yn ddiweddar.

Dw i'n cofio am yr athrawon parhaol yn y Cownti Sgŵl. W. R. Jones, brodor o Dre-lech, oedd y dirprwy brifathro, ac fe'i dyrchafwyd yn bennaeth cyntaf ar Ysgol y Preseli. Dysgai Ddaearyddiaeth a Chymraeg, ond gwnâi hynny yn fratiog a thrwy gyfrwng y Saesneg. Ar ddiwedd blwyddyn roedd arwerthiant llyfrau yn yr ysgol ac roedd yn gyfle i gael bargeinion. Rwy wedi cadw llyfrau fel *Barddoniaeth I. D. Hooson*, a sylwais yn ddiweddar ar gyfarwyddiadau yn fy ysgrifen i ar ochor y dudalen, 'Learn Page 27'. Roedd yn Saesneg am fod W.R. wedi rhoi'r gorchymyn yn yr iaith fain. Bydde fe'n rhoi *vocabulary* yn Saesneg i ni mewn gwers Gymraeg. Athro craff oedd W.R. felly, dysgai ddwy iaith i ni yn ddiarwybod.

Galwyd yr athrawon ieuanc i ryfel ond bu rhai'n lwcus i osgoi'r alwad i ymrestru. Yn eu plith oedd Mr Tregonning, neu Trwnc fel oedden ni'n ei alw. Dyn o Gernyw oedd Trwnc a hanes oedd ei bwnc. Gwisgai yr un siwt las sgleiniog ers dyddiau Adda. Sgotyn oedd yr athro mathemateg, Frank Bruce, gydag acen anghyfarwydd iawn. Bedyddiwyd Miss Tattersal, yr athrawes ysgrythur, yn fuan â'r enw Taten. A wyddwn i ddim o gwbwl ar y pryd bod Idwal Jones, yr athro Saesneg, yn medru'r Gymraeg! Saif un athrawes fel seren lachar uwchlaw'r cwbwl – Gwennant Davies. Roedd gennyf barch mawr iddi oherwydd ei phersonoliaeth gynnes ac ymroddgar a'r ffaith iddi siarad Cymraeg â ni yn gyson a naturiol. Roedd newydd ddod allan o'r coleg ond cyflwynodd ragoriaethau mudiad Urdd Gobaith

Cymru i ni. Cofiwch chi, roedd yr Urdd yn rhan bwysig o weithgareddau diwylliedig pentre Lland'och eisoes. Gadawodd Gwennant Davies ei swydd ddysgu i fynd i weithio gyda'r mudiad, ac yn wir ymhen amser hi oedd yn gyfrifol am ysgrifennu'r hanes *The History of Urdd Gobaith Cymru* ochor yn ochor â chyfrol R. E. Griffith – dwy gyfrol swmpus, werthfawr a phwysig i hanes Cymru. Ar hyn o bryd mae Gwennant yn byw yn Aberystwyth a thros ei 90 oed.

Cyfrannodd Mallt Williams o Land'och yn helaeth at iechyd yr iaith Gymraeg trwy fudiad yr Urdd yn y pentre. Merch i deulu bonedd Plas Pantsaeson oedd hi a dim ond hi a'i chwaer oedd yn siarad Cymraeg ymhlith y teulu, ac mae'n amlwg ei bod yn cael ac yn darllen *Cymru'r Plant* cyn bod mudiad Urdd Gobaith Cymru'n bod. Ffurfiwyd mudiad Urdd y Delyn cyn yr Urdd ond pharodd e ddim yn hir a dim ond ychydig aelodau a gofrestrwyd. Mallt Williams oedd un o'r rhai cyntaf i ymateb i gychwyn y mudiad hwnnw a chyfrannodd gan punt at yr achos. Allech chi brynu tyddyn â swm felly yn y cyfnod hwnnw. Sefydlodd Mallt fudiad ieuenctid arall wedyn o'r enw Byddin Cymru ond thyfodd hwnnw ddim chwaith. Cyfeirir at ymdrechion gwerthfawr Mallt yn y cyfrolau am hanes yr Urdd. Daeth Syr Ifan ab Owen Edwards i'r adwy a sefydlodd Urdd Gobaith Cymru yn 1922. Ma'r gweddill yn hanes fel ma'n nhw'n gweud ac mae'r Urdd yn dal i dyfu.

Mae'n ddigon naturiol felly bod cangen o'r Urdd yn Lland'och gyda Mallt Williams yn un o gefnogwyr cynharaf y mudiad. Paratoi ar gyfer yr Eisteddfod fydden ni gan ddysgu adrodd, canu ac actio, ac roedd cyrraedd y 'Genedlaethol' yn uchafbwynt o'r mwyaf gan ei fod yn rhoi cyfle i ni deithio i ran arall o Gymru. Yr adeg honno doedd pobol ddim yn mynd ar deithiau a gwyliau fel nawr, ac i rai o blant y pentre dyma'r unig gyfle i dreulio noson oddi cartre. Doedd cael llwyfan ac ennill ddim mor bwysig â hynny chwaith: cael mynd bant oedd y peth!

Adeg y rhyfel doedd dim Eisteddfod Genedlaethol yr Urdd, ond fe benderfynon ni gario mla'n yn y cylch hwn a chafwyd eisteddfod fawr rhwng Lland'och, Trewyddel a Chilgerran. Yn honno enillais gadair yr aelwyd am gerdd o'r enw 'Sŵn y Gwynt'.

Fues i ddim yn aros yng ngwersyll Llangrannog yn blentyn, am ei fod yn rhy agos i gatre siŵr o fod, ond fues i yno fel swyddog pan o'n i'n hŷn yn ystod gwylie'r haf. Wedi cyrraedd byddem ni'n cael casyn matras ac roedd rhaid mynd i lawr i'r fferm wedyn i'w lenwi â gwellt ac ar hwnnw fydden ni'n cysgu gyda'r merched eraill mewn caban pren a'r bechgyn mewn pebyll. Gwaith y swyddogion oedd trefnu gweithgareddau i'r plant a doedd dim llawer o bethau yno i'w wneud, ond mi oedd ceffylau yno hyd y oed bryd hynny. Fydden ni'n cerdded lawr i'r traeth, nofio a cherdded 'nôl drwy'r ffordd dan ganu i hwyluso'r daith a miri noson lawen gyda'r hwyr – dyna oedd y drefn arferol.

Fues i yng Nglan-llyn unwaith, ar wersyll gwaith adeg y Pasg, cyn i bobol ddechrau dod i aros yno. Cysylltodd fy nghyn athrawes Gymraeg, Gwennant Davies, â rhai ohonom i wirfoddoli i lanhau, paentio, cynnal a chadw a rhoi trefn ar bethau. Wedi gweithio'n galed drwy'r dydd fydden ni'n cael hwyl fawr gyda'r nos wrth ddiddanu'n gilydd a dawnsio yng nghwmni clocsiwr lleol. Er mwyn cyrraedd yno roedd rhaid dal y bws o Aberteifi i Aberystwyth ac yna fynd ar y trên i Halt Llangower ar ben ucha Llyn Tegid, lle byddai rhywun o'r gwersyll yn cwrdd â ni mewn cwch ac yna'n ein rhwyfo ar draws y llyn. Gan ein bod yn mynd â dillad gwely gyda ni, fe allwch chi ddychmygu ei fod yn dipyn o waith i rwyfo'r holl lwyth a phawb yn y cwch bach. Fyddai swyddogion iechyd a diogelwch heddi wedi cael syndod o weld yr holl bobol ifanc yn nofio yn y llyn ac yn cael hwyl mewn canŵs a chychod. Yn wir, fe wnes i ffrindiau newydd o bob cwr o Gymru diolch i'r Urdd.

Fel athrawes roedd paratoi a mynd â phlant i Eisteddfod yr Urdd yn brofiad arbennig gan fod y plant yn edrych ymlaen cymaint at yr ŵyl. Byddai angen dillad newydd yr un peth o waith gwiniadwraig leol er mwyn cystadlu a benthyg cês, ond y peth pennaf oedd cael mynd ac aros mewn tŷ dieithr. Wedi cyffro'r teithio ar y bws, cyrraedd ysgol y pentre ac i ffwrdd â'r plant bob yn ddau a chael profiadau bythgofiadwy. Dw i'n cofio deffro i sŵn hwter y pyllau glo yng Nghwm-parc, y Rhondda a chael sbri yn treial dehongli iaith y 'north'. Ar Ynys Môn adeg Eisteddfod Llangefni meddai un wraig, 'Ydach chi bron starfio?' 'Odyn,' meddai plant Lland'och a hithau'n dweud ymhellach, 'Wel dowch at y tân.' Rhyfedd, feddylion ni. Ond y pryd hwnnw ddeallon nhw taw bron â sythu yw 'starfio' gan ei bod yn reit oer yno.

Wedi'r rhagbrawf mewn festri, y dyfarniad – chawson ni ddim llwyfan bob tro, ond doedd dim ots am hynny o gwbwl. Dim ond pabell oedd ar faes yr Eisteddfod, dim stondinau ond fydden ni'n cael hwyl yn cerdded o gwmpas i weld pwy oedd ar y maes; bardd neu awdur enwog, selébs y cyfnod ontefe? Os oedden ni yn ardal Caerffili, Caernarfon neu Gaerdydd fyddwn i'n gwneud yn siŵr fod y plant yn cael ymweld â'r cestyll enwog cyn troi am adre. Ac roedd y plant, whare teg, yn edrych ymlaen yn fawr at gael dweud wrth weddill y teulu ar ôl dod adre beth roedden nhw wedi'i wneud a'i weld.

Cawson ni groeso da iawn ymhobman a chroeso twymgalon arbennig ardal y gweithfeydd yn anhygoel. Drwy rannu aelwyd, cafodd y plant brofiadau i'w trysori, ac mae hyn yn golled fawr i blant heddi. Oni bai am y lletygarwch mewn cartrefi fyddai llawer o blant Lland'och heb weld maes Eisteddfod yr Urdd o gwbwl.

Cefnogai Mallt Williams amryw o weithgareddau ym mhentre Lland'och – megis yr ysgol, y capeli, eisteddfodau a'r cwmni drama, a chofiaf amdani'n gwisgo'r wisg Gymreig draddodiadol yn amlwg ac urddasol iawn oddeutu dydd Gŵyl Dewi. Dw i'n cofio am fferm Pantsaeson, oedd â'r un enw a'r plas, yn cynnal cystadleuaeth dan nawdd Merched y Wawr i gasglu enwau perci yn y bröydd trwy Gymru gyfan. Ymhlith yr enwau ar gaeau fferm Pontsaeson oedd Parc y Ffortiwn. Yn nyddiau fy ieuenctid pan ofynnais am darddiad yr enw yn ysgol Sul Blaenwaun cawn atebion fel, 'O, rhywun oedd wedi claddu ffortiwn yn y cae. Daeth i'r fei pan roedd ffermwr yn aredig ac arddu'r cae.' Ond wedyn trwy ymchwil des o hyd i'r gwir ystyr – yng nghyfnod *duels* i setlo cynnen saethwyd gŵr o'r enw Samuel Fortune, mewn gornest gyfreithiol. A dyna'r *fortune* i chi fanna.

Cyflogwyd llawer o forynion a gweision o bentre Lland'och ar fferm Pantsaeson ac yn y plas hefyd, ac un o'r cymeriadau dw i'n cofio'n gweithio yn y plas oedd Charles Ladd, rhocyn galluog iawn oedd yn dipyn o storïwr a thynnwr coes. Roedden nhw'n gorfod gweithio'n galed am oriau lawer, ac un bore'n gynnar fe gafodd Charles alwad gan y bòs o waelod y sta'r i fynd i'r storws am hanner awr wedi pump y bore, a fynte'n ei geryddu am ddechre ar ei waith yn hwyr yn y dydd, 'Codwch Charles, mae'n rhywbrydo'dd!' Am hanner awr wedi pump y bore?

Fel llawer o'r plastai ar hyd y wlad, tyfai llwyni *rhododendrons* yn bla ar hyd y llwybrau, a dyma chi goediach trwchus a helaeth. Roedd modd diflannu i'w canol a fyddai neb yn gwbod eich bod chi yno. Byddai sawl carwriaeth rhwng morynion a gweision yn digwydd yn y llwyni *rhododenrons*. Tynnai Charles goes ei wraig, Louvaine, a oedd yn forwyn yn y plas yn ystod yr un cyfnod, 'Wyt ti'n gwbod, oni bai am y llwyni *rhododendrons* 'na, fyddet ti ddim gyda fi.'

UN O FWLCH-Y-GROES oedd fy ffrind Glenys Williams ac yn gyd-ddisgybl â mi yn yr un dosbarth yn y Cownti Sgŵl ar ddechrau'r pedwardegau. Oherwydd salwch bu'n rhaid i fi aros yn yr un dosbarth yn y flwyddyn gyntaf am yr eildro. Y pryd hwnnw roedd rhaid dewis rhai testunau ar ddechrau'r ail flwyddyn. Ymhlith y pynciau i ddewis rhyngddyn nhw roedd Cymraeg neu Ffrangeg. Roedd yn gyfnod yr Ail Ryfel Byd a phrinder athrawon. Cymraeg oedd fy hoff bwnc a doedd dim pripsyn o ddiddordeb 'da fi yn y *Je suis* na chwaith yn yr *Amo, Amas, Amat* . . . pwy ddysgu iaith oedd wedi marw? Cadwai Mr Tom Evans ei law i mewn trwy ddysgu Lladin yn nosbarthiadau'r bedwaredd flwyddyn. Ro'n i dan anfantais oherwydd bod fy mrawd wedi paratoi llwybr rhy lwyddiannus o mlaen i fel rhyw Ioan Fedyddiwr.

Fe ddanfonwyd Glenys a fi i swyddfa'r prifathro i drafod dewis y pynciau. Doedd Glenys ddim am astudio *Biology* ar unrhyw gyfri roedd hi wedi penderfynu hynny o'r wers gyntaf. Pe byddech yn gofyn iddi drafod mwydyn a'i rannu'n ddarnau, fedre hi ddim gwneud hynny – doedd ganddi ddim diddordeb.

Ond roedd Glenys yn ieithydd disglair ac roedd ganddi allu amlwg iawn ym mhopeth a wnâi. Cafodd ganlyniadau arbennig o uchel yn yr arholiadau. Roeddwn innau wedi ystyried cymryd bywydeg i'w ddefnyddio fel addysg cefndir pe bawn i'n dod yn athrawes.

Byddai cefndir o'r fath yn amhrisiadwy wrth sefydlu Bwrdd Natur mewn dosbarth ynglŷn â thrafod trefn y tymhorau a chylchoedd mynd a dod anifeiliaid y fferm. Wedi i fi wrthod cynnig y prifathro i astudio Lladin a dilyn camre Carey, ei sylw mewn Saesneg arferol i'm safiad oedd, 'Go then, and open up your frogs!'

Dôi Glenys â'i bwyd a'i llaeth, a'i llyfrau ar fore Llun i aros hyd nos Wener mewn *lodgings* mewn ystafell uwchben y siop ger y gofgolofn ym mhen uchaf y dre. Roedd llawer o filwyr oddeutu tref Aberteifi ac roedd eu presenoldeb parhaol wedi codi ofn ar Glenys a fagwyd yn nhangnefedd cefn gwlad gogledd Sir Benfro. Yr oedd yn teimlo'n anhapus iawn yng nghanol yr holl sŵn a'r dwndwr. Bu fy mam-gu farw ym mis Ionawr 1942 ac roedd Carey yn y coleg ym Bangor, a mwy na thebyg mod i, fel Glenys, yn teimlo'n unig. Heb gysylltu â Mam gwahoddais Glenys i ddod draw i Bell View i aros am un noswaith. Dywedais wrth Mam, 'Ma ffrind i fi yn dod i aros 'ma nos Lun.' Fe gyrhaeddodd Glenys gyda phâr o slipyrs ac ychydig lyfrau a dillad nos. Aeth yr un nos Lun yn bedair neu bum mlynedd, mae'n siŵr. Rydym wedi bod yn ffrindiau da a mynwesol trwy'r blynyddoedd a bellach mae'r ddwy ohonom yn bwrw mla'n i'r un cyfeiriad yn oedrannus.

Mae Glenys a minnau'n wahanol i'n gilydd, fel dywed yr hen ddywediad; tebyg a fwrw ar wahân a'r gwahanol a dynn at ei gilydd. Mae Glenys yn ferch i bendroni dros bethau, yn un dawel, nid yn llawn parabl di-stop fel fi. Ond mae hefyd yn Fedyddwraig! Fe'i magwyd yn groten fach ac yn aelod llawn o'r capel yn Star dan weinidogaeth ac arweiniad y Parchedig Owen Ellis Roberts.

Uchelgais Glenys, fel roedd yn rhan o'm hanian innau, oedd bod yn athrawes a chafodd brofiad blwyddyn fel *pupil teacher* yn Ysgol Bwlch-y-groes cyn mynd i Goleg Abertawe i gael hyfforddiant. Ar y pryd awyrgylch Seisnig iawn oedd yn y coleg ac roedd hyn yn ofid mawr i Glenys. Wrth gwrs, flwyddyn neu ddwy'n ddiweddarach roedden nhw'n sgrechen am athrawon ifanc i ddysgu trwy gyfrwng y Gymraeg.

Yn rhagluniaethol ryfeddol, roeddwn i'n gadael Ysgol Llwynihirion wedi tair blynedd o ddysgu yno i fynd i Goleg y Barri – a phwy ddaeth i lenwi'r swydd fel athrawes drwyddedig ond Glenys Williams. Wel, roedd hi'n gwbod bod lle gwag yno, achos roedd hi'n gwbod mod i ar fin gadael. Roedd Glenys yn ferch foneddigaidd iawn, heb yr hyder i sylweddoli mor alluog yr oedd hi ei hunan. Fe ddysgodd W. R. Evans farddoniaeth a chynghanedd englynion iddi hi a'r plant eraill yn Ysgol Bwlch-y-groes mewn ffordd mor ddifyr ac ysgafn. Fe wreiddiodd y cyfoeth hwnnw ac aros yng nghilcynion y co' hyd heddi, ond W.R. fu'n braenaru'r tir i Glenys ymddiddori yn y Pethe.

Bu Glenys yn dysgu yn Ysgol Llwynihirion am ddwy flynedd cyn symud i'r ysgol yn Tegryn gan letya a gofalu am ei mam-gu a'i thad-cu yn Llwyn-drain. Yn hwyrach, oherwydd salwch, awgrymodd y meddyg iddi ddechrau mewn lle newydd. Byddai Cyfarwyddwr Addysg Sir Benfro ar y pryd, D. T. Jones, yn cyfarfod ag athrawon mewn un synod mawr ar fore Sadwrn ac yn trafod cyfleoedd swyddi i athrawon tu fewn i gyfundrefn y sir. Dywedodd wrth Glenys mewn sgwrs dawel, 'Glenys fach, dwi ddim yn gwbod beth wna' i â chi os na saetha i un neu ddwy o'r athrawon 'ma sy wedi aros yn yr un ysgol am flynyddoedd.'

Fuodd dim rhaid saethu neb ac fe gynigiwyd swydd iddi yn Ysgol Aber-cuch. Ymhen amser fe'i dyrchafwyd i swydd prifathrawes yn Ysgol Bridell, a phan gaewyd yr ysgol yno symudodd Glenys gyda'i disgyblion i Ysgol Cilgerran. Fe briododd Glenys â Berwyn Lewis, brodor o dre Aberteifi; a daethant i fyw yn Lland'och. Yn wir, Berwyn oedd y gwas priodas yn fy mhriodas i a Jeff, a phriododd y ddwy ohonom yn yr un flwyddyn, yn 1959.

Magu Adenydd

DW I'N COFIO'N glir iawn pryd ddechreuais i yn Ysgol Ramadeg Aberteifi a phryd bennes i hefyd. Mae'r dyddiad pan ddechreues i wedi'i serio ar fy nghof. Y diwrnod cyntaf oedd y Llun ar ôl cyhoeddiad Chamberlain, y Prif Weinidog ar y pryd, ac roedd fy nhad a mam, Carey a minnau yn gwrando ar y *wireless*:

> I am speaking to you from the Cabinet Room at 10 Downing Street . . . This morning the British Ambassador in Berlin handed the German Government a final Note stating that, unless we heard from them by 11 o'clock that they were prepared at once to withdraw their troops from Poland, a state of war would exist between us.

Disgynnodd cysgod gofidus dros wyneb fy nhad. Roedd e wedi deall difrifoldeb y datganiad mewn amrant.

Gadewais yr ysgol yn 1945 wedi heddwch yn Ewrop ond cyn diwrnod VJ a diwedd y rhyfela yn y Dwyrain Pell. Rhoddais fy mryd ar ddilyn cwrs hyfforddiant mewn coleg athrawon gyda'r freuddwyd efallai o gael dysgu yn ysgolion cynradd fy milltir sgwâr. Wedi ennill fy nhystysgrif *senior*, y drefn oedd cael lle fel *student teacher* mewn ysgol gyfagos am flwyddyn a llenwi'r ddyletswydd a'r profiad am bedwar diwrnod yr wythnos mewn ysgol, a dychwelyd i Ysgol Ramadeg Aberteifi am ddiwrnod i ennill profiad drwy wneud pethau fyddai o fantais i chi.

Mae'n siŵr eich bod yn gofyn pam fyddwn i am fod yn athro? O ble daeth y cymhelliad? A oedd gennyf arwr neu arwres neu a oedd rhywun wedi dylanwadu arnaf drwy fy addysg gynradd a gramadeg? Wel, roedd fy modryb Sarah Jane, neu Anti Sali, yn athrawes, a chofiaf amdani'n dysgu yn ysgol fechan wledig Treddafydd nid nepell o orsaf Jordanston Halt ger Maenorowen ac Abergweun. Priododd â phrifathro'r ysgol, Mark Hale, Sais o Sir Gaerhirfryn, oedd yn fwy na hynny, roedd yn eglwyswr ac yn *Tory*. Ganed pump o ferched iddynt: Teivy, Edith, Mary, Margaret ac Ellen. O bryd i'w gilydd câi'r pum merch, yn eu tro, ddod lan i Bell View yn Lland'och a minnau'n cael dychwelyd atynt i dŷ'r ysgol yn Nhredafydd dros wyliau'r haf. Roedd chwarae tŷ bach a siop yn rhan o chwaraeon traddodiadol i groten . . . ond cael chwarae ysgol . . . mewn ysgol go iawn? *Dyna* oedd yr hwyl a'r mwynhad mwyaf! Fe gawn hawl i fynd mewn i'r ystafelloedd dosbarth yn Nhredafydd gan osod fy noliau yn y desgiau a dychmygu fy mod yn athro â gofal drostynt. Criw o ferched oedd fy noliau wrth gwrs ac fe roddais enwau arnynt i gyd ac adrodd straeon addas a chanu ac adrodd a'u ceryddu a'u cymell yn eu tro. Ro'n ni'n cael sgrifennu mewn sialc ar y bwrdd du, ac yno yr heuwyd yr had ynof a dyfodd yn awydd ac uchelgais parhaol i fod yn athrawes. Erbyn i fi gyrraedd diwedd fy arddegau, roeddwn i'n hollol argyhoeddedig mai dyma oeddwn i am ei wneud.

Cefais le yn Ysgol y Cyngor, Lland'och am flwyddyn yn ddi-dâl ym mis Medi 1945. Dyma oedd sefyllfa dda. Roeddwn yn cael aros gartref ac ar ben hynny ro'n i'n adnabod yr athrawon a'r rhan fwyaf o'r plant. Cawn aros i arsylwi yn nosbarth un athro ac yna cymryd ambell wers. Cadwn lygad a gwrando'n astud ar grefft bod yn athro, sylwn ar eu gofal a'r ffordd y cadwent ddisgyblaeth ar amrywiaeth o blant o ran eu cefndir a'u gallu. Ambell waith cawn ofalu am y cwbwl.

Ond cyn Pasg 1946 rhaid oedd gwneud cais am le mewn coleg hyfforddi athrawon. Rhoddwyd blaenoriaeth ar gyfer llefydd i fechgyn a merched ieuanc a hŷn a fu'n gwasanaethu yn y lluoedd arfog. Aent ar gwrs carlam blwyddyn i ddiwallu'r galw mawr am athrawon yng Nghymru a thu hwnt. Ro'n i'n gorfod aros i wneud lle iddyn nhw. Roedd llawer iawn o'r athrawesau babanod eisoes yn yr ysgolion lleol wedi bod yn dysgu heb ddim cymhwyster na thystysgrif, heb sôn am goleg. Cefais le yn Ysgol Llwynihirion, Brynberian am dair blynedd ar hanner tâl athro – dyna'r coleg gorau a ges i erioed.

Roedd Llwynihirion yn ysgol tri dosbarth a'r disgyblion yn aros o fewn ei chyfundrefn nes oeddynt yn 14 oed. Roedd pob plentyn yn Gymro, doedd y Saesneg ddim wedi cyffwrdd â chenedlaethau o blant ffermydd Brynberian. Yr athrawon oedd Mrs Rees, dosbarth y babanod, Mr Ifor Davies, y prifathro, a fi.

Cefais y cyfrifoldeb o ofalu am y dosbarth canol, nid y babanod lleiaf. Ro'n i'n cael lle i aros mewn *lodgings* oedd yn hwyluso teithio ac yn gyfleus iawn. Cefais le rhwng Ffynnon-groes a Brynberian ryw ddwy filltir a hanner o'r ysgol, a doedd hynny ddim yn ddrwg o beth wath o'dd y cerdded ymhob tywydd yn neud lles i fi. Roeddwn yn gyfarwydd â thywydd garw. Mewn tywydd stormus tu allan i gapel Blaenwaun fydde'r gwyntoedd yn hyrddio fel petaent yn dilyn y llwybrau cyhoeddus i gyfarfod yno ac yn crynhoi fel mewn twndis.

Rhaid oedd ymsythu a phlygu mewn i strem Morus y Gwynt i gadw ar eich traed. A hen ddywediad odd yn dod i'r cof wrth imi gerddded adre o Aelwyd Brynberian, ''Na nosweth oedd hi, roedd fel sefyll ar ben Bwlch Gwynt yn gwisgo dim ond gardis a watsh!'

Bues i'n lwcus iawn. Roedd Brynberian yn ardal werinol, ddiwylliedig a chlòs ac egwyddorion gorau'r gymdogaeth dda yn rhedeg trwyddi. Roedd triongl y cartref, yr ysgol a'r capel yn seiliau cadarn i'w ffordd o fyw. Ymhlith y cyfarfodydd yng ngwasanaethau'r capel roedd cwrdd pobol ifanc, cymanfa bwnc – nad oedd gennym ni ym Mlaenwaun – aelwyd yr Urdd, ac eisteddfodau a'r *penny readings*. Roedd y tair blynedd hynny gyda'r hapusaf a gefais erioed.

Ar y pryd roedd gogleddwr o Ros-y-meirch, Sir Fôn, y Parchedig Llywelyn Lloyd Jones, yn weinidog ar gapel Brynberian a 'gog' arall hefyd yn fugail gyda'r Bedyddwyr ar Gaersalem Cwmgweun, sef y Parchedig J. H. Roberts. Galwai'r ddau yn yr ysgol yn eu tro. Roeddwn wedi ceisio dilyn cyngor Cassie Davies i gael plant i ddysgu barddoniaeth ar eu cof yn amal; a fues i wrthi'n ddyfal yn eu cael i ddysgu darn bach addas am gasglu mwyar duon yn nhymor yr hydref ar gyfer steddfod neu gwrdd diolchgarwch. Roedd y darn yn cynnwys y llinell, 'I hel y mwyar duon.'

Wel, fe alwodd y Parchedig Llywelyn Lloyd Jones yn yr ysgol un diwrnod i wrando ar y plant yn adrodd, a gwnaeth y sylw ei fod yn adnabod y bardd a oedd wedi cyfansoddi'r gerdd.

'Da iawn, wir,' meddai, 'ond nid fel yna basa fo'n ei ddeud o.'

'Shwt wedech chi fe te, Mr Jones?' meddwn i, i fod yn gwrtais, ontefe.

'I *hel* y mwyar duon, gyda'r pwyslais ar yr *el*,' oedd ei ateb.

Dros y diwrnodau ceisiais innau gael y plant i adrodd y darn fel roedd Mr Jones wedi awgrymu.

Pan alwodd Cassie Davies heibio i'r ysgol yn Llwynihirion, gofynnodd am glywed y plant yn adrodd. Safodd un bachgen ar ei draed. 'I *hell* â'r mwyar duon!'medde fe'n llawn arddeliad. Chwerthinodd Cassie Davies nes bod dagrau yn ei llygaid pan glywodd y cefndir, ac mae'n debyg iddi ddweud y stori dros Gymru gyfan mewn pwyllgorau, cynadleddau athrawon a nosweithie llawen.

Daw un cwrdd pwnc arbennig i'r cof hefyd. Y Parchedig Llywelyn Lloyd Jones oedd yn holi a'r maes llafur oedd dameg y mab afradlon. Meddai'r holwr yn bwyllog, 'Beth y'ch chi'n feddwl am ymddygiad y Tad tuag at y mab ieuengaf?' A dyma fe'n dweud yr adnod, '"Mi a godaf ac a af at fy nhad."' Cafwyd esboniad oddi wrth un o'r cymeriadau yn y gynulleidfa, a oedd yn amlwg heb ddarllen gwaith y diwinyddion mawr, Spurgeon na Moffat. Daeth ateb yn syth gan y wag, 'O! hen rhocyn wedi sbwylo wedd e. Un gwastraffus. Rhoddwch fodrwy ar ei fys, wir . . . Roedd dwylo mowr garw dag e wedi gwitho'n ddyfal a chaled. Pwy stwffio modrwy ar i fysedd wedd ise? Ac esgidiau am ei draed . . . Wedd 'i drad yn bothelli ac yn arw. Does dim yn wa'th na shws newy'! A dygwch y llo pasgedig a lleddwch ef . . . Ac ynte wedi bod yn llenwi ei fol ar gibe'r moch? Nele hwnna ddim lles! Meddyliwch am 'i stumog e a fynte wedi bod yn bwyta bwyd moch . . . Sdim yn wa'th i stumog wael na cig llo!'

Amen ac amen! Dyna i chi ddameg y mab afradlon o bersbectif Brynberian.

Roedd plantos Brynberian yn rhan fawr o'r gymdeithas ac yn arddangos ei hiwmor, ei hiaith, ei chystrawen, ei hidiomau a'i direidi i'r dim. Roedd y profiadau a gefais yn eu plith yn brofiadau byw, ffraeth a difyr ac yn rhai mor werthfawr. Fydden i ddim yn ei trwco nhw am holl aur y byd.

Roedd tai bach yr ysgol ar ben ucha'r iard gyda styllen bren ar draws a thwll i bob un pen ôl. O dan y toiledau roedd drws i'r glanhawr fynd mewn i lanhau'r toiledau. Ac wrth gwrs, o weld athrawes ifanc yn mynd mewn, roedd y demtasiwn yn ormod i rai o'r bechgyn yn eu harddegau, a thynnent y brws cans, o eiddo'r glanhawr, a'i fystyn e lan o dan y sêt pan oedd rhywun yn eistedd uwchben.

Daw digwyddiad arall yn ymwneud â'r tŷ bach i'r cof. Daeth un o'r merched hŷn ataf i gario claps. 'Mae un o'r bechgyn yn nhŷ bach y merched,' medde hi.

'Pwy yw e te?' medde finne.

'Sa i'n gwbod.'

'Oes clocs am i dra'd e? Dw i'n ffaelu deall shwd y'ch chi yn gwbod mai bachgen yw e! Shwd y'ch chi'n gwbod os nad y'ch chi'n ei nabod e?'

'Achos fod i dra'd e'n wynebu'r ffordd rong.'

A medden i wrth fy hunan, 'Ma hon yn mynd i ddod mla'n yn y byd!'

Mae'n debyg fod bechgyn direidus Helygnant yn cario'r ddiod fain mewn shwc i'w yfed gyda'u tocyn amser cinio. Bydde'r ddiod gadarn gartref i'w yfed ar ôl diwrnod caled o waith amser cneifio neu tsiaffo eithin. Gofynnwyd i'r bechgyn arddangos cynnwys eu stenau i Mr Ifor Davies ar y pryd.

'Beth sy 'da chi fechgyn i'w yfed heddi gyda'ch cinio?'

'Te heb la'th, syr.' Gwyddai yntau'n gywir beth oedd cynnwys y shwc, ac efallai byddai gair tawel yng nghlust Gruffy' neu Myfanwy Phillips, eu rhieni, yn gwneud y tro.

Fe fues i mewn *lodgings* yn ardal Llwynihirion yn ystod

blwyddyn gyntaf fy nghyfnod fel athrawes yn yr ysgol fach, yna es i aros gyda Mrs Richards am ddwy flynedd mewn tŷ o'r enw Cwmins Bach cyn symud i'r Rafel, i lodjo am flwyddyn arall ac yna, o'r diwedd, mynd i Goleg y Barri. Cofiwch nad oedd cludiant ar gael i'ch cymryd chi i'r ysgol yn hawdd bryd hwnnw, ddim fel heddi; felly, roedd cael lodjo yn werth y byd i fi. A doeddwn i ddim yn berchen ar feic hyd yn oed. Roedd modur Mr Ifor Davies, prifathro Ysgol Llwynihirion, oedd yn byw yn y cyffinie ar y pryd, yn llawn bob dydd wrth iddo gario rhai disgyblion gydag ef i'r ysgol. Roedd dogni ar betrol bryd hynny hefyd a cherddai'r rhan fwyaf o'r plant i'r ysgol.

Roedd y gaeafau'n llawn stormydd eira a gwyntoedd cryfion, ac mae hynny'n aros yn glir yn y co'. Rwy'n cofio am dywydd mawr blynyddoedd 1963, 1982 a blynyddoedd yng nghanol y tridegau. Ond ni fu'r un flwyddyn fel 1947 – am flwyddyn!

Tua diwedd Chwefror oedd hi ac roeddwn wedi mynd i noson Aelwyd yr Urdd a gynhaliwyd yn hen felin Pant-y-graig lle roedd siop ond ein bod ni'n cael defnyddio un o'r ystafelloedd am nad oedd neuadd ym mhentre Ffynnon-groes yn y cyfnod hwnnw. Wedi'r Aelwyd, cofiaf brofi rhyw dawelwch tangnefeddus y noson honno a hithau'n noson loergan, serennog a'r diemwntau dirifedi'n addurno'r ffurfafen ddu a'r sêr fel taen nhw winco'n arnaf bob un yn eu tro. Ew, mae'r awen yn cydio pan wy'n meddwl am y noson honno.

Roedd y dydd yn mystyn bryd hynny, ond roedd y bore dydd Mawrth wedyn yn fore tywyll iawn. Cynheuodd Mrs Richards y tân i ferwi'r dŵr yn y tegell a thynnais ei sylw at ddiffyg golau bore arferol, 'Mae'n fore tywyll, Mrs Richards.' Edrychodd hithau'n wyllt arnaf ac arweiniodd fi lan i'r llofft. Agorodd ffenest yr ystafell gysgu gan fystyn ei llaw mas . . . Ffaeles i gredu'n llygaid. Roedd Mrs Richards yn medru cyffwrdd â wyneb y lluwch eira! Wedi i ni ddychwelyd lawr y grisiau fedren ni ddim meddwl am agor un drws mas! Roedd hi'n dal i bluo ychydig ond roedd yr eira mawr a'r gwyntoedd wedi digwydd dros nos, fel hud a lledrith. Chwythwyd yr eira i bob cyfeiriad ac i bob twll a chornel gan greu lluwchfeydd anferth o bob ffurf a llun fel cerfluniau prydferth anferthol – roedden ni'n ceisio dyfalu beth oedd o dan y lluwchfeydd. Doedd dim gwasanaeth tywydd manwl ar y *wireless* bryd hynny; ac wrth gwrs doedd dim trydan yng nghanol yr holl eira, felly, doedd gennym ni ddim radio na theledu, a doedd dim erydr eira digon pwerus gan y Cyngor na thractorau ar gael gan y ffermwyr lleol i dorri drwy'r fath ffluwch.

Eto, drwy wyrth, neu ddirgel ffyrdd falle, cyrhaeddodd neges at Mr Ifor Davies yn gofyn iddo hysbysu'r holl athrawon i gyrraedd yr ysgol agosaf ac i aros yno am ddwy awr bob dydd dros gyfnod yr eira rhag ofn y byddai plant yn llwyddo i gyrraedd trwy'r lluwchfeydd. Yn ardal y Preseli, doedd dim llawer o obaith i hynny ddigwydd. Ond yr wythnos ganlynol mentrodd Valmai Sambrook (Maltby gynt) a minnau gerdded ar ben y cloddiau tuag at yr ysgol i fod yno i gwrdd ag unrhyw blentyn anturus. Ar y pryd roedd y ddwy ohonom yn sionc, yn ifanc ac yn iach. Ond bob tro y delen ni i fwlch neu iet, fi wedd yn sinco gynta! Un sleit oedd Falmai ond roedd ychydig mwy o bwysau 'da fi i'w gario a lawr yr awn bob tro, bron o'r golwg. Erbyn i ni gyrraedd yr ysgol roedden yn wlyb diferu. Doedd dim tân na phlant yno ac felly wedi'r ddwy awr rhaid oedd cloi'r drws a cherdded eto 'nôl dros y cloddiau ac i'r *lodgings*. Dyna fuodd y drefen ddyddiol i ni nes i bethau wella o ran y tywydd. Wrth i chi ddringo mas o Frynberian am Hwlffordd – lle mae'r grid gwartheg heddi – fe welwch fferm Gernos Fach yn y pellter ar y dde ac mae ffordd-lwybr fach yn rhedeg draw at y fferm o'r hewl fowr. Welon ni mo blant Gernos Fach yn rysgol nes bod hi'n fis Mai, ro'n nhw'n ffaelu dod mas.

Yn ystod yr eira mowr, galwodd Dewi, Pant-y-graig, un bore yn y *lodgings*. 'Ti am fynd getre?' medde fe. 'Dw i 'di clywed fod llwybr un car wedi cael ei agor i Aberteifi.' Cymerais y cynnig, fyddwn i'n ffôl i beidio. Wrth gyrraedd fferm Traws yng nghydiad cyffordd Eglwyswrw i Grymych roedd y daith fel pe bawn yn mynd trwy'r Alps. Wrth gwrs, do'n i ddim wedi bod ar gyfyl yr Alps bryd hynny, ond fel hyn o'n i'n dychmygu'r dirwedd fynyddig honno dan eira o'r hyn weles i mewn lluniau.

Dw i'n cofio am un digwyddiad arall nad ydw i wedi gweld ei debyg cynt nac wedyn. Roedd dyn wedi marw mewn tŷ yn agos i Cwmins Bach ychydig cyn y storom eira ond wedyn roedd yn benbleth shwd i gyrraedd y capel a'r fynwent i'w gladdu fe. Cafodd yr elor ei gadw mas yn y sgubor, a weda i wrthoch chi, welais i ddim elor o'r bla'n. Roedd hi'n hongian fel ysgol bren fawr, ar wal y llofft yn y festri fach ym Mrynberian. Roedd hi heb ei defnyddio ers rhai blynyddoedd, ond yn eira mawr 1947 roedd rhaid ei defnyddio eto. Daeth timau ymroddgar o fechgyn lleol ynghyd a chludwyd yr arch a'r ymadawedig ar yr elor gan wahanol wirfoddolwyr cyhyrog yn eu tro i gyrraedd y fynwent. Dyna'r tro cyntaf erioed i fi weld elor yn cael ei defnyddio ar gyfer y pwrpas y'i gwnaed hi. Yn y blynyddoedd wedi hynny dw i wedi gweld elor mewn arddangosfa yn Amgueddfa Sain Ffagan, ond roedd gweld defnydd go iawn ohoni'n gyffrous a rhywbeth sydd wedi aros yn fy nghof i.

Wedi cael ymweld â 'nghartref yn Bell View yn Lland'och, roedd rhaid paratoi ar gyfer yr wythnos ddilynol – yn enwedig dillad addas i gerdded drwy'r eira. Byddai darlun o'r iâr a'i chywion yn addas wrth feddwl amdanom yn mynd tua'r ysgol, ac fel hyn aethon ni i'r ysgol am gyfnod hir. Dilynai rhes o blant tu ôl i fi a Valmai gan gynyddu'n un llinell hir cyn cyrraedd Ysgol Llwynihirion. Doedd dim rhieni'n hebrwng eu plant yn y dyddiau hynny.

A wyddoch chi ble oedd y Winter Olympics yn 1947? Wel, yn Llwynihirion wrth gwrs. Roedd llyn mawr nid nepell o'r ysgol ar fferm Llwynihirion. A chyn dyddiau becso am iechyd a diogelwch awgrymodd y prifathro, 'Ewch draw â'r plant i sglefrio ar y llyn, ond ewch chi draw yn gyntaf i wneud yn siŵr fod yr iâ yn ddigon trwchus a diogel i'r plant.' Os dale'r iâ fi, roedd yn siŵr o ddala haid o blant! Ni fu crac ynddo, hyd yn oed pan gwmpais ar fy mhen ôl sawl gwaith. Roedd y plant wrth eu bodd a chafwyd yr hwyl rhyfeddaf – yn enwedig wrth fy ngweld i'n cwmpo.

Pan ddaeth y gwanwyn, o'r diwedd, i ddadmer y gorchudd gwyn dychwelodd trefn i'r ysgol a daeth prysurdeb yn ôl i fywyd cymdeithasol y fro. Doedd dim neuadd gan yr ysgol fel y cyfryw ond yn hytrach ddwy ystafell ddosbarth â phartisiwn symudol. A chyn dyddiau trydan gofynnwn i'r rhieni a charedigion y gymdogaeth, 'Faint ohonoch chi sy'n berchen lamp Tilley? A gawn ni eu benthyg i oleuo'r ysgol pan fyddwn yn cyflwyno'r ddrama ar lwyfan?'

Rhyw damed o lwyfan oedd ganddon ni. Roedd yr hen lampau Tilley yn cynhyrchu golau gwyn llachar a rhoi cynhesrwydd hefyd. Wy'n cofio fel tae hi'n ddoe am y ddrama gynta a gynhyrchwyd, sef *Bwrw Dy Fara*. Un o'r cast oedd y diweddar Jenny Howells (Rees gynt). Fel arfer, fydde'r ddwy ohonom ni'n chwarae rhannau cymeriadau gwrthgyferbyniol a bu'r ddwy ohonom yn actio llawer mewn dramâu o sgetsys byrfyfyr yn lleol heb sôn am gystadlaethau drama o dan fantell Urdd Gobaith Cymru.

Un tro fe gawson ni feirniad o fri ym mherson Mari Lewis, Llandysul, â ddôi o amgylch i weld y dramâu cyn dewis y rhai i fynd ymlaen i Eisteddfod Genedlaethol yr Urdd. Ac felly, heb neuadd go iawn i lwyfannu'n drama, aethon mla'n i berfformo'n llawn asbri. Yn ei beirniadaeth yn Eisteddfod Genedlaethol yr Urdd cyfeiriodd Mari Lewis at ei phrofiadau ymhob cwr o Gymru, 'Mae rhai yn sefyll yn y cof,' meddai. 'Fe gofia i byth am y wefr a gefais yn yr ysgol fach yn Llwynihirion.' A rhoddodd ganmoliaeth uchel i fi am gameo bychan yn ein cynhyrchiad er nad oedd gobaith i ni ennill lle ar gyfer y Genedlaethol.

Roedd yr adran a'r aelwyd yn fwrlwm o weithgaredd. Bues i'n arwain nosweithiau o adloniant ac yn cymryd rhan mewn sgetshys byrfyfyr, a chael hwyl wrth wherthin a neud i bobol eraill wherthin hefyd. Pan oeddwn ar lwyfan gyda Wil Bach a Jenny, doedd y rheiny ddim yn dilyn sgript, felly, roedd rhaid bod ar flaenau'ch traed i ad-libio'n gyflym gydag ergydion greddfol. Dyna i chi ysgol brofiad o ran neud perfformiade cyhoeddus.

Pan ddychwelais i Land'och wedi cyfnod Coleg y Barri sefydlais Aelwyd yr Urdd yno ac roedd drama'n rhan fowr o'r hyn roedden ni'n neud. Roedd y profiad a gefais yn Llwynihirion yn cymryd rhan mewn dramâu yn werthfawr iawn. Sefydlwyd Cwmni Drama Llandudoch tua'r adeg es i 'nôl i Land'och ac mae cwmni drama hwnnw'n bod o hyd.

Er bod 1947 yn flwyddyn i'w chofio, ma 1963 yn aros yn y cof fel blwyddyn wen hefyd. Chwythai'r gwynt o'r gorllewin o gyfeiriad Iwerddon a chafodd pentrefi fel Trewyddel a Cheibwr eu claddu dan luwchfeydd. Caewyd ffyrdd y wlad o gwmpas a thrwy hynny unrhyw ffynonellau bwyd. Doedd dim gobaith cael bara 'radeg honno. Ond dw i'n cofio bod pobydd o Land'och, George Cove, wedi dod i'r adwy. Roedd e'n berchen ar gwch gweddol o faint ac aeth â llwyth o fara mas i'r môr i lawr i gyfeiriad Trewyddel a Cheibwr. Galwodd ar y ffermwyr a'r pentrefwyr yno i'w gyfarfod ar yr arfordir gyda chyflenwad o gasys gobennydd a *bolsters* i'w llanw â thorthau i'w dosbarthu i'r trigolion oedd dan warchae dan y lluwchfeydd dyfnion. Sôn am fwrw dy fara ar wyneb y dyfroedd . . .

Gardd Achau

YR AROLYGYDD â gofal dros addysg yn Sir Benfro ar y pryd oedd y fenyw fywiog 'na â phersonoliaeth fel arian byw, sef Cassie Davies, awdures y gyfrol boblogaidd ar y pryd, *Hwb i'r Galon*. Os bydden ni athrawon yn dysgu llwythi o farddoniaeth, alawon gwerin, dywediadau a phosau i'r plant yna bydden ni'n cael canmoliaeth ganddi. Wel, roedd hyn yn fy siwto i i'r dim achos roedd fel petai Cassie ar yr un donfedd â fi, a finnau â hithau. Felly, roedd perthynas dda rhyngom.

'Mair, rydych chi'n mynd i'r coleg flwyddyn nesa.'

'O sai'n gw'bod shwd ddof i i ben â chael lle!'

'Wel, mae Coleg y Barri yn agor ei ddrysau leni.'

Dim ond myfyrwyr o Forgannwg a Mynwy gâi fynediad i Goleg y Barri cyn y polisi newydd. Oddeutu'r adeg yma cychwynnodd ymgyrch fawr newydd i sefydlu ysgolion Cymraeg, ac yn dilyn hyn byddai eisiau llawer o athrawon cymwys. Roedd Cassie, wrth gwrs, wedi bod yn darlithio yng Ngholeg y Barri. O'n i yn y lle iawn ar yr amser iawn. Ces gyfweliad a chael llythyr ar 1 Mawrth, 1949 yn fy hysbysu mod i wedi cael lle yn y Coleg i ddechre ym mis Medi.

Bu bron i fi beidio â mynd oherwydd roedd fy nhad yn wael iawn. Gofynnodd Mam i fi beidio â rhoi'r newyddion mawr oedd gen i i Nhad, am ei fod yn rhy wael i gael ei gynhyrfu, er mai newyddion da oedd y newyddion hwnnw. Cytunais, ond ymhen rhyw bythefnos, llithrodd Nhad oddi wrthym. Roedd Carey hefyd wedi ei baratoi yng Ngholeg Diwinyddol Bangor i fynd i'r weinidogaeth ac roedd bellach wedi'i sefydlu a'i ordeinio ar gapel Ruhamah ym Mhen-y-bont ar Ogwr. Roedd y sefyllfa'n anodd ofnadw ac o'n i ddim am adael Mam gartref ar ei phen ei hunan ar adeg mor dyngedfennol. Ond wedi trafod y sefyllfa'n drylwyr ac yn synhwyrol gyda'r teulu, perswadiodd Carey fi i dderbyn y gwahoddiad i fynd i'r coleg yn y Barri.

Ac fe landes i 'na. Yn y Barri . . .

Yn y cyfamser roedd fy eiddo mewn trwnc mawr cryf wedi ei gasglu o Bell View gan lori G.W.R. a'i gludo i'r Barri ac roedd y trwnc i ddisgwyl yno amdanaf fel *luggage in advance*. Teithiais ar y Cardi Bach i Hendy-gwyn ar Daf ac ymlaen i Gaerfyrddin, Caerdydd ac i'r Barri. Doedd dim lifft yn y Coleg i deithio rhwng y lloriau ac rwy'n cofio sylw un o'r dynion a lusgodd y trwnc trwm i fyny i'r trydydd llawr lle roeddwn i'n lletya. 'If ever I should win the pools, I'll make sure this place has a bloody lift!' Druan ag e.

Ro'n i eisoes wedi torri 'nghoes ddwywaith yn ystod fy mhlentyndod yn gwneud rhyw gampau neu'i gilydd. Cwmpo'n lletchwith oddi ar y beic wnes i'r tro cynta a chwmpo ar hewl wedi'i rhewi wnes i'r ail waith. Felly pan gafodd y cynllun newydd o ddysgu ymarfer corff yn droednoeth ei gyflwyno yn y coleg, roeddwn i'r poeni a fyddai'r goes yn dala. Ac yn wir i chi, mewn gwers yn y gampfa clywais yr asgwrn yn torri wrth i fi droi fy nhroed, a dyna'r trydydd tro i chi, a gobeithio'n wir na ddaw pedwerydd tro!

Gan mai o ddwy sir roedd myfyrwyr wedi bod yn dod i'r Coleg yn y Barri, fe enwyd y ddwy hostel yn Morgannwg a Gwent wrth gwrs. Ond nawr roedd merched yn dod o gryn dipyn ymhellach bant. Des i nabod llawer o'r merched ac yn eu plith roedd Elinor Davies (Williams gynt) o Gelli Wen, Pontgarreg ger Llangrannog; falle'i bod hi'n athrawes tan gamp, ond yn nes ymlaen, ei chredenshials i'r genedl oedd mai hi yw mam Angharad Mair. Hefyd roedd Llywela Lauder, a ddysgodd Gymraeg ac a briododd Alcwyn Evans, brawd Gwynfor Evans. Ffrind triw arall oedd Margaret Pantdaniel, Biwla, ger Castellnewydd Emlyn, y ddwy ohonom yn adnabod yr un pobol â'r un diddordebau gennym ni gan i ni fynychu'r ysgol yn Aberteifi.

Dim ond un ysgol Sul Gymraeg oedd yn y Barri ac wedi mynd i oedfa'r bore i gapel y Bedyddwyr, fe fyddwn i'n mynd i'r ysgol Sul i Tabernacl, capel yr Annibynwyr. Athro'r dosbarth yno oedd Dan Evans, tad Gwynfor Evans, a byddai'n mynd â hanner dwsin o fyfyrwyr o'r coleg yn eu tro adre am de dydd Sul. Ro'n i'n edrych mlaen yn fawr at y te dydd Sul gan nad oedd 'te dydd Sul' fel roeddwn i'n ei nabod i gael yn y coleg. Oherwydd dogni roedd bwyd y coleg yn brin iawn, a diflas. Yr unig beth ces i ddigon ohono yno i'w fyta oedd pannas, a hynny am y rheswm nad oedd yr un o'r naw arall a eisteddai ar fy mwrdd i'n hoffi pannas. Mae'n syndod mod i'n dal i'w lico nhw.

Fe gawson ni ferched ifanc brwd lawer o bethau newydd i'w dysgu ar gyfer y cwricwlwm newydd, pynciau dierth fel 'ymarfer corff'. Beth wedech chi oedd peth fel hyn yng nghefen gwlad? Roedden ni'n gorfod dysgu dulliau newydd o gyflwyno'r pwnc, ac un diwrnod pan oedden ni'n garfan droednoeth, trodd Margaret Pantdaniel ataf a sibrwd, 'Wyt ti'n gwbod be'

’se Dat yn gweud ’se fe’n ’y ngweld i nawr? Fe wede fe, “Ma’ mwy o dy ise di adre ar y gwair, merch i!”’

I’n plith daeth darlithwraig go wahanol ac egnïol ym mherson Miss Norah Isaac. Ro’n i yn yr ail flwyddyn pan gyrhaeddodd hi. A dw i’n cofio geiriau grymus Norah, ‘Ma mwy o waith yn cael ei wneud yn ystod y ddwy flynedd yma nag mewn tair neu bedair blynedd ar ambell gwrs arall.’ Ac yn wir, fe’n cafodd ni i witho.

Roedd rheolau pendant wedi eu gosod ynglŷn ag ymddygiad, amseroedd darlithiau a threfen gyffredinol. Doedd dim hawl mynd mas o’r coleg yn y nos. Âi’r darlithiau ymlaen hyd 7.30pm ac roedd darlithoedd ar fore Sadwrn hefyd. Chaen ni ddim mynd adre, dim ond yn ystod hanner tymor heblaw bod rhesymau pendant dros wneud hynny. Wrth gwrs, dw i’n cofio’r gwylie hanner tymor cyntaf yn glir – mynd adre i Bell View.

Tra ro’n i yn y Barri, a’th Mam yn dost a bu farw. Wy’n cofio bod adre yn Bell View ar ôl yr angladd a meddwl nad elen i ’nôl i’r coleg wedyn. Fy Wncwl Clement, brawd Mam, gafodd berswâd arna i. Roedd y bws yn mynd drwy Gastellnewydd Emlyn at Gaerfyrddin a’r dwyrain ac yn fanna roedd Wncwl Clement yn byw. ‘Mair fach,’ medde fe. ‘Dere nawr. Wy moyn bo’ ti ar y bws ’na fory. Fydda i’n sefyll wrth iet yr ardd yn codi llaw ar y bws wrth iddi fynd heibo. A wy’n moyn bo’ ti yno’n codi llaw ’nôl arna i.’ Es i ar y bws, ac yno roedd e, ar waelod yr ardd yng Nghastell Newy’, yn wafo arna i. Wy’n fythol ddiolchgar i Wncwl Clement am roi’r hwb ’nôl i fi.

Wedi i fi golli Mam tra o’n i’n dilyn y cwrs yn y Barri, doedd ddim o’r un chwant arna i i fynd adre wedyn, oherwydd roedd Bell View yn wag. Roedd colli fy rhieni o fewn blwyddyn i’w gilydd yn ergydion caled. Ond bu’r fagwraeth ges i a’r holl atgofion melys oedd gen i yn help i gamu mla’n. Yn sicr, roedd y gwmnïaeth a'r ffrindiau yn y coleg yn gymorth i fi wynebu'r profiadau hallt ac i fagu cymeriad gwahanol a chryfach; dw i'n siŵr o hynny.

ROEDD FY NGHYFNOD ymarfer dysgu cyntaf, y cyntaf o dri chyfnod, yn Nociau Cogan, rhwng y Barri a Phenarth. Mi ddwedwn i fod y plant, er eu bod yn annwyl yn eu ffordd eu hunain, yn go wahanol i blant Brynberian. Credai'r brifathrawes mewn *free discipline*, beth bynnag oedd hwnnw. Saesneg oedd cyfrwng ieithyddol yr ysgol ac roedd plant o bob lliw a llun yno, gan fod ardal y dociau'n denu pobol o bob cwr o'r byd. O'n i ddim wedi wedi gweld plant croenddu heb sôn am ddod i'w hadnabod yn Ysgol Llwynihirion. Ond dyma nhw a dyma fi ac fe ges i amser bendigedig yno'n eu plith.

Roeddwn i'n gofalu am blant 4–5 oed a chyda nhw y cefais i'r wers foesol orau ac un nad anghofiaf byth. Yn y dosbarth roedd plentyn croenddu tywyll iawn – welais i erioed blentyn cyn ddued ag e. Roedd ganddo res o ddannedd fel perlau gwynion ac roedd e'n dderyn o blentyn gyda llygaid direidus, rown i'n gwbod cyn i fi ddod i'w nabod e'n iawn fod drygioni'n perthyn i hwn. Daeth plentyn mewn ata i i gwyno bod rhywun wedi ei fwrw. Pwy a pham holais i. Er, rown i'n gwbod yn iawn pwy fu wrthi cyn gofyn. Yr ateb gefais i oedd nid y crwt du, nid hyd yn oed ei enw, ond ateb hollol annisgwyl. 'The one in the green jumper.' Oherwydd roedd amrywiaeth mewn lliw croen yn norm yn y gymdeithas honno ac ni chyfeiriwyd at blentyn arall trwy liw ond trwy ddulliau eraill. Gwers i fi yn wir i weld pethe drwy lygaid pobol eraill.

Des i wybod llawer am egwyddorion a daliadau Norah Isaac yn gynnar. Ymladdai ei chornel yn rymus ac effeithiol. Roedd ei natur benderfynol yn ddiarhebol. Gwyddai y byddai llawer ohonom ni fyfyrwyr yn chwilio am swyddi yn ein milltiroedd sgwâr cyn bo hir a heb gael profiad ymarfer dysgu drwy gyfrwng yr iaith Gymraeg. Gwyddai Norah eisoes fod Coleg y Drindod, Caerfyrddin a Choleg Athrawon Abertawe wedi pennu defnyddio ardaloedd arbennig gan eu myfyrwyr ar eu cyfnodau ymarfer dysgu hwy. Felly, neilltuwyd ysgolion gorllewin Sir Gâr ar gyfer myfyrwyr Coleg y Barri.

Fe'm danfonwyd i Ysgol Pen-boyr ar gyfer fy ail gyfnod ymarfer dysgu. Ysgol eglwysig na wyddai neb dieithr am ei bodolaeth tu fas i'w chymuned oherwydd ni fabwysiadodd enwau'r pentre cyfagos, sef Drefach-Felindre. A phwy feddyliech chi oedd yn serennu o mlaen i'n y dosbarth? Neb llai na Peter Hughes Griffiths a Dyfrig Davies, cyn-drefnydd iaith Sir Gaerfyrddin. Bois â digon o allu yn eu penne oedd y rhain, yn llawn bywyd ac yn cyfrannu'n gyson i weithgarwch ystafell dosbarth a mas ar yr iard.

Alla i weld eu hwynebau chwilfrydig nawr! Dw i'n gallu cofio un wers ymarfer corff a gymerais mas ar yr iard o flaen darlithydd o Goleg y Barri – Miss Bristow na fedrai hi air o Gymraeg. Daeth Norah Isaac lawr gyda hi yn gwmni er mwyn cyfieithu pan oedd angen, meddylwch am hynny. Doedd Peter na Dyfrig erioed wedi cael gwers ymarfer corff yn yr awyr agored o'r blaen. O'n i'n gwbod am eu diddordeb mawr nhw mewn pêl-droed, felly, fy amcanion pennaf oedd ffrwyno peth o'u brwdfrydedd mewn gwers greadigol – wel, o'n i am drio beth bynnag. Roedd gen i beli, cylchoedd a rhaffau. Ymarfer corff oedd y pwnc gwannaf gen i yn fy meddwl i. Ceisiais ysbrydoli'r plant i greu gemau a gwneud defnydd creadigol o'r offer. Whare teg, bu'r ymateb yn dda ac yn wreiddiol, tu hwnt i'm dychymyg. Ond doeddwn i ddim yn gwbod beth fyddai ymateb y darlithydd i'r holl weithgarwch creadigol. Edrychais i'w chyfeiriad . . .

Roedd Miss Bristow wrth ei bodd a Norah gyda hi a gwên fawr ar ei hwyneb oherwydd roedd popeth wedi mynd fel watsh. Bues ym Mhen-boyr am dair wythnos, gan aros gydag Wncwl Clement yng Nghastellnewydd Emlyn.

Ces fy nhrydydd cyfnod ymarfer dysgu mewn ysgol yn Cadoxton ger y Barri lle'r oedd Elwyn Richards, brodor o Aber-cuch yn dysgu Cymraeg ail-iaith. Amser hapus eto ac ro'n i'n dysgu cymaint wrth fod ymhlith y plant.

Ar Sadyrnau gyda'r nos, trefnai Norah Nosweithiau Llawen teithiol lle'r oedden ni'r myfyrwyr yn cymryd rhan ac yn mynd i ardaloedd fel Lôn-las, Abertawe, Maesteg a'r Barri a hynny er mwyn codi arian yn yr ardaloedd hynny i sefydlu ysgolion Cymraeg. A oedd amser gennym i wneud hyn yng nghanol ein hastudiaethau? Wel, doedd y gair 'na' ddim yn rhan o eirfa Norah. 'Mair,' meddai Norah. 'Gewch chi arwain y noson lawen. Wy'n gwbod eich bod chi wedi gwneud pethe fel hyn gartre. Mla'n â chi!' A dyna shwd ges i'r anrhydedd o arwain y cyngherddau 'ma. Roeddwn eisoes wedi cael profiad o arwain, adrodd a chanu ym Mlaenwaun a Bethsaida. Roedd Nhad yn actor mewn dramâu pan oedd yn byw yn Abergweun ac roedd Mam hefyd yn gyfarwydd ag adrodd ar lwyfannau. Fydden i'n meddwl am lond llaw o bethe doniol i'w dweud cyn bob perfformiwr a bant â ni! Fe dyfodd ymgyrch dros sefydlu ysgolion cynradd Cymraeg, ac ar ôl tipyn fe'u gwelwyd yn ymddangos fel madarch dros Gymru, yn enwedig yn y de – mae'r twf hwnnw'n dal i ddigwydd.

Roeddwn wedi cymryd rhan mewn dramâu un act yn ystod y flwyddyn gyntaf, ond wedi i Norah Isaac ymuno â staff y coleg fe newidiodd pethau'n go ddramatig. 'Yn y coleg ry'ch chi nawr, nid mewn festri neu neuadd bentre yn actio gydag un ford a dwy stôl. Ry'n ni'n mynd i gynhyrchu un o ddramâu Shakespeare yn Gymraeg.'

Roedd Norah yn adnabod rhywun oedd wedi cyfieithu *Hamlet* i'r Gymraeg a doedd neb na dim am ei stopio hi. Dim ond merched oedd yn y coleg ond doedd hyn ddim am achosi'r un broblem i Norah. Fe'm gwahoddwyd i i chwarae rhan y Brenin Claudius ac i ddysgu'r llinellau a oedd wedi eu hysgrifennu mewn Cymraeg llenyddol. Cynhaliwyd dau berfformiad – un i'r myfyrwyr ac un noson arall i'r cyhoedd – ac roedden nhw'n llwyddiannau ysgubol. Yn y cynhyrchiad blaengar hwn o *Hamlet*, Elinor Williams gymerodd y brif ran fel tywysog Denmarc.

Dw i ddim y cofio i'r un ddawns gael ei chynnal yn ystod fy mlwyddyn gyntaf, ond fe gafwyd un noson wedi ei neilltuo ar gyfer dawnsio yn ystod yr ail flwyddyn. Elen Evans oedd y brifathrawes a gosododd reolau pendant a chyfyng ar gyfer y noson. Roedd rhaid rhoi lawr ar bapur yn gwmws pwy oeddech yn ei wahodd i'r noson a pha gysylltiad oedd rhyngoch â'r crwt. Y llysenw ar Goleg y Barri bryd hynny oedd 'Spinster's Paradise'. Doedd yr un dyn yn cael camu tu fewn i'r gatiau. Wedi cael gwahoddiad trwy lythyr, y gorchwyl cyntaf oedd mynd â'r bachgen a'i gyflwyno i Elen Evans cyn mynd mewn i'r neuadd. Roeddwn yn adnabod rhai bechgyn o Goleg y Bedyddwyr yng Nghaerdydd oedd yn dod i Flaenwaun yn Llando'ch i bregethu. Daeth llawer ohonyn nhw draw i'r ddawns. Chofia i ddim yn union beth ddigwyddodd y noson honno, a hyd yn oed 'sen i yn cofio, weden i ddim. Ond dw i yn cofio i ni gael lot o sbort.

Doedden ni ddim yn cael mynd mas ar nosweithiau'r wythnos, ond llaciwyd ychydig ar y rheolau ar nos Sadwrn gan gofio bod rhaid dychwelyd erbyn naw o'r gloch. Erbyn heddi mae llawer o fyfyrwyr yn dechrau mas am naw. Pe baech chi'n methu dychwelyd cyn deg, fyddech chi'n cael eich cofrestru fel 'swyddogol absennol' – gyda llawer o drwbwl yn dilyn, credwch chi fi.

Er i fi chwarae hoci yn ystod cyfnod coleg, fues i erioed yn cynrychioli'r coleg mewn cystadlaethau o unrhyw fath. Ond wedi i Goleg y Barri gael cyfle i gystadlu yn yr Eisteddfod Ryng-golegol am y tro cyntaf, lle gynt roedd y prifysgolion yn unig, dyna lle'r o'n ni'n cystadlu fflat owt ac yn joio. Enillais wobr gyntaf am ganu alaw werin unigol yn ddigyfeiliant. Buon ni'n canu ac adrodd mewn partïon hefyd a chafwyd tipyn o hwyl. Wfft i hoci, weda i.

Erbyn yr ail flwyddyn roedd dau dŷ mawr wedi'u prynu gan y coleg i'w troi'n estyniadau ar gyfer lletya myfyrwyr. Fe'u henwid yn Esyllt ac Eurgain a chefais i'r anrhydedd o fod yn bennaeth ar y cyntaf. Cofrestrwyd ryw 240 o fyfyrwyr.

Ro'n i am gael rhannu ystafell fawr gyda dwy fyfyrwraig arall o'm dewis. Y ddwy a ddewisais oedd Lilian Evans (Howells) o Fydroilyn a chyn-ddisgybl yn Ysgol Aberaeron, a Mair Evans (Kyff) o Landysul, cyn-ddisgybl yn Ysgol Ramadeg Llandysul. Roeddem yn dair gwahanol i'n gilydd: mae'n haws dod mla'n a chytuno gyda rhai felly o'i gymharu â rhai rhy debyg, dyna dw i'n ei gredu beth bynnag. Mair Fach oedd yr enw ar Mair Evans, oherwydd roeddwn i, y Fair arall, yn dair gwaith ei seis hi, a chan ein bod ni'n rhannu'r un ystafell ac er mwyn gweud y gwahanieth rhyngon ni, fe'i bedyddwyd hi'n Mair Fach, 'for obvious reasons' ys dywed y Sais.

Roedd hiraeth mawr ar Mair am gartre wedi iddi ddychwelyd i'r coleg ar ddechrau tymor newydd. Câi'r golau ei diffodd am hanner awr wedi deg, ond dan olau flachlamp byddai'r prysurdeb yn parhau trwy wnïo neu ddarllen o dan y blancedi. Bydden ni'n clywed Mair yn llefen a'u snwffls bach yn digwydd bob hyn a hyn, a byddai Lilian, merch fferm y Felin, yn siŵr o ddweud rhywbeth tebyg i, 'Mair fach, er mwyn dyn, cer i gysgu wir. 'Se ti'n byw gyda ni, byddet ti'n falch cael dod 'nôl. Wedd Dat yn disgwyl i fi i wyngalchu'r glowty!'

Penderfynodd y tair ohonom na fyddem yn mynd i Loegr i chwilio am swyddi ar unrhyw gyfri. Bob blwyddyn dôi Cyfarwyddwr Addysg West Bromwich i lawr i'r coleg i siarad â'r cant a rhagor o fyfyrwyr oedd yn y flwyddyn olaf. A bob blwyddyn fydde fe'n dweud, 'I'll take you all, if you'll come!' Nid oedd gan yr un ohonom fwriad i fynd ffor' 'na. Cafodd Mair swydd yn ysgol Tre-wen yng Nghwm-cou ac fe gafodd Lilian swydd yng Nghaerdydd. A finnau? Wel, ces swydd yn ysgol y pentre – yn Lland'och. Medrwn fyw gartref a chael amser i roi trefn ar dŷ gwag.

Mae Lilian druan wedi marw erbyn hyn, ond mae Mair yn byw yn Llandysul o hyd ac yn yr un tŷ lle'i ganed hi. Mi fydda i'n cofio am y cyfnod yng Ngholeg y Barri yn aml, yr holl atgofion melys 'na.

DECHREUAIS DDYSGU yn Ysgol y Cyngor Lland'och ym mis Medi 1951. Y brifathrawes dros dro oedd Mair Evans. Roedd dwy ran i Ysgol y Cyngor ac adeiladwyd dau ddrws ar draws y coridor i ddynodi pa ran oedd yn ysgol y plant iau a pha ran oedd yn ysgol y babanod. Yn ddiweddarach bu'r rhan iau dan arweiniad Ifor Jones, a symudodd o Ysgol yr Eglwys ar ôl iddi gau.

Tynnwn siec o £21 y mis o gyflog yn fy swydd newydd – naw punt yn fwy nag a gawn ym Mrynberian. Ond roedd y blynyddoedd a dreuliais ym Mrynberian cyfri fel gwasanaeth ym maes dysgu.

Roeddwn yn adnabod y plant a'u cefndir yn dda, wrth gwrs, a bu hyn yn fantais i fi wrth eu paratoi ar gyfer yr *11 plus*. Doedd dim ysgol uwchradd yng Nghrymych, ac felly dros y ffin i Sir Aberteifi âi'r plant i'r ysgol uwchradd.

Awn draw â charfan o blant i Ysgol Ramadeg Aberteifi i sefyll arholiad y Cownti Sgŵl yng nghwmni disgyblion eraill o ysgolion gogledd Penfro. Bron bob tro, dôi'r annwyl W. R. Jones allan i'n cyfarfod wrth yr iet. Roedd yn dipyn o sioe i'r plant ei weld yn ei glogyn du, a dyna'r tro cyntaf iddynt weld 'Batman' yn y cnawd, fel petai. Ro'n i'n cofio W.R. yn athro arna i ac roedd ein parch tuag ato'n uchel yn bennaf efallai am ei fod yn siarad â ni yn Gymraeg. Roeddwn yn oedolyn ac yn rhiant cyn i fi sylweddoli fod llawer o'r athrawon eraill yn medru siarad Cymraeg.

Cwestiwn W.R. wrth yr iet oedd, 'Shwt lot sy 'da chi 'leni, Mair?'

Un tro, bron cyn i fi ateb ei gwestiwn, rhuthrodd un o'r plant rhwng W.R. a finnau i mewn i'r ysgol; crwtyn gwyllt a chorneli ei bersonoliaeth heb eu llyfnhau eto.

'Beth oedd hwnna?' oedd sylw W.R.

'Alla i ddim dweud wrthych beth oedd e ond rwy'n gwybod

fe basith e'r arholiad. Os na phasith e, sdim lot o obaith 'da neb arall,' atebais.

Mae llawer o'r cyn-ddisgyblion wedi mynd ymlaen i addysg uwch a phrifysgol ac wedi cael swyddi anrhydeddus yng Nghymru a thu hwnt i Glawdd Offa. Daw amryw ohonyn nhw mlaen ata i i nghyfarch ac i rannu hanes eu teuluoedd a'u gyrfaoedd. A finnau, yn amlach na pheidio erbyn hyn, yn ceisio cofio'u henwau.

Bell View

DYNA ENW nghartref i. Mae'n sefyll ar ei ben ei hun ar ymyl y llether sy'n codi'n gymharol serth i lwybr cyhoeddus Pen-cwm a'r allt tu hwnt. Fe'i codwyd yng nghydiad Cwm Degwel gan gynnig cysgod rhag cynddaredd storm y de-orllewin, ond doedd dim cymaint o loches yma rhag gwynt traed y meirw.

Oddeutu diwedd y Rhyfel Mawr a dechrau'r dauddegau rhoddwyd enw ar y cartref. Roedd mewn cyfnod pan oedd yn ffasiynol ar enwi tai yn ôl eu lleoliad a'r olygfa o'u blaen. Enwyd rhai yn y pentre yn River View, Teify View a Cardigan View. Un noson dawel safai fy nhad-cu ar ben drws gan edrych mas dros y pentref cysglyd. Yn sydyn canodd cloch o glochdy Sant Thomas, eglwys y plwyf, oedd rhyw led cae i lawr o'r tŷ. Ac yn y fan a'r lle penderfynodd ar enw newydd ar ei gartref – Bell View. Wrth gwrs, fel allech chi weud y bydde enw crandiach Ffrangeg yn siwto hefyd, gan mor hyfryd yw'r olygfa – ond nid *belle vue* sydd o'n tŷ ond yn gwmws yr hyn welodd fy nhad-cu, sef y gloch yn nhŵr yr eglwys.

Mewn cyfnod pan oedd yn ffasiwn ailfedyddio cartrefi ag enwau Cymraeg, fy nheimlad i oedd na fyddwn ar unrhyw gyfri yn mynd i newid enw fy nghartref, naill ai trwy gyfieithu'r enw neu ddewis enw newydd. Mae'n rhan o hanes y teulu ac iddo arbenigrwydd emosiynol. Mae rhai pobol, hyd heddi, yn synnu fod gennym, fel teulu, enw Saesneg ar ein cartref. Dywedodd Meinir, fy merch, wrtha i unwaith – pan oedd ein tŷ ni ymhell o fod fel pin mewn papur – fod 'Golwg Bell' gystal enw â dim arno!

Arferai enw'r tŷ fod ar ddau biler concrit yn arwain at y grisiau sy'n mynd lan i'r drws ffrynt. A dw i'n cofio mai'r unig droeon fyddai hwnnw'n cael ei agor flynyddoedd yn ôl fyddai i dderbyn corff ac ar ddydd yr angladd neu i groesawu dieithriaid. Mae'r enw bellach ar ddarn o gopor wedi ei osod ar fur y tŷ. Cyn bod enwau a hyd yn oed rhifau ar dai, fydde unigolion yn cael eu hadnabod yn ôl y rhan o'r pentre lle trigent, er enghraifft: Cwm, Glanteifion, Cwmins, Pentre Langwm, Pen-rhiw neu Llwybr Llygoden. Ac mae fy nhad-cu wedi ei gofrestru ar lyfrau Blaenwaun fel David Davies, Masiwn Cwm.

Lle saif y garej heddi yng nghesail isaf y tŷ roedd y cartws, lle cadwai fy nhad-cu ei gart a'i offer fel masiwn ac adeiladwr. Wrth law roedd y twlc i gadw dau fochyn, un mochyn a hanner i'r teulu a hanner i'w werthu neu i'w roi i berthnasau, ffrindiau a chydnabod.

Y tu ôl i'r tŷ, ar godiad tir, roedd gardd deras a chwe rhan i'w llenwi er mwyn cadw'r teulu â chyflenwad ffres a pharhaol o datws, llysiau a ffrwythau. Roedd Mam yn ben garddwraig ac yn medru palu'r pridd du yn well na neb. Uwchben ein rhandir ni mae llwybr cyhoeddus Pen-cwm yn rhedeg ar gyrion yr allt. Dôi teuluoedd Pen-cnwc a Sgubor Hen ar ei hyd i ymuno â llwybr fel ffordd y ffyddloniaid wrth gerdded i'r cyrddau gweddi a'r gwasanaethau ynghyd â'r ysgolion Sul yng nghapel Blaenwaun. Ac ar ymyl y llwybr fe brynodd Dad-cu hen fwthyn gwag a defnyddio'r ardd i gadw ffowls. Bu fy nhad wedyn yn defnyddio'r tŷ fel gweithdy saer.

Roedd Ffordd y Cwm yn ffordd gyfleus i fynd a dod o'r cwm gan ymdroelli i fyny heibio Bell View i gnwcyn sydyn, sef Banc Siôn Sâr. Disgynnai'r feidir wedyn i law rhiw serth Pwll y Marl cyn cydiad hewl Trewyddel ac Aberteifi ar y gwaelod. Gerllaw roedd Pwll Clai, ac fel mae'r enw'n awgrymu, poced o waddodion rhewlifoedd y cynoesoedd oedd 'ma; Dan Samwn oedd yn berchen ar Pwll Clai y pryd hwnnw. Byddai'r llongau bychain, y *ketches*, yn cludo cwlwm – cymysgedd o lo mân a chlai a ddefnyddid fel tanwydd bryd hynny – o lefydd fel Hook, yn Sir Benfro a'i ddadlwytho'n dwmpathau duon, cymen ar yr iard lo.

Bydde'n olygfa gyffredin i weld dau neu dri o geirt bychain yn cael eu tynnu gan bonis bach neu gobiau yn teithio drwy Llandoch yn gwerthu'r cwlwm. Fydden ni blant Bell View a phlant eraill y pentre'n mynd lan i Bwll Clai i brynu llond bwced o glai, gwerth swllt, falle, wedi ei godi a'i dorri'n addas a'i sychu gan Dan. Byddai Mam a Nhad a ninnau'r plant i radde yn wylwyr syn yn edrych ar Dan yn cymysgu'r cwlwm â'r clai drwy ei sengi cyn gwneud 'bols' â'i ddwylo neu â theclyn tebyg i dwlsyn gwneud *doughnuts*. Bydden ni'n rhoi'r peli duon yn rhesi cymen i'w sychu o amgylch y tân. Wedi ei stwmo'n dda fydde'r cwlwm yn cadw cochni a llygad y tân yn fyw drwy'r nos. A phwy bynnag fydde'n codi gyntaf fydde'n brathu'r tân cwsg â phocer hir i'w ddihuno. Byddai'r dŵr yn y tegil yn berwi ymhen amser byr a dele gwres sydyn o'r tân cwlwm i wresogi'r stafell fach a thu hwnt.

Hen fwthyn unllawr dau ben oedd fy nghartref i a 'nheulu yn oes fy nhad-cu cyn ei weddnewid fel y mae heddi. Roedd iddo welydd trwchus, bron llathen o drwch, ffenestri bychain, sgwâr a chopa gwellt ar ei ben i gadw pawb yn ddiddos. Dw i'n cofio am hen fwthyn drws nesa yn cael ei ddymchwel yn y pumdegau ac o'n i'n galler dychmygu sut adeilad oedd ein tŷ ni unwaith wrth sylwi ar naddiad y cerrig, maint yr ystafelloedd a thrwch ei gragen ynghyd â'r trawstiau yn y nenfwd. Roedd y rhan fwyaf o resi bythynnod y pentre naill ai'n gartrefi i bysgotwyr neu forwyr ac o'r un maint a chynllun.

Adeiladwr oedd fy nhad-cu a fe ailgododd ein tŷ ni gan ychwanegu'r llawr uwchben, a rhoi cegin fach newydd a *lean-to* ynghlwm wrth y tŷ gwreiddiol. Gosodwyd to uwch ac ehangu maint y ffenestri. Roedd dwy staer yn y tŷ, y prif risiau yn arwain i'r ystafelloedd cysgu ac un gyfyng droellog oedd yn arwain i'r ystafell uwchben y gegin fach newydd. Rhaid oedd disgyn ar hyd un staer yn un pen, ac dringo'r llall i fynd lan llofft yn y pen arall. Mam-gu oedd yn cysgu yn y brif ystafell wely, ac ar un adeg penderfynwyd gosod bathrwm yn yr ystafell drws nesaf i'w hystafell hi. Doedd Mam-gu erioed wedi clywed am shwd fudreddi, rhoi tŷ bach yn y tŷ? Nefar! Ac fe ballodd ganiatâu rhoi drws i fynd drwodd o'i stafell hi i'r bathrwm. Am flynydde roedd rhaid i chi fynd i lawr y prif risiau, drwodd i'r gegin a lan y grisie bach yr ochor draw i folchi. Dim ond wedi i Mam-gu farw yr agorwyd drws i gysylltu'r ystafell wely a'r bathrwm. A phan o'n i'n magu 'mhlant i, flynydde wedyn, adeg partis yn tŷ fydde degau o blant cynhyrfus yn taranu lan un set o risie a rhuthro i lawr y llall fel corwyntoedd – dyna i chi sbri.

Pan oedd fy nhad-cu yn adnewyddu Norwood, tŷ gyferbyn â chapel Bethsaida yn y Stryd Fawr, sylwodd ar gynllun y ffenest fawr oedd i gael ei thynnu allan ym mlaen y tŷ. Mrs Green, mam i wraig Mr Nugent, y fferyllydd, oedd y perchennog ar y pryd, ac roedd ei bryd ar gael math o *bay window* anghyffredin ar ffurf hanner bwa. Roedd yr hen ffenest o wneuthuriad cadarn a chynllun o ddeuddeg cwarel o bren a oedd wedi c'ledu, shrinco ac aeddfedu heb unrhyw bydredd na phry'. Ffenest oedd hi fyddai'n ffito'r twll yn wal ein tŷ ni i'r dim, ac yn gwella tipyn ar yr hyn oedd yno'n barod. Fe gytunwyd i'w symud o Norwood a'i hailosod yn Bell View. Erbyn heddi, yn wir ers wythdegau'r ganrif ddiwethaf, mae ffenest newydd o bren caled, o'r un cynllun â'r gwreiddiol gyda deuddeg cwarel, yn addurno'r ystafell bella ac yn edrych yn union yr un peth, heblaw am ddau gwarel o wydr coch a oedd yng nghorneli ucha'r hen ffenest. Y sedd orau i edrych ar yr olygfa o'r llawr isaf yn Bell View yw'r sedd sy'n edrych mas trwy ffenest y parlwr. Y parlwr fydd e o hyd i fi, ta beth fydd ffasiwn yr oes 'ma am eiriau ffansi fel 'stafell fyw' a 'lolfa'. Rwy wedi treulio tipyn o amser yn edrych mas trwyddi er bod ffenest debyg iddi yn yr ystafell ganol.

Yr un olygfa a welais o'r tŷ drwy f'oes. Golygfeydd o bethau parhaol, pethau sydd heb newid fawr iawn oni bai am dyfiant natur a lliwiau'r tymhorau ac adeiladau newydd ar gyrion y pentre. Mae pob cwarel yn fframio rhan wahanol o hen bentre Lland'och ac mae llun a stori a hanes yn dod yn ôl i fi wrth edrych drwy bob un ohonynt. Roedd y panorama o'r tu fas fel sgrin sinema lydan fawr, golygfa oedd yn rhoi gwefr arbennig i fi bob dydd. A dweud y gwir ro'n i'n cael teimlad o falchder ac o berthyn wrth edrych mas o Bell View.

Bellach, alla i ddim gweld y pentre, y dirwedd a'r cefndir: mae fy llygaid i'n rhy wael. Sgrin fawr y cof yw cwareli ffenest y parlwr. Ac mae'n parhau i roi pleser i fi, i 'nghyffroi ac i roi min ar y cof. Mae'r anweladwy mor weladwy ac rwy'n fwy gwerthfawrogol ohonynt oherwydd hynny.

Yn y cwareli isaf mae rhan o ffordd y Cwm gyda ffens isel bellach a pherth denau o ddrain. Yn 1993 cofiaf am gyfnod gwlyb iawn o law trwm cyson yn ystod yr haf a gwnaed difrod dirfawr gan y llifogydd a ddaeth yn sgil y dilyw, yn enwedig yn ardal y Mwldan yn Aberteifi ac yn Lland'och. Bu cryn sylw ar y cyfryngau ar y pryd gan gynnwys prif raglenni newyddion. Daeth llif nerthol i lawr ffordd gul y Cwm heibio'n tŷ ni cyn gwyro i'r chwith gyda'r tro yn y ffordd gan olchi'r clawdd a'r perthi i mewn i Barc y Felin. Bu tirlithriad hefyd cyn i'r Cyngor ailsefydlu ymyl y ffordd.

Darn o dir anwastad yw'r parc gyda llethr cymharol sy'n sgubo lawr tua'r abaty a'r Ficerdy. Cyfeirir ato fel *glebe land* – sef clastir neu diroedd y llannau. Cafodd y darn tir ei roi ar rent i deulu'r Felin. Does dim hawl gan neb i adeiladu arno. Yn wir, mae bron yn sicr, oni bai am y berchnogaeth gan yr awdurdodau eglwysig a'r gyfraith, y byddai rhyw ddatblygwr siŵr o fod wedi llanw'r parc â stad o dai. Mae mewn man mor ddelfrydol. I ni fel teulu mae'r parc wedi rhoi ychydig o wyrddni a lle i'r llygad orffwys rhyngom ni a'r pentre.

Trwy'r cwarel gwaelod mae'r Felin; hen, hen sefydliad a berthynai i gynllun yr Abaty a'r mynachod. Llifa ffrwd dawel Cerith i lawr trwy Gwm Degwel i lyn y felin. Ac nid segur faen sydd yn y Felin heddi, o na, mae'r olwyn yn chwalu ac yn rhygnu wrth falu a chynhyrchu blawd ar gyfer y farchnad gyfoes. Ma bara ffein yn dod o'r Felin.

Ond rwy'n cofio gweld y llyn yn domen fawr o sbwriel pan oedd yr awdurdodau ar y pryd yn cymhennu, yn ail-adeiladu ac yn ailwampio'r Abaty a'r safle ar ddiwedd yr Ail Ryfel Byd.

Glanhawyd gwely'r llyn wedyn a nawr mae hwyaid a gwyddau o bob lliw a llun yn nofio ac yn nythu yno. Daw'r adar mas i'r ffordd gyfagos i fusnesa a chwrdd ag ymwelwyr o'r Cartws a safle'r Abaty.

Afon Cerith oedd y ffin sirol ar un adeg fel y bu afon Teifi hefyd. Yn wir, roedd y ffin rhwng y ddwy sir, Aberteifi a Phenfro, yn droellog, nadreddog a chymhleth ei llwybr. Fe'i newidiwyd a'i symud fwy nag unwaith. Roedd y tir o gwmpas pont Aberteifi a'i chefndir hyd at y nant y tu ôl i Barc y Ffrier yn rhan o dalaith y Cardis. Roedd corff canol pentre Lland'och hyd at y nant ger Castell Albro yn Sir Benfro, a'r tir tu hwnt hyd at aber afon Teifi eto'n perthyn i Sir Aberteifi. Yn ddiweddar cymhlethwyd pethau eto trwy wahaniaeth yn nhrethi'r ddau gyngor sir. Roedd yn rhatach byw yn Sir Benfro. Cynhaliwyd refferendwm yn Lland'och yn 2003 i roi trefn ar yr anghysondeb ac i roi dewis i'r pentrefwyr mewn mannau lle roedd un ochor i stryd yn talu llawer mwy o drethi na'r ochor arall. Canlyniad hyn oedd trosglwyddo'r tiroedd yn gyfan i Sir Benfro.

Rwyf wedi synhwyro erioed fod yr hen Gardi yn or-hoff o'r geiniog, a dyma brawf o hynny. Ond un o Sir Benfro fyddwn i, hyd yn oed tae'r pentre wedi pleidleisio'r ffordd arall yn gywir. Fues i ddim yn byw allan o Sir Benfro erioed – heblaw am gyfnod yn y coleg – yma ces i ngeni, yma ces i nghofrestru, yma mae ngwreiddiau, yma y bu fy nheulu'n byw, yma bues i'n byw, ac yma dw i yn byw. Fel roedd stamp y llew ar yr wyau, mae stamp Lland'och ar 'y mhlisgyn inne.

Efallai mai Abaty Lland'och yw'r adeilad mwyaf trawiadol: mae'n sicr yr un sy'n tynnu sylw gyntaf trwy ail res o gwareli ffenest y parlwr. Mae ei faint, ei furiau trawiadol a'i agosatrwydd yn tra-arglwyddiaethu. Ar ddiwedd yr Ail Ryfel

Byd, gyda dyfodiad y Weinyddiaeth Weithfeydd, daeth glanhau, trefnu, ailadeiladu, trwsio a sicrhau fod y muriau'n ddiogel yn orchwyl pwysig yn y pentre. Rhoddwyd statws swyddogol i'r lle hanesyddol a dechreuwyd ar gynllun i ganiatâu i'r cyhoedd ymweld â'r safle'n ddiogel.

Perllan y 'ffeirad oedd yr atyniad pwysicaf i ni fel plant. Tyfai'r coed ar y darn tir sy bellach yn lawnt werdd gymen o flaen y fynedfa newydd. Dywedwyd na fyddai'r un bachgen yn y pentre wedi tyfu lan heb ddwyn 'fale o berllan y 'ffeirad. Roedd yn ddefod gyda'r pwysigrwydd mwya i fechgyn gyrraedd aeddfedrwydd. Pasbort i ragor o ddireidi a drygioni, medde rhywun.

Dw i'n cofio gweld dwsinau o weithwyr yn y blynyddoedd cynnar wedi'r Rhyfel yn cloddio wrth chwilio am seiliau'r abaty. Roedd rhai yn gwneud y muriau'n fwy diogel, eraill yn ailgodi rhannau ac yn gosod llwybrau newydd a graean ar gyfer ymwelwyr. Nid amharwyd ar y cynllun gwreiddiol mewn unrhyw ffordd. Cofiaf am un crefftwr yn crafu ei ben ac yn dyfalu am amser hir wedi iddo gael gorchymyn i ailgodi rhan o fur yr ysbyty. Cafodd orchymyn bod yn rhaid cadw'r crac neu'r hollt yn y mur fel yr oedd e. Mae adeiladu 'crac' yn dipyn o dasg!

Ar y pryd do'n i ddim yn ymwybodol o bwysigrwydd yr abaty a'i arwyddocâd hanesyddol. Yn ôl yr hanes adeiladwyd llawer o dai'r pentre o gerrig a dynnwyd o furiau'r abaty. Enghraifft dda o hyn yw Grey House yn David Street. Ond trwy ddysgu wrth wrando a sylwi a darllen des i wybod mwy am y lle. Ychydig bach iawn o'i hanes gawsom yn Ysgol Ramadeg Aberteifi. Roedd Babylon, Assyria, yr Aifft, y Chwyldro Ffrengig, yr *Indian Mutiny* a brenhinoedd Lloegr yn fwy cyfarwydd i ni.

Cyn belled â bod hanes yn y cwestiwn, doedd Cymru ddim yn bod.

Adeiladwyd yr Abaty tua 1115 fel cangen o Abaty Tiron yn Ffrainc dan nawdd Robert Fitz Martin, Arglwydd Cemaes. Roedd hen glas neu gymdeithas mynachlog Geltaidd gydag eglwys bren yn bodoli ar y safle cyn hynny. Defnyddiwyd cerrig o chwareli lleol a thu hwnt – o Gwm Degwel, Cipin, Pîl a Mynwy. Codwyd yr eglwys ar safle diogel oedd yn anweledig o'r môr, rhag ymosodiad gan fôr-ladron, yng nghysgod a diogelwch castell tomen a beili, sef Din Geraint.

Alla i weld y cnwcyn cadarn, ond un â gorchudd o goed arno bellach, o'r parlwr. Din Geraint oedd castell cyntaf Aberteifi a'r fro, ger Ffarm y Castell ac ar drwyn wedi'i amgylchynu ar dair ochor gan ddyfroedd afon Teifi. Man a man i fi ei ddweud e – roedd Llandoch 'ma ymhell cyn bod Aberteifi i gael. A dw i'n teimlo'n well o lawer nawr bod hwnna mas yn yr awyr agored.

Mae'r Canon Seamus Cunnane, cyn offeiriad eglwys Gatholig Aberteifi, Mair y Tapir, yn un o haneswyr praffaf Cymru. Mae e'n dweud fod 'yr hen Bess', sef Elisabeth I, wedi comisiynu capten llong o'r Iseldiroedd i gofnodi atlas manwl o arfordiroedd gorllewin Cymru yn 1586, ddwy flynedd cyn ymosodiad Armada Sbaen. Rhoddwyd testun Lladin arno ac fe argraffwyd yr atlas a'i roi ar werth. Cafodd yr atlas ei brynu gan sbïwyr o Sbaen a oedd yn awyddus i wybod popeth am wledydd Prydain cyn ymosod arnynt. Mae'r atlas i'w weld yn Valladolid, sef dyffryn olew yr olewydd, yn Sbaen. Ac fe welir ar y siartiau ddau enw adnabyddus iawn ond ar ffurf Iseldireg, sef NIJPOURT (Newport neu Drefdraeth) a S. TAIMUYL (St. Dogmael, Llandudoch). Does dim sôn am Aberteifi.

Saif Gwynfa, tŷ mawr amlwg, cadarn cymesur yn ei wenwisg drawiadol a'r gnwcyn y tu ôl i Ysgol y Capel. Cartref i Terwyn a Marged Tomos a'r teulu yw e heddi. Fy nhad-cu, Dafi Dafis, adeiladodd y tŷ fel amryw o dai trawiadol yn y pentre a'r cyffinie. Roedd y safle mor agos a chyfleus i'w gartref yn Bell View, bydde'n arfer neidio dros ben clawdd a chroesi Parc y Felin, fel hed y frân, i gael cinio ar ei aelwyd. Doedd dim anghenfilod y JCB ar gael i'r gweithwyr i dwrio'r seiliau yn y cyfnod hwnnw ond yn hytrach, picase, rhofie a nerth bôn braich.

Un awr ginio clywodd leisiau uchel yn llawn cyffro yn dod o'r cae dan y tŷ. 'Beth y'n ni fod i'w neud â'r rhein?' Daeth atsain y lleisie draw i'r tŷ yn glir oherwydd ffurf y llethr sy'n gwneud yr acwstig fel amffitheatr naturiol. Wedi dychwelyd i'r safle gwelodd bentwr o benglogau ac esgyrn dynol. Roedd y bechgyn cyhyrog wedi torri ar draws Shingrug, sef hen gladdfa Geltaidd. Penderfynwyd eu hailgladdu'n gymen, fwy neu lai yn yr un lle. Heddi saif byngalo cymharol newydd gyferbyn â garej enwog B. V. Rees a'i enw yw 'Shingrug'.

DYWED E. LLWYD WILLIAMS yn ei ail gyfrol, *Crwydro Sir Benfro*, 'Nid yw Sir Benfro yn ardd afalau.' Falle fod gwyntoedd hallt yr Atlantig yn ormod ar gyfer tyfu un o blanhigion enwocaf gardd Eden yng ngweddill y sir, ond roedd Lland'och yn Eden arall. 'Hen le yw Llandudoch ac nid oes fodd osgoi ei hynafiaeth,' meddai ymhellach. Yn ôl y gred, daeth mynachod Tiron â ffrwyth eu cynefin draw i Land'och a sefydlu perllan afalau yma. Bu'r berllan hon yn rhan bwysig o gynhaliaeth y fynachlog dros y canrifoedd.

Mae nifer o enwau afalau Lland'och yn parhau ar dafodau brodorion hyd heddi: Afal Shimw, Afal Biam, Afal Cot Ledr, Afal Tân Coed, Afal Bysedd y Forwyn, Afal Melys, Afal Gwyn a'r Brenin Oll, Afal Pig y Glomen, Afal Lefi Michael, Afal Coch Bach – tyfai'r rhain yng ngardd Bell View, yn felys ac yn goch trwyddyn nhw. Hoff afal y plant oedd afal Pren Glas o berllan Parc y Ffrier ac roedd Afal Pig y Deryn yn un da i wneud seidir. Yr un sy'n aros yn y cof yn bennaf yw Afalau Ceille'r Esgob (Bishop's Codlings), pe bai ond am ei enw'n unig. Yn ôl un wag yn y pentre maen nhw'n 'Gwd Cwcyrs.'

Roedd gerddi ffrwythlon ac afalau mis Medi braf Lland'och yn enwog iawn a'u hanes a'r traddodiad yn ddiarhebol yn lleol a thu hwnt. Licen i feddwl fod cysylltiad agos rhwng traddodiad distyllu'r gwirod, *Calvados* yn Normandi â chrefft debyg o wneud seidir yn Lland'och. Ar hyn o bryd mae'r arfer ar stop. Pwy a ŵyr, falle y daw 'nôl eto? Bydde dracht fach cyn mynd i'r gwely yn donic da – medden nhw.

Yn y cartws islaw ein tŷ ni cadwem 'hen nob', rhyw fath o gist ddroriau ac yn y rhesi droriau rhoddid afalau'r berllan, yn daclus a gofalus, heb gleisiau, i bara dros y gaeaf. Cyn dyfodiad cegin a chinio ysgol, awn adre amser cinio o'r ysgol bob dydd ac yn amal dewiswn afal blasus ei olwg o'r nob i'w fwyta ar y ffordd lawr. Ambell dro fe'i cadwn a'i fwyta ar yr iard, a chofiaf am rai o blant y wyrcws yn gofyn, 'A ga' i'r galon 'da ti heddi?' neu, 'A ga' i ansh o'r afal 'na?'

Y tu hwnt i berllan y 'ffeirad ac ar ddarn o dir agored rhwng y clwysty, corff yr abaty a'r ysbyty ger y brif fynedfa roedd perllan fawr o goed afalau, yn gnotiog a changhennog ac yn hen eu ffurf heb lawer o gynhaeaf ffrwyth. Fe gawson nhw eu torri lawr gan y Weinyddiaeth Weithfeydd pan atgyweiriwyd yr Abaty. Ond wedyn roedd perllan y 'ffeirad yn ardd Eden fyddai'n temtio'r gorau ohonom hyd yn oed.

ER MAI 'SHIR BEMRO' yw Lland'och drwyddo draw, ac er bod terasau cymen gwyn y pentre'n debyg i bentre ar arfordir Amalfi pan fo'r haul yn sheino, mae yna 'Eidal Fach' tu hwnt o enwog yn rhan annatod o'r pentre.

Mae Garej yr Abaty, sef garej B. V. Rees, yn enwog yn yr ardal hon ac yn Torino hefyd, lle caiff moduron FIAT (Fabbricci Italiano Automobile Torino) eu hadeiladu.

Roedd Vic Rees yn heliwr ac yn drapwr gwahaddod di-ail. Wedi eu sychu a'u rhwbio'n dda ag alwm byddai'n eu hanfon i gwmni Cohen a'i Feibion yn Birmingham. Roedd y *postal orders* a gyrhaeddai gyda throad y post fel tâl yn gymorth mawr. Cafodd Vic addysg yn Ysgol Ramadeg Aberteifi cyn ennill prentisiaeth gyda chwmni Ffowndri Bridge End, Aberteifi pan oedd yn 14 mlwydd oed. Dysgodd grefft peiriannydd ac ennill enw fel atgyweiriwr a gofalwr moduron, peiriannau amaethyddol ac injans stêm bois yr hewl.

Yn ei hamdden ymunodd â'r Fyddin Diriogaethol a'r Cardigan and Pembrokeshire Yeomanry. Dan gymylau'r Ail Ryfel Byd aeth draw i Ogledd Affrica fel un o'r *Desert Rats* yng Nghatrawd y magnelwyr. Ac yn dilyn llwyddiant y Cynghreiriaid symudodd gyda'r fyddin trwy'r Eidal a Gwlad Belg i fyny i Gamlas Kiel yng ngogledd yr Almaen. Daeth ar draws trueiniaid esgyrnog yn eu pyjamas streipiog, ond ni ddeallai Vic ar y pryd mai dioddefwyr yr *Holocaust* oeddynt. Dywedir i Vic Rees barhau i olchi ei ddwylo a'i het mewn petrol, fel yr hen arfer yn anialwch Affrica pan oedd dŵr mor brin. Dychwelodd i Land'och a rhesi o fedalau ar ei frest i ailgydio mewn peirianneg gyda'r Brodyr Richards. Ar ddydd ei briodas ym mis Mawrth 1948, gyrrodd Vic yr holl westeion i'r dathliadau mewn bws ar fenthyg gan y cwmni.

Fe'i dadrithiwyd gan ansawdd moduron Prydeinig: Triumph, Standard, Singer a Hillman. Pan ddaeth Owen, perchennog Tafarn y Fferi, â'i FIAT 125 draw i gael gwasanaeth gydag e, sylwodd ar ansawdd ardderchog y car o'r Eidal. Trodd ei lygaid tuag at foduron y cyfandir. Benthycodd Vic arian a chyda cefnogaeth ei wraig, Esther, sefydlodd fusnes fel mecanic mewn hen sied sinc a safai gyferbyn â'r grisiau sy'n arwain addolwyr ac ymwelwyr i lwybr ac eglwys y plwy, Sant Thomas. Roedd dwy garej – y naill yn y blaen a'r llall yn y cefn sydd â'i dalcen at y ffordd. Cododd Tom a Lewis Williams, perchnogion y bysiau glas, garej arall ar yr Hewl Fowr.

Ymhen amser enillodd Vic Rees gytundeb gyda FIAT ac mae'r busnes wedi cynyddu a thyfu. Cymaint fu'r llwyddiant fel bod y gweithlu yng ngarej yr Abaty wedi ennill sawl gwobr o wyliau yn yr Eidal yn gydnabyddiaeth o'r gwerthiant uchel a'r gwasanaeth cynnal a chadw dilynol. Mae'n anhygoel meddwl fod ei gwmni sydd bellach dan ofal a rheolaeth ei fab, Wyn, wedi gwerthu dros 10,000 o foduron a faniau yn ystod y cyfnod hwnnw.

Ond rwy'n cofio am y safle lle saif garej B. V. Rees heddi fel clwstwr cymen o dri bwthyn gwyngalchog yn wynebu'r de i ddal haul y dydd. Y tu ôl iddyn nhw roedd tair gardd hir. Yn un o'r bythynnod trigai Lisa Watts a'i gŵr, y pysgotwr Palffo. Gwisgai Lisa gap dyn ar ei phen a ffedog sach am ei chanol bron bob dydd. Halltu'r sgadan i wneud *bloaters* neu eu mygu i wneud *kippers* fyddai hi tu fas i'w bwthyn bach.

Un o hen luniau Bois y Sân, yn droednoeth i gyd.

Bois y Sân heddi – Cyril Burton a Robert Rees yn tynnu'r rhwyd.

Cyril Burton yn cywiro'r rhwydi ar lan afon Teifi.

Staff ysgol a chegin Ysgol Llwynihirion: Mrs A. H. Rees, Mrs Davies (gwraig y prifathro), Mrs Davies (y gogyddes), Dorris Hughes (cynorthwywraig), fi, a'r prifathro, Mr Ifor Davies.

Fi yng nghanol myfyrwyr Neuadd Esyllt, Coleg y Barri.

Perfformiad myfyrwyr Coleg y Barri o *Hamlet* yn Gymraeg gyda fi fel y Brenin Claudius ar fy ngorsedd.

Dathlu Gŵyl Ddewi yn y coleg, a fi wrth y delyn.

Fy nosbarth cyntaf fel athrawes yn Ysgol Llandudoch, 1957.
Welsoch chi shwd wynebe annwyl erio'd?

Y parti dawns a hyfforddais o ysgol Llandudoch yn cystadlu yng Ngŵyl Fawr Aberteifi yn y pumdegau.

Gwersyll Pentywyn yn y gaeaf – dim heulwen ond hwyl! Mari Wyn, Olwen Medi, Iona Emms, Carys Roberts a fi; yr unig un heb welingtons, sylwch.

Capel Blaenwaun.

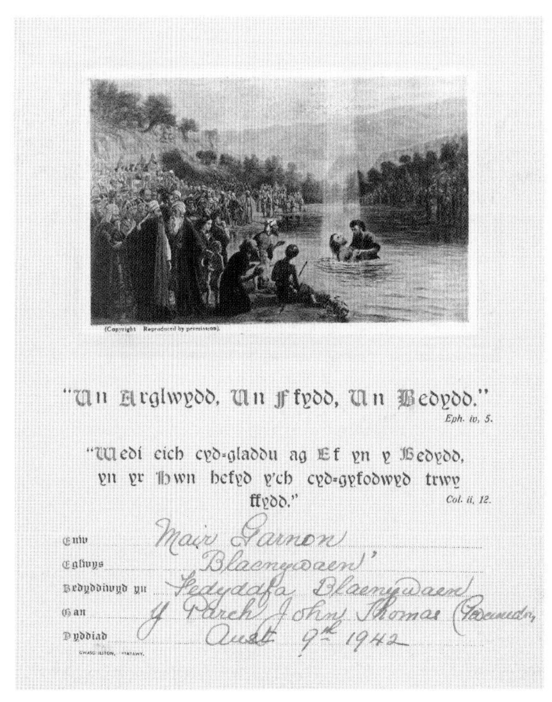

(Copyright Reproduced by permission).

"Un Arglwydd, Un Ffydd, Un Bedydd."
Eph. iv, 5.

"Wedi eich cyd-gladdu ag Ef yn y Bedydd, yn yr Hwn hefyd y'ch cyd-gyfodwyd trwy ffydd."
Col. ii, 12.

Enw ... Mair Garnon

Eglwys ... Blaenywaen'

Bedyddiwyd yn ... Bedyddfa Blaenywaen

Gan ... y Parch John Thomas ([illegible]

Dyddiad ... Awst 9th 1942

GWASG ILSTON, [illegible]

Fy nhystysgrif bedydd.

Paratoi i fynd ar drip ysgol Sul ar fws y Blue Glider i Aberystwyth neu Ddinbych-y-pysgod tua diwedd y pedwardegau, roedd fel petai'r pentre cyfan yn mynd.

Y diaconiaid adeg sefydlu'r Parchedig Dafydd H. Edwards: Harold Gwynne, Jeffrey James, Eddie Davies, Samuel Jones, y Parch Dafydd H. Edwards, Mair Garnon James, Martin Gwynne, Gruffydd Davies, Teifion Toft a David Joseph Davies.

Croesawu Santa i barti'r ysgol Sul yn y festri yn ystod yr wythdegau
a phawb wedi cynhyrfu, gan gynnwys y gyfeilyddes.

Taith y chwiorydd i Salem, Cefn Cymerau yn yr wythdegau
lle peintiwyd darlun 'Salem', Curnow Vosper.

Dosbarth yr ysgol Sul gyda Megan Evans a fi tu fas i Fethsaida.
Yn y cefn: Sarah Gwynne, Rhian Czech, Dawn Goldsmith,
Tracey Williams. Yn y blaen: Lee Williams, Geraint Czech,
Andrea James a Louise Goldsmith.

Pregethu yn y pulpud.

Pwyllgor Llandudoch a'r Cylch ar gyfer codi arian i Eisteddfod Genedlaethol Sir Benfro, 1972 yn sefyll y tu fas i Albro Castle.

Diweddglo drama gerdd W. R. Evans, *Cilwch Rhag Olwen*, gyda chyfansoddwr y gerddoriaeth, Rhys Jones yn cyfeilio.

Cilwch rhag yr Olwen hon! Fi, Peter John, Wil Bach a Ianto Siop wrthi.

Pob chware teg os gwelwch yn dda!
Arwain yn Eisteddfod Lland'och yn y nawdegau.

Llywyddu carnifal y pentre.

Jenny, Wil a fi'n gwneud cyflwyniad 'Fi yw Hwn' i W. R. Evans ym Maenclochog – doedd ganddon ni ddim syniad beth oedd yn dod nesa.

Cael fy nerbyn i Orsedd y Beirdd, yn Eisteddfod Genedlaethol Porthmadog, yn 1987. Rwy'n joio yng nghwmni Vaughan Hughes.

Bu Vic Rees a minnau ar baneli holi yn y pentre o dro i dro a'r ddau ohonon ni'n pocro cof ein gilydd er mwy goleuo ychydig ar y profiadau a'r hanesion. Byddwn hefyd yn rhannu bwrdd gyda Vic a'i wraig Esther yn Neuadd y Pentre bob dydd Iau, pan fyddai cymdeithas hŷn y pentre'n cyfarfod i gael cinio wedi ei baratoi yng nghegin yr ysgol. Bu farw Vic Rees yn 2012, yn golled fawr i ni yn y pentre. Adeg ei angladd cafodd Vic gymryd ei daith olaf yn *breakdown truck* y cwmni, yn ôl ei ddymuniad.

TRWY GWARELI'R parlwr gallaf weld dwy ysgol, sy'n beth annisgwyl ac anghyffredin mewn pentre, yn enwedig i bentre bychan fel Lland'och. Bron o'n blaen ar gnwcyn uwchben y safle lle saif garej B. V. Rees mae adeilad cadarn yr olwg, sef Ysgol y Capel. Mae'r enw hwnnw braidd yn cymhlethu'r hanes wrth i ymchwiliwr holi am ei chefndir. Ysgol Capel y Methodistiaid oedd hi yn y bedwaredd ganrif ar bymtheg cyn i awdurdodau'r Eglwys ei pherchnogi a'i chynnal. Ysgol dwy ystafell a thri athro ar y mwyaf oedd Ysgol y Capel, a phan sefydlwyd Ysgol Fodern Uwchradd y Santes Fair yn Aberteifi fe'i caewyd yn 1952 a symudodd y disgyblion i Ysgol y Cyngor.

Cofiaf am lawer o gweryla rhwng bechgyn y ddwy ysgol yn enwedig wedi i'r ddwy dorri lan ar ddiwedd y dydd. Câi plant Ysgol y Capel eu hadnabod fel 'cacwns y capel' er, dyn a ŵyr beth oedden nhw'n ein galw ni, licen i ddim meddwl. Eto, wedi pedwar o'r gloch roedd pawb yn ffrindiau, a chyfeillgarwch yn gyfnewidiol fel y tywydd. Yn wir, roedd un o'm ffrindiau gorau, Lilwen Stephens, yn byw yn agos i'n tŷ ni ac roedd hithau yn un o blant Ysgol y Capel.

Gallaf weld talcen to Ysgol y Cyngor lle mae afon Teifi yn newid ei chwrs ger Fferm y Castell. Mae'n wir dweud mai clywed y gloch oedd y peth pwysicaf i ni'r plant. Canai cloch yr ysgol am ddeg munud ddwywaith bob bore – hanner awr wedi wyth a phum munud i naw i atgoffa'r plant a'r rhieni fod prydlondeb yn rhan o ddisgyblaeth yr ysgol. Crogai rhaff gref wrth y gloch yn y tŵr cyn disgyn i un o ystafelloedd yr ysgol islaw. Doedd dim cloc na watsh ac yn sicr dim *wireless* yn ein tŷ ni. Bydden ni'n byta'n brecwast cyflym cyn brasgamu'n ewn i gyrraedd yr ysgol mewn amser byr cyn yr ail gloch. Wedi cyrraedd yr ysgol, roedd rhaid mynd i'r leins, lle safai pawb yn ei ddosbarth mewn dwy res, a'r un rhai oedd yn ddiweddar bob dydd. Doedd dim cinio ysgol ar gael bryd hynny ac felly rhedwn adre fel yr hydd i gael cinio.

Roedd Ysgol y Cyngor hefyd yn fwy o faint nag Ysgol y Capel gyda chwech i wyth ystafell ddosbarth a neuadd a ddefnyddid fel dau ddosbarth ychwanegol os oedd eisiau pan godai niferoedd y plant yn annisgwyl, ond ar gyfartaledd tua 130–150 o blant oedd yn yr ysgol.

Gallaf ddweud fel Bedyddwraig eangfrydig a theg fod i gwareli ffenest parlwr Bell View olygfeydd eciwmenaidd felly. Tri chapel, un eglwys a'r abaty o fewn ei phanorama.

Drwy'r cwarel chwith ar waelod y ffenest gallaf weld adeilad mawr a'i do serth, uchel yn brathu'r gofod uwchben y tai. Er mai rhyw liw llwyd golau yw e, hanes lliwgar ac amryliw sydd ganddo a chyfrannodd yn sylweddol at grefydd y pentrefwyr a'r bröydd cyfagos. Dyma Bethsaida, enw sy'n golygu tŷ addoli'r pysgotwyr neu dŷ hela ar ddwy dref gynt ar ymyl Môr Galilea. A phan gofiwn fod Andreas, Pedr a Phylip yn dod o'r un orllewinol ac y porthwyd y pum mil o'r un ddwyreiniol roedd y dewis o enw yn un ardderchog. Ac fel y rhwydai pysgotwyr y Sân helfeydd trymion o eogiaid a brithyllod y môr, roedd Bethsaida yn gyfrwng i rwydo eneidiau i achos y Bedyddwyr.

Yn ddiweddar bu cyfreithiwr ifanc o Aberteifi yn chwynnu trwy ddogfennau Bethsaida gan ddarganfod manylion a gynheuodd gyffro mawr ynddo. Daeth ar draws y cymal cyfreithiol, 'chapel of ease'. Teimlodd wefr gyffrous o'i weld am y tro cyntaf. Capel cyfleustra oedd Bethsaida i gynnig addoldy i aelodau'r fam eglwys, sef Blaenwaun, fwy neu lai yng nghanol pentre Lland'och. Arbedai ei safle cyfleus daith o gryn bellter i'r addolwyr rhag dringo pentigili i ucheldera Blaenwaun. 'Mor hawddgar yw dy bebyll Di, O, Arglwydd', medd y Salmydd. 'Nid eglwys yw Bethsaida ond adeilad ychwanegol,' meddwn i unwaith wrth holwr a oedd am wybod mwy am statws yr adeilad. Heddi mae eglwys Blaenwaun mor agos yng nghyd-destun yr oes ohoni gan fod bron bob teulu yn berchen ar fodur.

Pobol yw eglwys, adeilad yw capel. Fe allwn gynnal oedfa, ddwedwn i, yn neuadd y pentre. Nid oes aelodau ym Methsaida heblaw aelodau Blaenwaun a oedd yn mynychu oedfaon hwyrol yno i'w harbed rhag dringo'r codiad tir o filltir a rhagor i Flaenwaun. Yn wir ni chynhaliwyd na bedydd, cymundeb na phriodas erioed ym Methsaida a does dim hawl cynnal gwasanaeth angladd na chladdu yno. Byddai gwasanaeth boreol ac oedfa sacrament y cymun bob amser yn eglwys Blaenwaun.

Ac i gyfeiriad y bar a'r môr daw talcen uchel capel arall i'r golwg, sef Capel Degwel, cysegr yr Annibynwyr. Nid yw'r festri i'w gweld o Bell View. Adeiladwyd y capel yn 1828 a'i ailadeiladu yn 1877. Yn ei fri medrai gadw gweinidog, ond bellach mae'n un o amryw o gapeli gwasgaredig dan ofalaeth y Parchedig Wynfford Thomas.

Lled cae i ffwrdd o flaen Bell View ac yn agosach na'r adeilad arall saif y Ficerdy. Mae'n adeilad cadarn o gerrig nadd a'i ffenestri mawr ac uchel yn dal haul y dydd. Yn pwyso ar y mur arferai fod twsg morfil anferth. Rhaid dringo sawl gris i gyrraedd y drws blaen oherwydd y llawr isaf neu seler sy'n nodweddiadol o'i bensaernïaeth. Ac yng ngwaelodion ei seiliau mae ffynnon o ddŵr crisial a cherrig glân cymesur yn leinio'i hochrau.

Mae murddun yr abaty'n sefyll rhwng y ficerdy ac eglwys Sant Thomas. Mae'n eglwys gymharol fawr a hardd a chredir i rai o gerrig yr abaty gael eu defnyddio i'w hadeiladu. Yr un allor sydd yn Sant Thomas ag oedd yn yr abaty. Rwy wedi gweld ei gwneuthuriad o dan ei llieiniau ac mae ysgythriadau llythrennau'n amlwg ar y garreg. Hefyd yng nghynteddau'r eglwys mae carreg Ogham enwog iawn. Cafodd ei darganfod beth amser yn ôl yn cael ei defnyddio fel pont dros nant fechan, a bu hefyd yn bostyn iet am gyfnod. Wrth ei symud, fe holltodd, a gosodwyd harnes haearn o'i hamgylch i'w chadw'n un darn. Mae'r ysgythriadau Ogham a Lladin – SAGRANI FILE – CUNOTAMI – wedi bod yn sail i ysgolheigion i ddadansoddi'r wyddor wreiddiol. Awgrymwyd gan yr awdurdodau yng Nghaerdydd y dylid symud y garreg yn barhaol i amgueddfa'r brifddinas ac i roi carreg *polystyrene* yn ei lle. Bu tipyn o helynt, a chodwyd gwrychyn amryw o bobol leol cyn i'r awdurdodau ddychwelyd y garreg i'r pentre ac i eglwys Sant Thomas.

Mae capel Seion, cyn-gysegr y Methodistiaid sydd i'w weld y tu ôl i dafarn y White Hart, wedi cau bellach ac yn fflatiau ond yn dal i fod yn eiddo i deulu o'r pentre. Roedd gweld cau a datgorffori'r capel yn destun gofid a phoen ynghyd â gweld y Beibl Mawr yn cael ei gario allan am y tro ola. Cofiaf am y

Parchedig Gomer Roberts (1904–1993) yn weinidog yno, a fe wrth gwrs a ysgrifennodd yr emyn adnabyddus a phoblogaidd wrth weld yr adar bach yn chwilio am fwyd yn yr eira a'r llwydrew drwy'r ffenestr a'i deulu'n bwyta eu brecwast:

Mae'r Arglwydd yn cofio y dryw yn y drain
Ei lygaid sy'n gwylio y wennol a'r brain,
Nid oes un aderyn yn dioddef un cam,
Na gwcw, na bronfraith, na robin goch gam.

Dw i'n cofio am gynweinidog arall yng nghapel Seion, sef y Parchedig Moses Davies, gŵr ymroddgar a gweithgar a fu'n llwyddiannus iawn yn hybu gweithgarwch a diddordeb yr ieuanc trwy fudiad Urdd Gobaith Cymru. Mae dyled llawer o 'nghenhedlaeth i'n fawr iddo. Fe ofalodd Moses bod plant Lland'och yn cystadlu'n gyson yn eisteddfodau'r Urdd ac yn cael teithio ledled Cymru.

Eglwys Blaenwaun

ALLA I DDIM MEDDWL am fywyd heb eglwys Blaenwaun yn rhan ohono. Un o hen eglwysi bedyddiedig Cymru yw Blaenwaun mewn llecyn bendigedig ar gyrion Lland'och a mam eglwys nifer o eglwysi'r fro. Mae'n werth teithio'r filltir lan Cwm Degwel i gyrraedd yno, credwch chi fi! Mewn cyfnod o erledigaeth greulon ar addolwyr anghydffurfiol dros dri chan mlynedd yn ôl, roedd rhaid cyfarfod mewn ogofâu, cuddleoedd lle byddai amryw o gymoedd yn cyfarfod. Lle felly gyda phedwar cwm yn dod at ei gilydd oedd Rhos-gerdd ac fe bregethwyd yr efengyl yno nes adeiladu Blaenwaun gerllaw yn 1745. Tŷ bychan unllawr â tho gwellt oedd i ddechrau, yna codwyd llofft yn 1777 ac ail-adeiladwyd y capel fel y mae heddi yn 1885.

Ond dyw brics a morter ddim yn bwysig i fi, pobol yw eglwys. Clywais sôn fod 631 o aelodau ym Mlaenwaun pan oedd yr Achos yn ei fri ac yn fy ieuenctid roedd dros 500 o aelodau ar y llyfrau. Dw i'n cofio gweld y capel yn llawn droeon hefyd. Slawer dydd roedd teuluoedd mawr gydag wyth neu naw o blant a chriw helaeth o weision a morynion ar lawer o'r ffermydd. Bydden ni'n mynd i'r oedfaon fel teuluoedd ac yn eistedd yn yr un seddau bob tro bron. Doedd dim rhaid talu amdanyn nhw fel oedd yr arfer mewn rhai capeli.

Ar un cyfnod cynhelid tair oedfa ar y Sul ym Mlaenwaun, ond gyda'r ddringfa i fyny'r cwm yn aberth a dim ceir na golau stryd chwaith codwyd Bethsaida yng nghanol y pentre yn 1813 a'i adnewyddu'n llwyr yn 1936. Prynwyd tafarn y Rose and Crown drws nesaf yn 1926 er mwyn creu festri a'r drefn arferol oedd oedfa foreol ym Mlaenwaun ac yn yr hwyr ym Methsaida. Ond roedd yna ddwy ysgol Sul, tua 300 o aelodau yn ysgol Sul Bethsaida a 200 o bobol y wlad a'r ffermydd yn ysgol Sul Blaenwaun.

Rwy'n Fedyddwraig oherwydd mod i'n credu yn ordinhad y bedydd trochiad, sy'n seiliedig ar yr hyn a welir yn y Testament Newydd pan fedyddiwyd Crist gan Ioan Fedyddiwr yn afon Iorddonen. Mae'r 'trochiad' yn ganolog i ffydd y Bedyddiwr o'i gymharu â thaenelliad enwadau a mudiadau eraill. Fe'm bedyddiwyd yn aelod o eglwys Blaenwaun ym mis Awst 1942 a'r gweinidog y pryd hwnnw oedd y Parchedig John Thomas. Bob nos Sul ar ôl y bregeth byddai'r gweinidog yn 'Profi'r Oedfa' drwy ofyn a oedd unrhyw un yn bresennol yn barod i'w roi ei hun gerbron i'w dderbyn yn aelod trwy ordinhad y bedydd.

Do'n i ddim wedi trafod fy awydd i roi fy enw ymlaen gyda'm rhieni a phenderfynais wneud hynny ar fy mhen fy hunan bach un nos Sul yng nghapel Bethsaida. Roedd fy nhad, a oedd yn ddiacon yn eistedd yn y tro yn y côr mawr, a phan welodd ei ferch yn cerdded ymlaen i'w chynnig ei hun – bu bron â llewygu yn y fan a'r lle. Pedair ar ddeg oed oeddwn ar y pryd. Dwedodd un o'r merched, Lilwen Stephens, 'Pam na fyddet ti wedi dweud dy fod yn mynd i gerdded mla'n yn y cwrdd, mi fyddwn wedi dod gyda ti!' Yn yr wythnosau'n dilyn fe ddaeth Lilwen a Samuel Jones ymlaen hefyd a bu'r tri ohonom yn cyfarfod â'r gweinidog yn y Mans i'n paratoi ar gyfer derbyn cyfrifoldeb aelodaeth a'i oblygiadau.

Mae'r fedyddfan ryw dri chan llath islaw'r capel ger cyflenwad o ddŵr rhedegog. Mae ei chynllun fel amffitheatr awyragored i ddal tri chant o bobol. Fe gronnir y dŵr ar nos Sadwrn a chynhelir yr oedfa fel gwasanaeth awyr agored yn cynnwys y bedydd. Ni allaf ond dychmygu am y cannoedd a fedyddiwyd yno dros y blynyddoedd. Y drefn oedd cerdded i lawr un ochor tuag at y gweinidog, a safai ar garreg arbennig wrth ymyl y dyfroedd. Fe'i gosodwyd yno yng nghyfnod y Parchedig Titus Lewis ar ddiwedd y ddeunawfed ganrif. Rhaid oedd ateb yn gadarnhaol eich bod yn barod i dderbyn ordinhad y bedydd trochiad. Byddai'r merched yn gwisgo ffrog wen, ac rwy'n cofio fy mam yn gwnïo darnau o blwm yn yr hem ar waelod y wisg i'w hatal rhag codi i fyny'n anweddus yn ystod y trochiad. Gwisgai'r bechgyn grys gwyn a throwsus o'u dewis. Byddai coler a belt o amgylch y canol yn fanteisiol i'r gweinidog gael gafael da. O enau'r gweinidog dôi'r geiriau, 'Ar y broffes ffydd ym mab Duw yr wyf yn dy fedyddio di ——— ——— yn enw'r Tad, y Mab a'r Ysbryd Glân.'

Gydag anadl ddofn, ac ym mreichiau cadarn y gweinidog, byddai'r ddefod drosodd ymhen eiliadau. Wrth ddringo allan i'r ochor arall roedd dau ddiacon yn eich derbyn gyda lliain neu facyn i sychu eich wyneb. Rwy'n cofio gweld oedolion dros ei hanner cant yn derbyn bedydd trochiad ac un gŵr yn penderfynu yn y man a'r lle ei fod am dderbyn yr ordinhad drwy ddiosg siaced ei siwt a disgyn fel yr oedd i'r dyfroedd i'w fedyddio. Ond bu bedydd Mam yn un arbennig a chofiadwy. Cyhoeddwyd y digwyddiad yn ystod y gaeaf, ac er i'r tymheredd ddisgyn yn ddirfawr nid oedd gohirio i'w ystyried beth bynnag fyddai'r tywydd. Fe rewodd yn galed yn ystod y noson flaenorol, ac roedd y dŵr ynghlo dan iâ trwchus ar y Sul. Defnyddiwyd picas a bôn braich gref i dorri'r iâ i alluogi'r bedydd i fynd yn ei flaen. Ni allaf ond dychmygu mor wêr oedd y dŵr! A sylw Mam wedi'r profiad oedd, 'Chas ddim un o' ni annwyd.'

Bedyddiwyd y ddwy ferch, Carys a Meinir, yr un bore â'i gilydd, ym mis Awst 1977, gan y Parchedig W. H. Rowlands, ond nid yw Emyr wedi derbyn sacrament ordinhad y bedydd trochiad, eto!

Un o emynau mawr yn nhraddodiad caniadaeth y cysegr yw geiriau Titus Lewis (1773–1831). Y Parchedig Titus Lewis oedd y gweinidog cyntaf llawn amser wedi corffoli eglwys Blaenwaun yn 1786 ac rwy'n teimlo'n grac ambell waith pan fydd corau meibion yn canu ei emyn, 'Mawr oedd Crist yn nhragwyddoldeb . . .' a chyfeirio at yr awdur fel un o Gaerfyrddin. Ei wraig oedd yn dod o Gaerfyrddin, ac mae'r ffaith nad oedd hi'n hoffi pentre Lland'och a'r fro o gwbwl yn un o'r pethau nad wy'n eu deall. Mae byw 'ma fel bod yn y nefoedd! Er mwyn heddwch ar yr aelwyd symudodd ei deulu i fyw ar lannau afon Tywi. Fe rannai Titus ei weinidogaeth rhwng Blaenwaun a'r Porth Tywyll yn nhre Caerfyrddin a ddaeth yn eglwys y Tabernacl yn ddiweddarach. Teithiau ar gefn ceffyl rhwng y ddwy eglwys, a dywedir iddo gyfansoddi ei emyn 'poblogaidd' a chrefftus o argyhoeddiad mawr pan oedd yn teithio dros fryn a dôl ym mhob tywydd. Roedd Titus Lewis yn ŵr brwdfrydig ac yn llawn egni, ond efallai iddo wneud gormod a bu farw'n gymharol ifanc yn 38 oed.

Mae'n werth darllen geiriau'r hen Titus eto:

Mawr oedd Crist yn nhragwyddoldeb,
Mawr yn gwisgo natur dyn,
Mawr yn marw ar Galfaria,
Mawr yn maeddu angau'i hyn;
Hynod fawr yw yn awr,
Brenin nef a daear lawr.

Mawr yw Iesu yn ei Berson,
Mawr fel Duw, a mawr fel dyn,
Mawr ei degwch, a'i hawddgarwch,
Gwyn a gwridog, teg ei lun;
Mawr yw ef yn y nef
Ar ei orsedd gadarn, gref.

Roedd cadw dau gapel bedyddiedig yn Lland'och, gyda'r un aelodau yn mynychu'r oedfaon, yn faich a gwerthwyd Bethsaida gwpwl o flynyddoedd yn ôl. Symudwyd yr organ bib fesul darn i eglwys yng Nghastell-nedd ac yno mae'n parhau i swyno cynulleidfaoedd. Cyn dyfodiad yr organ bib drydanol byddai bechgyn ieuanc yn megino i gynnal yr organ yn y cwtsh dan sta'r. Os byddai canu mawr ar yr emynau gan ailadrodd ambell bennill a chytgan, fe deimlech y tempo a'r *pitch* yn gostwng fel hen ramoffon yn dadweindio wrth i'r bechgyn flino. Cofiaf mewn edmygedd am gyfraniad cerddorol Fanny Griffiths, Blodwen Sambrook James ac eraill, fu'n cyfeilio am nifer fawr o flynyddoedd,

Rhyw 65 o aelodau sydd yn gofrestredig heddi yn eglwys Blaenwaun dan weinidogaeth y Parchedig Gareth Morris ac mae'r ofalaeth yn cynnwys eglwysi Cilfowyr, Siloam, Blaenwenen a Blaenwaun.

Gofynnodd rhywun i fi'n ddiweddar, 'Ody'r teid wedi mynd mas ym Mlaenwaun?' A'm hateb i oedd, 'Dyw e' ddim *wedi* mynd mas, *mynd* mas mae e.' Ac rwy'n credu fod ychydig o wahaniaeth rhwng y ddau beth. Dros y blynyddoedd mae nifer aelodau cofrestredig Blaenwaun wedi gostwng o chwe chant a rhagor i ychydig dros chwe deg. Does dim eisiau pwslo llawer dros y niferoedd. Mae rhywbeth wedi digwydd! Ond wedyn dw i ddim yn un sy'n rhoi pwyslais ar y nifer sy'n bresennol mewn oedfaon. Naws a bendith a gaf gan y cennad a'r oedfa sy'n bwysig i fi. Rwy'n siŵr fod pawb yn sylweddoli ac yn ymwybodol fod niferoedd y teuluoedd Cymreig a nifer y plant mewn teuluoedd wedi disgyn yn ddirfawr hefyd. Fe gollwyd dros ddeugain o forwyr o Lland'och yn ystod yr Ail Ryfel Byd a'r rhan fwyaf yn aelodau ym Mlaenwaun. Gwelir colledion pellach ar gofebau i'r rhai a syrthiodd yn y Rhyfel Mawr ac roedd dyfodiad peiriannau i drefn amaethyddiaeth yn lleihau nifereodd y gweision a morynion. Ergyd ar ôl ergyd.

Ac fel mae'r teid yn mynd mas mae llawer o bethau wedi mynd gyda'r llif. Ond fe ddaw teid arall, daw sawl llanw arall ac nid yn yr un ffordd na'r un modd. Efallai na welwn chwe chant o aelodau eto mewn eglwys yn Lland'och. Ac rwy'n falch iawn gweld unigolion ac eglwysi ac enwadau yn dadlau ac yn trafod beth sydd i ddigwydd yn y dyfodol. Mae'n golygu eu bod yn sylweddoli beth sy'n digwydd a bod consýrn ganddynt am y canlyniadau a sut i baratoi am y drefn newydd. Wedi'r cyfan, un Duw sy'n ein cynnal ni a byddai'n ddigwyddiad naturiol lle byddai pawb yn cwrdd mewn un man, nid trwy ymdrech o orfodaeth, ond trwy fod Cristnogaeth yn cael blaenoriaeth yn hytrach na chapelyddiaeth.

Mae tipyn o ffordd 'da ni i fynd eto cyn y bydd y teid reit

mas! Daw llawer o beryglon anweledig i'r amlwg ac fe welwn wrec a sbwriel yn eu sgil. Ni allaf ddychmygu bywyd heb gapel neu eglwys, a daw adleisiau pell i'm cydwybod o'r ffyddloniaid cynnar yn cerdded yr holl ffordd i Rydwilym ac yn cuddio mewn mannau anghysbell a diogel rhag yr erlidwyr. Fe gysegrwyd mannau tebyg gan aberth y Cristnogion cynnar; a rydyn ni yn rhan o'r dreftadaeth. Mae'r byd yn newid bob dydd, ond mae rhai egwyddorion yn dragwyddol.

DAETH CYFRIFOLDEB CYNNAR ar fy ysgwyddau pan gefais wahoddiad i fod yn athawes ysgol Sul a finnau'n ifanc iawn ar y pryd. A thros y blynyddoedd bues i'n is-arolygydd ac arolygydd dros yr ysgol Sul amryw o droeon. Roeddwn hefyd yn gyfrifol am drefnu gweithgareddau i Gymdeithas y Bobl Ifainc a'r cwrdd Nadolig. Ac wrth feddwl am syniadau a deunydd addas ar gyfer cyrddau felly deuai geiriau Norah Isaac a'i chyngor amal i'r cof. 'Y'ch chi'n gwbod beth i'w neud, Mair. Sgrifennwch chi nhw!' Fe ddilynais ei chyngor ac ysgrifennais ddwsinau o sgriptiau a deialogau, ond heb eu cadw.

Mae eglwys Blaenwaun wedi chwarae rhan bwysig iawn yn fy mywyd i. Fe ges gefnogaeth ddi-ail a chyfleoedd gan ei gweinidogion, y swyddogion a'r aelodau ac mae pob anrhydedd a ddaeth i'm rhan yn gysylltiedig â'r diwylliant a gefais gan weithgaredd cymdeithas capel, ysgol a chartref. O fewn y sir mae dwy ran i Gymanfa Bedyddwyr Penfro a chefais swydd is-lywydd cyn cymryd cyfrifoldeb llywydd. Ac fel pe na bai'r swyddi hyn yn ddigon, bûm i'n llywydd Mudiad Chwiorydd Undeb y Bedyddwyr a theithio yn rhinwedd fy swydd o Fôn i Fynwy i annerch cyfarfodydd. Bu eglwys Blaenwaun yn flaenllaw fel cymdeithas flaengar genhadol erioed.

'Tawed y gwragedd' efallai oedd arwyddair y cynoesau, a phan wahoddwyd fi trwy bleidlais i fod y wraig gyntaf erioed ym Mlaenwaun i'w dewis yn ddiacon, roedd yn anrhydedd i'w thrysori. Fe fues yn ysgrifennydd y capel am un mlynedd ar bymtheg ar hugain ac yn gyfrifol am lanw pulpud ddwywaith bob Sul, yr ysgol Sul a gwahodd gweinidogion i bregethu yn y Cyrddau Mawr ddwywaith bob blwyddyn ar nos Sadwrn a'r Sul. Fe ddeuthum i adnabod yr hoelion wyth yn dda gan i lawer ohonynt letya ar aelwyd Bell View – pregethwyr fel Lewis Valentine, Jubilee Young a Glasnant Young, sef tad y Parchedig John Young. Fues i ddim yn drysorydd, cofiwch: fedra i ddim edrych ar ôl fy arian fy hunan, heb sôn am arian rhywun arall!

Lland'och

MAE LLAWER wedi cyfeirio at Land'och fel y pentre gwledig mwya yng Nghymru gyda Rhosllannerchrugog fel yr un mwyaf oherwydd dylanwad diwydiant. Rwy'n credu ei fod e'n bentre prydferth, yn garden post o bentre. Mae yma resi o dai gwynion mewn terasau cymen sy'n glynu wrth y llechweddau cysgodol cyn disgyn yn drefnus hyd at lannau afon Teifi. Fe glywais rywun yn dweud fod Lland'och yn debyg i Portofino yn yr Eidal o'i weld o'r cei yn Aberteifi. Af i ddim i ddadle, er wrth gwrs mae'n bertach na'r lle hwnnw i fi. Ac yn y nos mae'r rhesi o oleuni ar y terasau fel breichledau crisial.

Mae gan y pentre ddau enw – Llandudoch neu Land'och (i ni'r pentrefwyr) a St. Dogmaels yn Saesneg. Fe'u gwelir ar yr arwyddion glas ar gyrion y pentre ac mae gan y ddau enw gefndir ac ystyr anghyffredin a diddorol. Yn ôl yr hanes roedd sant Dogmael, Dogfael neu Dogwel yn byw rhwng 400 a 500 O.C. Sefydlodd fynachlog mewn cae a elwir hyd heddi 'Yr Hen Monachlog' ryw filltir o'r lle mae adfeilion presennol Abaty Llandudoch. Cafodd ei ddilynwyr fuchedd galed a disgybledig ac roedd rhaid i'r mynachod ymolchi bob dydd yn afon Teifi hyd yn oed yn nyddiau tywyll rhewllyd y gaeaf.

Pwy oedd Dogmael 'te? Roedd yn fab i Ithel ap Ceredig ap Cunedda Wledig mae'n debyg, a thrwy ei linach roedd ganddo gyswllt ag un o dri llwyth saint Cymru. Enw ei fam-gu, gwraig Ceredig, oedd Meleri, a dywedir fod Gwawl, gwraig Cunedda, yn ferch i Goel Godebog, arwr y gân 'Old King Cole was a merry old soul . . .'

Gair cyfansawdd yw Dogmael. Daw'r gair 'Dog' o'r Lladin, *doctus* (gwybodus), yr un gair â 'doeth' a 'doethor'. Ystyr 'mael' mae'n debyg, yw 'gwaith' neu 'fetel', sy'n cynnig ystyr i Dogmael fel crefftwr gwybodus. Ffurf anwes ar yr enw Dogmael yw'r enw Cymraeg Tudoch. Mae defnyddio'r enw 'Llandudoch' ar y pentre i'w weld ar ddogfennau Eglwysig o gyfnod cynnar.

'Na drueni na fyddwn wedi cael y wybodaeth sydd gen i heddi yn rhan o'm haddysg yn yr ysgol ramadeg yn Aberteifi. Roedd hanes fy mhentre genedigol a'r filltir sgwâr yn fwy diddorol a gwerthfawr i fi na'r *Indian Mutiny* neu'r *War of the Roses* a'r *Rosetta Stone*. Ond ar y pryd wyddwn i ddim fod gan Land'och hanes o gwbwl. Cawn ffeil gan Mr Tregonning, yr athro o Gernyw a phennaeth yr adran hanes yn Ysgol Sirol Aberteifi, a honno'n llawn o dudalennau melynion a'u hochrau wedi'u cwrlo. Roedd y dalennau hyn wedi eu defnyddio gan genedlaethau o ddisgyblion, ac o hwdu eu cynnwys yn ôl mewn arholiad dôi llwyddiant digymysg mewn pwnc hollol amherthnasol.

'O BLE TI'N DOD?'

'O Land'och.'

Dyna'r ffordd gyflymaf a'r un fwyaf sicr i ddod o hyd i fan magwraeth, gwreiddie ac ieithwedd unrhyw un o fy nghenhedlaeth i, fy nghyfoedion neu fy nisgynyddion. Pe cawn ateb, 'Llandudoch' fe ddelen i'r canlyniad mai dyn dŵad fyddai hwnnw heb ei drochi'n llwyr yn nhafodiaith y pentre.

Erbyn heddi mae'r dafodiaith wedi'i glastwreiddio, ac mae amryw o resymau yn gyfrifol am y newid. Mae ffiniau cymdeithas wedi ymestyn. Mae natur a threfn cymdeithas yn fwy symudol. Daeth mwy o Saesneg i mewn i fywyd beunyddiol trwy'r cyfryngau torfol a thrwy brynu cartrefi ac eiddo. Ac nid y dafodiaith yn unig sydd wedi newid ond mamiaith hefyd, ac nid yw'r gymysgedd iaith wedi cryfhau'r naill na'r llall. Siprys o iaith yw hi bellach a llawer o eiriau wedi eu cymryd o'r Saesneg.

Ar ein haelwyd ni roedd Mam-gu, mam fy mam, yn hanu o Ben-caer, i'r de ac uwch lan o Abergweun a fy nhad o dre Abergweun ei hunan. A doedd r'un ohonyn nhw'n mynd i golli a newid eu hieithwedd a'r dafodiaith hyfryd. Cefais i 'ngeni yn Lland'och a thyfais yng nghwmni rhocesi a bois y pentre a'r cyffinie. Byddai'r rhan fwyaf o'r bechgyn a oedd yn cydoesi â fi wedi mynd i'r môr ac wrth forio cefnforoedd y byd roedd pellter a natur eu gwaith wedi amddiffyn eu tafodiaith. Pan ddeuent adre, nid oeddynt wedi colli dim o'r blas ieithyddol hwnnw a oedd mor nodweddiadol o wlad y wês, wês!

Ond erbyn heddi nid yw'r un dafodiaith i'w chlywed a dim ond rhyw ychydig o ieithwedd wreiddiol Lland'och dw i'n ei chlywed. Mae gwead cymdeithas y pentre'n fwy ansefydlog a Saesneg yw iaith y gwenoliaid. O gyfri tai y Cwm heddi, dw i'n sylweddoli fod tri chwarter ohonyn nhw'n dai haf erbyn hyn. Tai nid cartrefi. Ymwelwyr nid cymdogion, a'r iaith a chymdeithas yn dadfeilio – rhyfedd o fyd!

Ac mae cyfundrefn addysg – o'r meithrin, cynradd, ysgolion cyfun a phrifysgolion – yn siŵr o fod wedi ein gwneud yn fwy tebyg i'n gilydd. 'Sosejis a ffostej stamps', medde rhyw wag dwyieithog.

Ond cofiwch chi, fel athrawes fuodd yn dysgu mewn amryw o ardaloedd, ro'n i'n gefnogol iawn i dafodiaith leol bob tro, nid dim ond ffoli ar 'y nhafodiaith i'n hunan. A dweud y gwir, wrth wrando ar blentyn yn rhoi hanesyn ar lafar fyddwn i ddim yn sylwi ar ei dafodiaith. Dieithriaid sy'n sylwi ar dafodiaith. Ond byddai'n fy nharo pan fyddwn yn dod ar draws gwaith ysgrifenedig mewn iaith lafar flodeuog. Bydde adeiladu cystrawen ramadegol gywir yn dod yn nes ymlaen, ond nid ar draul y ffordd naturiol o fynegi teimladau.

Doedd dim afon na ffin sirol anweledig yn mynd i atal tafodiaith. Pan o'n i'n ddisgybl yn Ysgol Ramadeg Aberteifi ro'n i'n clywed enghreifftiau o'r un dafodiaith â Lland'och ar wefusau plant o Sir Aberteifi cyn belled ag Aber-porth a thu hwnt. Dôi plant Crymych a'r ardaloedd o ogledd Penfro i'r un ysgol, a byddai eu hieithoedd hwythau'n rhoi blas a sbrinclad ychwanegol o wreiddioldeb ar y sgyrsiau difyr.

Roedd gan Carey ddiddordeb mawr mewn tafodieithau. Gyda'i glust fanwl, bydde fe'n adnabod tafodiaith ardal, fel Llanelli, dyweder, ond medrai ddod o hyd i dafodieithau pentrefol fel Llangennech, Pwll, Ffwrnes neu Dafen wedyn. A phan ddôi adre, iaith Lland'och a ddefnyddiai bob amser, hyd yn oed mewn pregeth.

Ma rhai sylwebyddion yn dweud bod llai o wreiddioldeb mewn cymdeithas heddi a llai o gymeriadau hefyd. Y cymeriadau oedd y sail i storïau a llên gwerin, a'u traddodiad hwy a oedd mor gyfoethog mewn tafodieithoedd a drodd yn chwedloniaeth. Dw i'n tueddu i gytuno â nhw. Mae tafodiaith cyrion Llandudoch a theuluoedd dŵad yn gymysgedd o eiriau a chystrawennau brodorol a thafodiaith oedd yn berchen i bobol y wlad, ac mae hynny'n beth braf.

HEDDI, TAE RHYWUN yn gofyn yn y pentre ble mae'r 'bar', mwy na thebyg gele fe'i gyfeirio draw i gyfeiriad y White Hart, y Fferi neu'r Webley. Does gen i ddim cof o glywed yr enw Poppit ar ein haelwyd ni. Yn hytrach, dwedai Mam, 'Os bydd hi'n ffein fory, fe fyddwn ni'n mynd lawr i'r bar.' A hyn heb wybod dim am Tennyson a'i ddarn enwog o farddoniaeth, 'Crossing the Bar'. Roedd cymaint o gysylltiad rhwng Lland'och a morwriaeth, sdim rhyfedd fod idiomau o'r fath yn rhan o'r iaith feunyddiol. Y bar yw lle mae afon Teifi a'i llif penderfynol, bowlyd iawn wedi glaw yn cwrdd benben â grym nerthol y môr.

Bydden ni'n cerdded lawr cyn belled â Gwesty'r Webley, waeth roedd y ffordd yn gorffen fan 'ny. Cyrhaeddem y traeth trwy labrinth o lwybrau trwy'r twmpathau tywod. We'n ni ddim yn gweld y môr o Bell View, ond roedden ni'n ei glywed ac yn gwbod trwy'r synnwyr hwnnw a dysgeidiaeth Mam pa fath o fôr oedd e. Pan oedd e'n fôr tir roedd y gwynt yn chwythu o gyfeiriad y tir ac yn gwrthdaro na'r teid diderfyn a'r arfordir yn sebon gwyn i gyd. Pan fydde'r gwynt a'r llanw yn groes i'w gilydd, byddai tywod y traeth yn rhoi oddi tanoch, fel petai dim gwaelod iddo, ac roedd yn beryglus iawn.

Rwy'n cofio hefyd fod dwy gragen wen gymharol fawr yn tynnu sylw llygad – oherwydd eu maint, eu lliw a'u siâp – yn addurno sil ffenest Bell View. Doedden nhw ddim wedi dod o'r traethau lleol, nac o Gymru chwaith o ran hynny. Yn hytrach rhai trofannol o bellafoedd byd oeddynt a ddaeth, mae'n debyg, trwy ddwylo un o forwyr y pentre. Fe goden ni nhw i'n clustie a chlywed curiad a thymer y môr yn blaen. Roedd yn llawer mwy dibynnol na dyfalu'r pentrefwyr, ac yn ffordd gyffrous iawn cyn *wireless* a theledu i ddehongli'r tywydd yn y cwrt o flaen Bell View.

Pan oeddwn yn hŷn ac yn mynd i lawr i'r bar i ddysgu nofio, towlai rhywun ni mewn i'r môr. Gobeithiwn y gorau a dysgwn yn glou iawn sut i ddefnyddio'r breichiau a'r coesau rhag diflannu dan y don i'r gwaelod.

O dan Gastell Penrhyn roedd gorsaf gyntaf y cwch achub, ac adeilad parhaol dan oruchwyliaeth Gwylwyr y Glannau. Adeiladwyd cei bychan er mwyn rhoi cysgod i'r bad achub fynd mas i'r bae yn ddiogel. Plant y gwylwyr parhaol oedd yr unig rai a oedd yn siarad Saesneg yn yr ysgol. Trwy gwareli canol ffenest y parlwr gwelwn afon Teifi yn culhau cyn troi'n sydyn ger Fferm y Castell. Dysgodd Mam ni i nabod cyflwr yr afon a'i ddarllen. Roedd hyn yn werthfawr iawn o ran dod i nabod ein cynefin a'r filltir sgwâr yn drylwyr, ond yn werthfawr o ran diogelwch hefyd.

'Mae'r teid wedi dod miwn ac mae'r teid wedi mynd mas!' We'n ni ddim yn defnyddio geiriau trai a llanw. 'Ble mae'r teid yn sefyll arni?' ddweden ni. Faint o bobol heddi sy'n gwybod fod trai a llanw ddwywaith y dydd ac awr o wahaniaeth rhyngddyn nhw? Roedd rhaid dysgu wrth sylwi ar y cychod hefyd. Wrth angori pob cwch ar afon Teifi rhwng Lland'och ac Aberteifi rhoddwyd digon o raff iddo fedru symud gyda'r teid. Os byddai trwyn y cwch yn wynebu'r 'bar' a'r aber, roedd y teid yn dod mewn. Ac i'r gwrthwyneb, os oedd ei drwyn tuag at Aberteifi roedd y teid yn mynd mas.

Cofiaf weld llongau'n hwylio i fyny ac i lawr o'r cei yn Aberteifi i lwytho a dadlwytho ac roeddent yn dod mewn a mas gyda'r teid. Fe sylwn hefyd ar y ffordd roedd y llongau'n eistedd yn y dŵr; â'u llwythau llawn neu â howldiau gweigion.

Mae amryw o dai yn Llandudoch wedi'u henwi ar ôl llongau ac enwau llongau'n parhau ar arwyddion llechi neu bren ar furiau cartrefi'r pentre. Maent yn sicr ar gof a chadw ac ar wefusau'r pentrefwyr. Beth am Albro, Pomona, Britannia, Sloop, Skerryvore a'r Mariners?

Mae perthynas agos iawn rhwng hanes a thraddodiad pentre Llandudoch a'r môr. Doedd dim blas yr heli ar aelodau ein teulu ni, ond roedd bron pob rhocyn ifanc yn y pentre wedi cael siwrne ar y môr cyn tyfu lan, petae ond mynd mas i bysgota. A byddai'r rhan fwyaf ohonyn nhw'n bendant nad o'n nhw eisiau mynd eto. Roedd tipyn o wahaniaeth rhwng dychmygu rhamant eu breuddwydion a blasu storïau yr hen forwyr a chael profiad cyntaf go iawn o forwra a phrofi cynddaredd y môr.

ONDD POBOL sy'n neud pentre ontefe? A'r hyn sy'n rhoi blas ar bentre yw ei chymeriade ac mae gan bob ardal ei chymeriade, glei. Chi'n gwbod, y bobol hynny nad y'n nhw'n becso pripsyn am beth ma rhywun arall yn ei feddwl. Tynnir ein sylw at y ffordd ma nhw'n edrych a'r ffordd ma nhw'n bihafio; eu ffordd o fyw ac at hynodrwydd eu gwisg, eu hiaith, eu hymarweddiad a'u cefndir. Ac oherwydd y natur ddynol, neu hyd yn oed ddigwyddiadau neu ffawd, mae'r cymeriad yn cymryd llwybr gwahanol ar groesffordd bywyd i'r rhan fwyaf ohonon ni. Mae eu llwybrau hwythau'n cyffwrdd bywydau pobol gyffredin bob hyn a hyn. Ond meddyliwch am hyn, tybed ai'r 'cymeriad' sy'n adlewyrchu nodweddion gorau cymdeithas yn fwyaf triw, yn hytrach na ni'r bobol sy'n meddwl mai ni sy'n iawn? Diolch byth am gymeriadau, ddweda i. Un felly oedd Thomas Griffiths, neu Twm 'Rallt.

Roedd crochan du mawr gan Mam ac ynddo berwai gawl ffres neu gawl eildwym yn llawn o gig a llysiau'r ardd a'i wyneb yn gyforiog o sêrs. A phan ddôi Twm heibio i gael sgwrs a rhannu clonc, estynnai Mam ei chroeso arferol iddo trwy roi basned o'r cawl blasus. Roedd hwnnw'n well na chwpaned o de. Ac yno ar y fainc o flaen y tŷ byddai Twm yn mwynhau'r bwyd a'r cyfeillgarwch, gan fyfyrio a gwrando a rhannu, a byddai'n cynnig sylwadau gwreiddiol ac athronyddol i ni rhwng llwyeidiau o gawl. Dôi heibio'n achlysurol â'i sach, ac o'r sach weithiau arllwysai gimwch byw ar y llawr, wedi gwneud yn siŵr ei fod wedi clymu'r crafangau'n ddiogel wrth gwrs.

Hen lanc oedd Twm yn byw ar ei ben ei hun wedi colli ei rieni. Ond roedd mwy i Twm na'r olwg gyntaf werinol. Roedd yn ddarllenwr eang, yn hunanaddysgedig ac yn gwybod ei Feibl am sha 'nôl. Hoffai ddarllen yn uchel, a gallech ei glywed e wrthi wrth fynd heibio'i gartref. Roedd ei wybodaeth ysgrythurol a'i wybodaeth o'r Hebraeg a Groeg yn eang a thrylwyr hefyd. Gwrthododd sawl cynnig i fod yn ddiacon ym Mlaenwaun, 'Sa i yn mynd mewn i'r bocs!' fyddai ei ateb bob tro.

Yn ystod pregeth, edrychai ar y wal yn hytrach nag ar wyneb y pregethwr. Ond pan wnâi ein gweinidog sylw ar fater arbennig, roedd Twm yn y parc o'i fla'n e. Gwnâi ebychiad pendant, 'Oooo! Byddai'r Parchedig John Thomas yn cau'r Beibl mawr yn syth gan gau mwdwl y bregeth a dowt amlwg yn ei lais. Nid oedd am groesi damcaniaethau sicr yr hen Dwm.

‘Fe alwaf gyda chi i’w drafod ymhellach,’ fyddai’r gweinidog yn ei ddweud, rhag mynd i ddyfroedd dyfnion yn gyhoeddus.

Fel ieuenctid naturiol yn ein harddegau yn paratoi ar gyfer cwrdd plant, efallai, ar brydiau fydden ni heb wneud ein gwaith cartre’n ddigonol. Ac meddai Twm wrtha i, ‘Sawl gwaith ddarllenaist ti’r bennod ’na erbyn heno?’

‘Ddwywaith’, atebwn ninnau.

‘Rwy’n cynnig dy fod ti’n ei darllen hi *deirgwaith* y tro nesa’, oedd unig sylw Twm.

Roedd rhyw wreiddioldeb yn ei sylwadau a’i eiriau. Ni fedrai ynganu’r llythyren ‘r’ ond rhoddai’r sain yddfol fwy o hynodrwydd fyth iddo.

Cyn i Wncwl Clement a ’mrawd Carey fynd i Goleg Bangor i baratoi ar gyfer y weinidogaeth, cawsant eu trwytho’n drylwyr yn ysgrythurol gan neb llai na Thomas Griffiths, yr Allt. Mynychai Twm oedfaon Blaenwaun yn ffyddlon a chyson – hyd yn oed y cyrddau wythnos. Gwisgai ddillad parch gan gadw’i grys gwlanen dyddiol o Hellana Mills oddi tanynt a’i gorchuddio â ffrynt wen wedi ei startsio’n dda.

Roedd Bois y Sân yn enwog am bysgota’r pyllau ar hyd afon Teifi o Bwll Wil y Gof a’r Rhipyn Coch i lawr i Bwll y Brig heibio i Bwll Niwcyn, Pwll Cranc, Pwll Parchus, Pwll Wil y Gof a Phwll Cam hyd at y bar. Ro’n nhw’n defnyddio rhwydi llusg arbennig sy’n cael eu hadnabod fel rhwydi Sân, llestri Sân o’n ni’n galw’r cychod. Daeth y dull hwn o bysgota a ddefnyddid yn wreiddiol ar afon Seine draw yma gyda’r mynachod o Ffrainc a ddaeth i Abaty Llandudoch gyntaf. Tafliad cyntaf y rhwyd i’r dwfn oedd yr ‘ergyd’ ac roedd y tymor yn ymestyn o ddechrau Mawrth tan ddiwedd Awst.

Ond pysgotwr môr oedd Twm ’Rallt. Hoffai dreulio oriau

pleserus a thawel yng nghysgod Pen Cemaes yn mwynhau'r llonyddwch yn casglu ynghyd ei gynhaeaf o fecryll, cimychiaid a chrancod. Un noson arw oddeutu'r bar ac yntau wedi clymu ei gwch yn ddiogel, ei sylw oedd, 'Bydd brain Trecŵn yn gorfod cer'ed adre heno,' gan gyfeirio at dwll y gwynt a gweld y brain yn neidio o fan i fan yn y strem.

Drws nesa i ni trigai hen ŵr Thomas Williams, 'Cape Horner' o'r iawn ryw gyda phrofiad bywyd yn amlwg ar ei wyneb ac ar ei leferydd – roedd ei lygaid bob amser yn anelu tua'r gorwel. Cyn dyddiau teledu a'r *wireless* hyd yn oed roedd orig yn ei gwmni ef yn ddifyr iawn ac yn llawn hanesion am ei anturiaethau morwrol. Un o gyfnod llongau pren a dynion haearn oedd e.

'Wyt ti'n gweld Banc y Warin fan draw?' meddai wrtha i unweth. Wel, os na welwn i hwnnw, welwn i ddim byd, achos fe safai fel rhyw gornwd o dywod lan fry ar gyrion Pen-parc, i'r gogledd o Aberteifi. Roedd iddo hanes cythryblus lle dienyddiwyd lladron a dihirod eraill a gadael eu gweddillion i bydru mewn *gibbet* am amser fel rhybudd i eraill. Ac meddai'r hen forwr, 'Weles i gerrig dan y clogwyni yn Chilé yr un maint â Banc y Warin.' Falle'i fod e'n mystyn pethe, ond pwy a ŵyr? Roedd ei gwmni'n ddifyr iawn a'u storïau'n adloniant pur ac yn llawn dawn y cyfarwydd.

NES LAWR o'n tŷ ni roedd teiliwr a gŵr arbennig iawn yn byw yn Ger-y-llan, sef Benjamin James. Dw i'n cofio amdano'n brysur wrth ei waith ar ben y ford yn croesi ei goesau yng nghanol y brethyn a'r wlanen, fel o'dd yr arfer i deilwr wneud. Priododd

Benjamin â Rachel-Ann, merch o Landudoch a ganwyd dau fab ac un ferch iddynt, Fanny Jane.

Drws nesa' i Bell View roedd menyw o'r enw Fanny Mary yn byw ac arferai Emyr ni fynd lan i'w gweld hi, yn enwedig pan oedd yn fychan ac yn ei drowsus byr. Câi ei sbwylo yn shwps. Ac un bore, a finne yn sefyll ar y grisiau oedd yn arwain i lawr o'r tŷ i weld a oedd Emyr wedi cyrraedd drws nesa'n saff, dychwelodd yn glou iawn – a finne'n pwslo pam. Ond medde Emyr â siom fawr ar ei wep, 'We' Fanny arall 'na!' A Fanny Jane, merch y teiliwr, oedd honno.

Benjamin y teiliwr a wnaeth y *blazer* i fi pan enillais le yn y Cownti Sgŵl yn Aberteifi. Ro'n ni'n prynu ddefnydd yn un o siopau Aberteifi, ac rwy'n cofio rholiau o ddefnydd yn pwyso ar y wal tu fas i siopau fel Welsh Stores, neu'n gorwedd ar benne ei gily' yn bentwr. Ac os bydden i am gael cot fowr frethyn ar gyfer dydd Sul, at Benjamin yr awn i'w ffito a gorffod mynd lan ar y ford gydag e a chanu emyn neu alaw gyfarwydd mewn harmoni clos tra'i fod e wrthi. Chewch chi ddim gwasanaeth felly mewn siop y dyddie 'ma.

Fe hefyd fyddai'n neud cot a chwt pin-streip i'n gweinidog, y Parchedig John Thomas. A shwd bydde'r aelodau'n gwybod ei fod wedi cael siwt newydd o waith Benjamin, meddech chi? Yn ystod yr oedfa ym Mlaenwaun bydde Benjamin yn syllu arno'n graffach nag arfer. Sylwai ar bob symudiad. A oedd yn gyfforddus yn ei ddilledyn wrth estyn ei ddwylo neu droi ei ben i gyfeiriad arall? Wel, pan gyrhaeddai'r gweinidog waelod y pedwerydd neu'r pumed gris, âi Benjamin James draw ato i'w gyfarfod, a heb synhwyro fod llygaid cynulleidfa gyfan arnyn nhw o gwbwl, codai ysgwyddau cot y gweinidog i fyny a'u gollwng yn araf i weld a gwympent yn ôl i'w lle yn naturiol a chyfforddus. Byddai gwên ac ymarweddiad y teiliwr yn cadarnhau dawn ei grefftwaith a byddai pawb yn y capel a'r pentre drannoeth yn gwybod fod y Parchedig John Thomas wedi cael siwt newydd o waith B.J.

Roedd y teiliwr yn gerddor gwych a chanddo lais tenor hyfryd. Yn wir, medrai ddilyn a chanu unrhyw lais. Byddai'n codi canu bob yn ail ym Mlaenwaun a Bethsaida. Wedi'r oedfaon, ac ar ôl i bob un gael swper, dôi lan i dŷ Fanny drws nesa i barhau â'r canu. Roedd hyn yn arfer poblogaidd a naturiol ar aelwydydd y pentre ac yn ffordd arbennig ac addysgiadol i redeg tonau mewn unrhyw lais ac i ddysgu harmoneiddio a chanu wrth ymyl llais arall heb golli'ch cyweirnod eich hunan.

ROEDD DAU FRAWD yn cadw siop gwerthu pob dim ar y stryd fawr yn y pentre, a chydag enw mor drawiadol â Dudoch Thomas ar un o'r brodyr, allai eu gwreiddiau nhw ddim bod mewn unrhyw le ond Lland'och. Roedd y siop yn mynd mas hefyd i werthu o ddrws i ddrws: roedd yn fwy na siop groser.

Dywedid bod cerddoriaeth ym mhob elfen o gorff Dudoch Thomas. Fe ddaeth â'r organ bedlo gyntaf i eglwys Blaenwaun. Doedd dim organ yno cyn ei dyfodiad, ac mae yno o hyd. Roedd iddi sain gyfoethog hyfryd a Dudoch ei hunan fyddai'n cyfeilio.

Ma llawer yn gwbod am ddiddordeb y Parchedig Wynfford Thomas – gweinidog Capel Degwel – mewn hen organau a phan fydd e'n ymweld â gwahanol eglwysi a chapeli bydd hen organ yn dal ei lygad yn amal. Bydd wrth ei fodd yn gofyn am ganiatâd i'w chwarae ar ddiwedd oedfa. Ac felly buodd hi ym

Mlaenwaun. Wedi i Wynfford roi tro ar yr organ yno a mwynhad serennog ar ei wyneb, dywedodd, 'Edrychwch ar ôl hon!' Yn wir, fe ddath e 'nôl am ddiwrnod cyfan i'w glanhau ac i roi olew arni i'w chadw'n ystwyth. Sdim rhaid i fi ddweud mai fel organ Dudoch y cyfeirir ati o hyd.

Byddai Dudoch yn cyfansoddi emyndonau'n gyson, ac fel mae'n draddodiad i roi lle i gyfansoddwyr lleol yn netholiad y Gymanfa Ganu gyda'r Bedyddwyr, gwelwyd emynau o waith Dudoch Thomas yn ymddangos yn flynyddol. Rwy'n cofio canu ei emynau pan oeddwn yn aelod o'r ysgol Sul.

ROEDD LLAWER o fechgyn Lland'och wedi mynd i'r môr, ac oherwydd y traddodiad roedd digon o gapteiniaid lleol ar gael i gynnig cyfle am waith i grwt oedd yn bennu'r ysgol, er na fyddai efallai'n mentro ar ail fordaith. Peth cyfarwydd i fi oedd gweld llawer o fechgyn Lland'och yn arddangos tatŵs ar eu breichiau. Un felly oedd Johnny Jones, un o gymeriadau'r pentre ac roedd e'n llawn tatŵs. Byddai'n gofyn i 'nhad yn gyson am gyfle i fasiwna neu beintio er mwyn ennill ychydig arian i wlychu'i big. Roedd 'nhad yn gweithio ar y pryd fel y *clerk of works* ar brosiect adeiladu i godi adeiladau addas a glanfa i'r R.A.E. ar ddarn mawr o dir o gwmpas Parc-llyn, Blaenannerch ac Aber-porth ar ddechre'r Ail Ryfel Byd. Fe oedd yn gyfrifol am gyflogi llafur tymhorol a chynnig gwaith dros dro i bobol. Fydde bechgyn yn dod i ofyn am waith gydag e'n lled amal.

O'r diwedd bu Johnny'n lwcus, fe gafodd waith, ac roedd wrthi'n ceibio ffos â phicas pan ddaeth un o swyddogion y Swyddfa Ryfel lawr i Aber-porth a mynd o gwmpas i weld sut oedd pethe'n dod mla'n. Safodd uwchben Johnny a oedd yn ceibio'n galed yn y gwter a gofynnodd iddo, 'I suppose you saw service in the first World War, Jones?'

'Yes, sir,' atebodd. 'I was an optician in the Navy.'

Bu nhad bron â llewygu yn y fan a'r lle pan glywodd e ateb Johnny. Ond deliodd y swyddog a'r ateb gan ystyried Johnny fel rhywun oedd wedi gweld gwasanaeth arbenigol pwysig. Wedyn fe ofynnodd fy nhad i Johnny ar y ffordd adre, 'Beth ge'st ti ddweud peth fel 'na wrth y swyddog, Johnny? Wyt ti'n gwbod beth yw *optician*?'

'Odw, odw. Fi oedd yn tynnu'r llygaid mas o'r tato!'

Ma rhyw deimlad 'da fi bod gwraig Johnny wedi ei magu mewn tre, achos roedd hi'n or-hoff o fynd draw i Aberteifi i lygadu'r nwyddau deniadol yn ffenestri'r stryd fawr. Chi'n gweld, doedd yr arfer hwnnw ddim yn rhan o fywyd beunyddiol gwragedd Lland'och ar y pryd. Siopa yn y pentre fydden nhw. Ma'r oes honno wedi newid hefyd, sbo.

Un prynhawn roedd hi wedi mynd draw i'r dre cyn i Johnny ddychwelyd o'i waith a gadawodd nodyn iddo ar y ford:

Gone to town. Dinner in the oven.

Chi'n gallu gweld o'r neges ei bod hi, oherwydd addysg, yn arfer i ysgrifennu'n Saesneg, fel y gwnâi fy mam pan ddanfonai lythyr ata i. Y tro yma, roedd Johnny yn ddigon o sgolor i ysgrifennu o dan neges ei wraig:

Gone to White Hart. Dinner still in the oven.

ROEDD Y MORWYR yn hoff o'u diod a doedd hi'n ddim syndod gweld llawer o dafarnau prysur yn y pentre. Dynion fyddai'n eu mynychu'n bennaf a chwrw, gwirodydd a chymdeithasu ar y fwydlen yn unig, dim bwyd o gwbwl. Dw i'n cofio tafarnau Treffynnon, White Hart, Sloop, Britannia, Mariners, Cross House, Corner House, Rose and Crown, Cardigan Bay, Netpwl, Ferry a'r Webley. Ar noswaith gyflog byddai'r yfed mwyaf yn digwydd, nos Wener ran amlaf, ond nid i fois y cychod gan fod tipyn o waith glanhau i'w wneud fore Sadwrn cyn iddyn nhw gael eu cyflog nhw.

Roedd yna dlodi trybeilig ymhlith rhai teuluoedd achos yr holl yfed, ac ambell i ddyn yn gwario'i gyflog bron i gyd ar gwrw a'r wraig gartre'n gorfod ymdopi ar arian bach iawn i fwydo llond tŷ o blant. Roedd yna wragedd caled yn y pentre 'ma oedd yn medru trin a thrafod dynion meddw cystal ag unrhyw un. Aeth fy nhad erio'd drwy ddrws yr un tafarn yn y pentre. Er iddo gael ei fagu mewn tafarn ei hun, roedd yn llwyrymwrthodwr ac wedi arwyddo'r *pledge* pan oedd yn ifanc i beidio ag yfed alcohol drwy ei oes, ac ni wyrodd byth oddi wrth hynny.

Pan own i'n blentyn, ro'n i'n nabod y rhan fwyaf o'r pysgotwyr Sân ac yn clywed am eu hanesion trwy storïau difyr. Oherwydd bod y *standards* wedi ei lleoli ar y morfa yn y Netpwl, a ninnau blant yr ysgol yn eu dringo amser chwarae, des i'n gyfarwydd â gweld ac adnabod eu gwaith nhw. Roedd pob un ohonyn nhw'n medru plethu a gwau'r rhwydi. Os ydw i'n cofio'n iawn roedden nhw'n eu berwi mewn *creosote* neu hylif o gynnyrch tar i'w piclo a'u hamddiffyn rhag pydru yn heli'r môr.

Prinhau a wnaeth yr eogiaid a'r brithyllod môr, ac mae sôn am un sgwlyn a oedd yn arfer cael ambell i bysgodyn braf i swper am gymwynas ar ddechrau ei deyrnasiad. Erbyn diwedd ei gyfnod, oherwydd prinder yn sgil gor-bysgota, dim ond cwdyn o swêts fydde fe'n ei gael. Dyna fel ma'r oes yn newid am wn i.

ROEDD LLAND'OCH yn frith o gymeriadau â llysenwau arnyn nhw, a chan fod cynifer o bobol yr adeg honno'n rhannu'r un enw bedydd, bydde'r llysenw'n ddefnyddiol iawn i wahaniaethu rhyngddyn nhw.

Roedd Wil Swanc yn un a gafodd ei enw gan mai fe odd yr unig un yn y pentre – heblaw'r gweinidog – i wisgo spats dros 'i sgidie. Mab i blismon y pentre, sef P. C. Dai, oedd Dai Tortsh a chariai ei dad dortsh fawr ac anghyffredin at ei waith. Mae pawb yn gyfarwydd â'r straeon a'r jôcs niferus am fois y cownsil, ac yn ein pentre bach ni gweithiai John James, neu Slow Motion, ar yr hewl. Dw i'n amau bod sawl un a ddyle rannu'r un enw ag e! Un arall oedd Jac y Ddol, doedd e ddim yn rhy saff ar ei draed ac yn llipa fel doli, gan fod tuedd ganddo i feddwi'n amal. Sais oedd tad Tom Dad, Eddie Dad a May Dad. Doedd ei blant ddim yn ei alw'n Dat neu Data, fel plant eraill y pentre, a gan nad oedd neb yn galw 'Dad' ar eu tadau bryd 'ny fe gafodd y plant yr enw hwnnw.

Daeth enw teulu'r Cakes o rywle weth, am i un ohonyn nhw ddefnyddio'r gair Saesneg *cakes* unweth, siŵr o fod. Ac os oedd teulu'r Cakes eisoes ar gael, fe ddaeth enw ar deulu arall o'r popty, sef teulu'r Batches. Ond morwyr oedd y teulu hwn ac arferai Leisa Batch gadw tafarn y Ferry.

Roedd llawer o gapteiniaid yn y pentre fel gallech chi ddisgwl, ond fe gafodd Capten Davies ei lysenw am reswm gwahanol. Barbwr oedd Fred Davies mewn siop ar bwys tafarn y Ship yn Aberteifi ac fe dreuliai dipyn o amser yn y dafarn. Fe oedd 'the last man to leave the Ship' ac felly cafodd yr enw Capten Davies ac fe gyfeiriwyd at ei wraig, druan, fel Mrs Capten Davies!

Pan oedd bri ar eisteddfodau'r bröydd yn y dauddegau a'r tridegau, roedd cythraul canu'n beth mowr rhwng corau Cilgerran, Llandudoch a Threwyddel. Dôi llysenwau'r ardaloedd i'r amlwg adeg cystadlu. Roedd mwy o dynnu coes ynddyn nhw nag o gasineb, a thipyn o hiwmor ynghlwm â rhyw nodweddion yn gysylltiedig â'r ardaloedd. Cyfeirid at shilgots Trewyddel, ond barlats we'n ni yn Lland'och. Efallai ein bod ni'n fwy lliwgar, ac efallai yn fwy eofn a hyderus.

Heb os, roedd cyfoeth o lysenwau ardaloedd yn Sir Benfro pan own i'n blentyn. O fwydon Maenclochog i foch Cwm-gweun, bwbachod Boncath, gwybed Cas-mael, brain Llanychâr a chŵn Tretelert; gwylanod Pen-caer, dyrgwn Nyfer, meirch Mathry a sgadan 'Ber-gweun heb sôn am fwchod y Ddinas a thwrchod Twffton. Mae'n debyg fod yr un peth yn wir am sawl ardal arall yng Nghymru hefyd. Daw whelps Sir Gâr a moch Môn i'r meddwl.

I BENTRE BACH a oedd bron yng nghlwm wrth Aberteifi, roedd yn syndod fod cynifer o boptai yn Lland'och. Roedd pobol y pentre wedi arfer pobi eu bara eu hunain, ac roedd melin ddŵr yn malu fflŵr yma ers canrifoedd ac ymhell cyn mod i'n blentyn. Ac er bod poptai yn nhref Aberteifi, wydden ni ddim am y rheiny. Bara poptai Lland'och ar gyfer pobol Lland'och. Ac roedd pobol Lland'och yn deyrngar iawn i'w pentre.

Roedd fel petai gan bob ardal yn y pentre ei bopty ei hun. Sefydlwyd Popty Cove yn ardal y Cwmins gan Percy Cove cyn i George a Marjorie etifeddu'r busnes. Roedd y teulu'n cadw siop bwydydd melys hefyd gan wneud cacennau wedi eu haddurno'n arbennig. Fydde'r torthau bara, y byns a'r cacennau'n cael eu gwerthu o ddrws i ddrws ac un o'r gyrwyr oedd Leslie Williams – ond Leslie 'Cove' oedd e i bawb. Roedd y popty cynnar yn rhan o gefn y tŷ i ddechre cyn adeiladu popty newydd.

Drws nesa i Gapel Degwel roedd Popty Phillips a sefydlwyd y busnes, Ten Wells, gan dad y teulu Phillips; mae'n enw rhyfedd, ond y gred yw i rywun gyfieithu Deg-wel i neud yr enw Saesneg, Ten Wells, a'r ddau fab, David a Stanley Phillips gyda'u chwaer Evelyn a barhaodd â'r fusnes wedi hynny.

Wedyn roedd Popty'r Sloop yn Feidr Fach yr ysgol a Mrs Williams a'i chwaer a fyddai'n rhedeg y busnes yn fanna. Priododd Mrs Williams â ffisiotherapydd, dyna i chi alwedigaeth newydd sbon i bentre Lland'och ar y pryd, a fe oedd y *physio* dros dîm pêl-droed y pentre. Allech chi alw yn y tŷ i brynu bara a byns. Yna nid nepell o'r fan oedd Popty Miss Finch yn Netpool Cottages a byddai bechgyn direidus yn ei phryfocio a gwneud hwyl am ei phen hi, 'A wês cwgen fach gwrens 'da chi heddi, Miss Finch?' Dioddefai Miss Finch, druan, o hollt yn ei gwefus ac roedd llond ceg o eiriau fel 'cwgen fach gwrens' yn anodd eu hynganu.

Roedd Popty Morris drws nesa i lawr i festri Bethsaida gyda Nel, Nanna a Wil Morris yn rhedeg pethe fanna. Roedd Wili wedi priodi merch o'r Cwm ac roedd siop fach gan Nel yn gwerthu te, siwgwr a bara a byns wrth gwrs. Âi cart a cheffyl o amgylch y pentre i werthu'r cynnyrch. Roedd y wagen ganfas yn debyg i rai a welwch yn croesi'r gorllewin gwyllt mewn ffilmiau cowboi. Ond wedyn fe gafon nhw fenthyg fan fach oedd hefyd yn cael ei defnyddio i gario golosg o *gasworks* Aberteifi fel tanwydd i'r ffwrnesi. Casglwyd bob dydd Mercher trwy gytundeb, ac am mai'r un fan fach a gariai'r tanwydd a'r bara, câi ei golchi'n dda a'i sgrwbo'n wyn cyn cludo'r torthau o amgylch y pentre.

Roedd Popty'r Cwm ym Mrynawel, drws nesa lan i'n cartre ni. Y ferch hynaf, Frances, oedd y pobydd ond bu hi farw yn y pedwardegau. Cafodd y popty oedd yng nghlwm wrth y tŷ mo'i ddymchwel er i Bopty Frances gau fel busnes masnachol. Cadwyd yr adeilad, gan gynnwys y ffwrn. Yn ystod y tridegau, dw i'n cofio'n glir, bob Nadolig cynheuwyd y tân o dan y ffwrn fawr a dôi'r cymdogion ynghyd â'u price coed tân a dod â cheiliog, twrci, hwyaden neu ŵydd i'w coginio yn y ffwrn. Roedd ford y popty yn foel, yn wyn lân ers oes y sgrwbio ac oes y pobi ac yn addas felly i osod yr adar cyn eu pobi ac wedyn. Fydde hi'n noson gymdeithasol i'w chofio, gyda'r dynion mewn un stafell a'r menwod mewn stafell arall. Cofiaf i fi fod dan y ford fwy nag unwaith yn mwynhau gwrando ar gleber a chlonc, yr holl atgofion, y storïau a'r canu.

Dymchwelwyd y popty yn y pumdegau yn sgil gofynion am grantiau adeiladu, dŵr a thrydan a chyda hynny diflannodd un o hen draddodiadau pentre Lland'och, sef y coginio cymdeithasol. Roedd yr hen arfer hwn yn gyffredin ar gyfandir Ewrop yn y canol oesoedd hefyd.

Roedd Norman Llywelyn yn fab i William John ac Adeline, y Dryslwyn, gyferbyn â Bethsaida. Bu Norman yn garcharor rhyfel yn Siapan yn ystod yr Ail Ryfel Byd a chafodd amser caled a chreulon iawn – wedi dychwelyd adre dechreuodd fusnes fel pobydd yn y Central Café yn Aberteifi. Byddai ei dad, William John, yn treulio'r haf mewn caban ar draeth y Poppit. Cynheuai dân parhaol o'r broc môr a gwrec y traeth gyda'r pwrpas o ferwi dŵr i'r ymwelwyr, ac yn enwedig i aelodau ysgolion Sul y pentre a'r ardaloedd o amgylch a fyddai'n ymweld â'r traeth ar dripiau. Cyn dyddiau'r fflasg Thermos, aech â digon o de sych, llaeth a siwgwr gyda chi yn ogystal â brechdanau wedi eu gwneud ar lan y môr, a fyddech chi'n heiro tebotau o bob maint oddi wrth William John am ychydig geiniogau. Dyna i chi bicnic gwerth sôn amdano!

Roedd eglwys Blaenwaun a'r ysgolion Sul yn berchen ar babell fawr a fydde'n cael ei chodi ar y traeth ar gyfer y trip blynyddol. Fydde dim eisiau cario dim yno, roedd y cwbwl wedi ei drefnu'n ofalus a chymen gan y pwyllgor arbennig. Gan fod pedwar pobydd yn aelodau yn yr eglwys, rhaid oedd sicrhau bod yr archeb o fyns, cacen slab blaen, bara gwyn a chacen hadau carawê – doedd dim cacen ffrwythau ar gael adeg rhyfel – wedi ei rannu'n gyfartal rhwng y pedwar. Cymaint oedd y gofal dros y bwyd fel y dewiswyd person i gysgu dros nos yn y babell i'w warchod. Yn ôl cofnodion y pwyllgor roedd un wraig wedi torri'r gacen yn ddarnau gormod o faint un flwyddyn a doedd dim digon i fynd rownd. Nodwyd na fyddai'r pwyllgor yn gofyn i *honno* ofalu am y cacennau eto. Wedi cyrraedd glan y môr, bydden ni'n cael bynen yr un a oedd wastad wedi mynd yn sych yn y gwres ac yn brin ei chwrens. Y gystadleuaeth gyntaf gyda ni'r plant ar y traeth fydde gwneud bedd i'r fynen a'i haddurno â chregyn a gwymon.

Pan ddaeth cwmni bysys Tom a Lewis Williams a'u Blue Gliders, trefnwyd teithiau pellach – i lefydd fel Dinbych-y-pysgod ac Aberystwyth. Byddai'r arolygydd yn gofyn yn y pwyllgor, 'Ble fuon ni y llynedd?' Ac i un o'r ddau y byddem yn mynd yn dorf gariadus a llawen. Yn ddiweddarach daeth llefydd fel Porthcawl a Barry Island i'w hystyried. Ond yn nyddiau'r tripiau i'r traeth, cludwyd y plantos bychain a'r henoed mewn gamboau. On'dyw pethau wedi newid?

Y Sipsiwn

ROEDD Y DAITH GERDDED i ddringo i gapel Blaenwaun ar hyd Cwm Degwel ryw filltir o hyd o 'nghartre. Bydde cyffro heintus yn cydio ynddon ni o glywed fod y sipsiwn wedi dychwelyd i'r tir comin ar ymylon ffordd y cwm. Yr olygfa gyntaf i ddal ein sylw fyddai'r ponis *piebald* yn pori'n hamddenol ar y darnau tir. Fe welen ni ddwy neu dair carafán liwgar iawn, mwg coed glas yn codi'n blethi o'r simneiau, milgi neu ddau a phrysurdeb y rhieni a'r plant. Roedd hyd yn oed ochrau'r carafanau, y siafftau a'r bwcedi wedi eu haddurno'n gelfydd iawn. Ma'r sipsiwn 'ma!

Teuluoedd llwyth y Lovells, neu'r Kaulo Camoles yn iaith y Romani, o'n nhw – anamal fydden ni'n gweld plant y sipsi'n mynychu ysgol y pentre, ond fydden nhw ambytu'r lle am amser a ninne'n clywed eu sŵn a'u cleber cynhyrfus yn atseinio drwy'r pentre. Ro'n i a'n ffrind, Lilwen, wedi bod y tu ôl i furiau ysgol er pan o'n ni'n bump oed a chan ein bod ni'n dwy'n bwriadu mynd yn athrawon, yn yr ysgol fydden ni am sbelen, a byddai llwybrau'n bywydau ni'n ein tynnu ni at yr ysgol bob tro. Er hynny, dw i'n cofio dweud wrth Lilwen unwaith, 'On'd dyw hi'n braf a neis ar y rhain, ddim yn gorfod mynd i'r ysgol?'

Dôi'r sipsiwn i gyffinie Lland'och ar ddau amser penodol o'r flwyddyn. Ac alla i ddim gweud o ble ddethon nhw nac i ble o'n nhw'n bwriadu mynd wedi hynny. Ym mis Gorffennaf yn enwedig roedd toreth o lysi duon bach yn gorchuddio llechweddau'r cwm. Roedd digon o blant ymhlith y sipsiwn i gasglu bwcedeidiau a phadelli o lysiau duon bach yn fuan i'w bwyta neu eu cadw.

Ond tyfai rhedyn dros y dirwedd weth. Ac unwaith y flwyddyn, pan fyddai 'rhwd ar y rhedyn', byddai'r cyfan yn cael ei roi ar dân ac roedd y noson honno'n fwy pwysig bryd hynny nag yw noson Guto Ffowc heddi. Roedd edrych ymlaen ati yn gyffro mawr, yn enwedig ymhlith y plant a'r ieuenctid. Ma rhyw hen gof yn aros nad yw'n iachus i fyw neu gerdded yng nghanol rhedyn. Ond yn ystod dyddiau'r Ail Ryfel Byd doedd dim hawl i losgi rhedyn nac unrhyw beth arall o'r un faint rhag tynnu sylw awyrennau'r gelyn. Mae rhedyn yn tagu pob tyfiant arall, ac o'r herwydd diflannodd y llysiau duon bach ac yn eu tro, a diflannodd y sipsiwn hefyd. Cyfeiriwyd at y sipsiwn a ddôi i'r ardal fel bois y tato, a byddai cangen o deulu'r Lovells o ardal Hwlffordd yn dod yn enwedig oddeutu mis Hydref.

Deuai'r ail ymfudiad yn ystod y gwanwyn. Ma ffrwd afon Cerith yn rhedeg drwy Gwm Degwel, ac un o ryfeddodau a gwyrthiau natur yw dychweliad yr eogiaid i'r un afon lle'u ganwyd. Fyddai neb yn cyfeirio at y sipsiwn fel potshers, a doedden nhw ddim ystyried eu bod yn gwneud dim anghyfreithlon trwy ddal yr eogiaid. Ro'n nhw'n credu yn Nuw, a hefyd ei fod yntau wedi paratoi digon o gynhaliaeth ar eu cyfer a digon ar gyfer pawb arall hefyd. Doedden nhw ddim yn defnyddio rhwydi ac offer, ond yn hytrach defnyddient yr hen ddefod o oglais y pysgod a'u taflu mas. Câi rhai eu dal gan y beili a byddai'r gosb yn dueddol o fod yn fwy oherwydd pwy oedden nhw. Byddai rhai hyd yn oed yn cael eu carcharu.

Dôi gwragedd y sipsiwn Lovells o amgylch pentre Lland'och i werthu eu nwyddau traddodiadol. Yn ystod y gwanwyn ac yng Ngorffennaf dw i'n cofio amdanyn nhw'n crwydro'r pentre ac yn dod i Bell View. Mewn fflasged wiail fydden nhw'n cario pinnau wedi'u gosod yn daclus mewn pecyn papur, lês, blodau papur, siafins a lastig. Cawsech hyd o lastig o flaen eich trwyn i flaen eich bysedd. Ac roedd eu gweld yn mesur yn berfformans ynddo'i hunan. Ambell waith byddai'r fraich yn byrhau neu'r lastig yn mystyn. Fydde'r sipsiwn ddim yn begian a doedden nhw byth yn disgyn mor isel â begera.

Fydde Mam byth yn gwrthod prynu rhywbeth. Efallai byddai digon o lastig dros ben ers y llynedd yn tŷ ni, neu roedd digon o binnau yn y drôr am dragwyddoldeb. Ond esgus oedd y gwerthu i ddod i ddrws y tŷ, a chyfle wedyn i ddweud ffortiwn ac efallai chwarae ar natur ofergoelus y Cymry. A oedd y sipsiwn yn chwarae ar ein gwendid tybed?

Oherwydd fy niddordeb yn nhrefn a bywydau rhamantus y sipsiwn dw i wedi darllen tipyn amdanyn nhw mewn llyfrau a chylchgronau. Dw i wedi mwynhau rhaglenni teledu a gwrando ar raglenni radio ac wedi cael hyd i beth wmbreth o wybodaeth trwy erthyglau mewn papurau newydd. Ac fel popeth ail-law – yn enwedig os o'dd e'n dod gan rywun oedd heb ddim cysylltiad â theulu'r 'shifftwns' – fydden i'n mynnu cadarnhau'r wybodaeth drwy neud 'bach o ymchwil pellach fy hunan. Ond weithie fydden i'n clywed hanes trwy brofiad cyntaf o enau'r person arbennig hwnnw am y sipsiwn ac wedyn fydden i'n gwrando'n astud ac yn cofnodi'n ofalus.

Does dim un lle â chryfach gwreiddiau am fedyddio na Lland'och ac mi oedd gan ferch leol, Nyrs Megan, stori ddiddorol iawn am fedyddio. Roedd Nyrs Megan yn un o gymwynaswyr ymroddgar y pentre ac yn ôl ei thystiolaeth ei hun cafodd alwad i fynd lan i Gwm Degwel i wersyll hydref y sipsiwn. Roedd hi'n noson dywyll ac yn gyfnod cyn ffôn, modur nac ambiwlans. Wedi ymateb i gnoc ar ddrws ei thŷ gan un o'r sipsiwn dywedwyd wrth Nyrs Megan fod merch ifanc o'i llwyth oedd newydd briodi yn cael trafferth ddybryd ar enedigaeth ei phlentyn. Roedd hi'n duedd ymhlith teuluoedd y sipsiwn i briodi'n ifanc iawn, ac mae'n dal i fod, dw i'n credu. Pan gyrhaeddodd Nyrs Megan y gwersyll buodd hi'n dyst i olygfa ryfedd na welsai erioed o'r blaen. Gwelodd ferch ifanc mewn pwll yn afon Cerith yn bedyddio'i baban newydd-anedig a hynny o fewn awr neu ddwy i'w ddyfodiad i'r byd. Nid hanes ail-law mo hwnna. Roedd y fam gyda'r baban yn y dŵr ac fe gafodd Nyrs Megan y profiad uniongyrchol o fod yn llygad-dyst i un o hen draddodiadau'r sipsiwn. Sdim tystiolaeth 'da fi fod gweinidogion lleol yn cael eu gwahodd i fedydd y sipsiwn, y fam oedd yn bedyddio'r baban ar ei enedigaeth gan roi enwau teuluol arno, a byddai hen enwau'r tad-cu, y fam-gu a chenedlaethau cynt yn ailymddangos yn rheolaidd gyda'r genhedlaeth newydd.

Dw i'n cofio digwyddiad arall am y sipsiwn a bywyd ysbrydol y sipsi. Un prynhawn ro'n i'n dychwelyd wedi bod yn dysgu yn ardal y Preseli. Wrth ddisgyn lawr o Ben-y-bryn tuag at Bridell sylwais ar dyrfa fawr yn y fynwent fechan. Gwnâi'r lle cyfyng y galarwyr niferus i ymddangos ddeg gwaith mwy. Angladd y sipsiwn oedd yno ac o'n i'n gwbod bod mynwent y Bridell yn fan claddu poblogaidd i'r sipsiwn yn y parthau hyn. Roedd sawl aelod o deuluoedd y sipsi'n gorffwys yno. Does dim tystiolaeth 'da fi fod gwasanaeth i'r ymadawedig wedi digwydd y tu fewn i adeilad yr eglwys a fedra i ddim cofio chwaith a oes traddodiad ganddyn nhw o godi cofgolofnau ac arysgrifen arnynt neu hyd yn oed arwyddion pren i nodi pwy sydd wedi'i gladdu yno. Er mae 'na un enghraifft o fedd un o deulu'r Lovells ym mynwent Sant Thomas, eglwys y plwyf yn Lland'och. Fydde cannoedd yn dod i angladd a hynny cyn oes y ffôn a thechnoleg gyfoes y we, felly sut oedd yr holl gysylltiadau'n dod i wybod am y farwolaeth ac am y trefniadau angladdol? Wedi'r cwbwl, roedd canolfan y tylwyth Lovell oddeutu Hwlffordd. Eto roedd y drefn a'r ymgynnull yn wyrthiol.

Sdim cof 'da fi am blant y sipsiwn yn mynychu ysgolion Lland'och yn rheolaidd. Ond roedd teulu'r Brinkleys yn dod yn eu tro, efallai am bythefnos bob blwyddyn. Cafwyd y sylw dilynol ar y gofrestr – 'Left the area'. Byddent yn ailymuno â bywyd crwydrol y teuluoedd, siŵr o fod. Erbyn heddi mae Ysgol Gymunedol Monkton yn ne Penfro wedi gwneud enw iddi'i hunan fel canolfan addysgol â threfniadau ac athrawon arbennig ar gyfer plant y sipsiwn. Mae'r cwricwlwm yn flaengar a llwyddiannus, ac mae cyfleusterau a threfn yn galluogi plant i ymarfer eu sgiliau crefft i gynhyrchu deunydd unigryw i ddiwylliant y sipsi. Mae'r addysg yn rhedeg law yn llaw â dyheadau sipsiwn a'u symudiadau tymhorol.

Pan fyddai'r sipsiwn yn dod i drothwy Bell View pan own i'n rhoces ifanc, fydden nhw'n siarad Cymraeg yn rhugl. Erbyn heddi mae llai o Gymry Cymraeg a mwy o Gymry sy'n medru'r iaith fain yn unig.

Câi cerddoriaeth y sipsiwn effaith arnaf. Alla i ddim dweud mod i wedi dysgu'r alawon a'r dawnsfeydd, ond bob tro pan glywn gonsertina byddai'r rhythmau heintus yn cydio ynddo i ac yn gwneud i 'nhraed, 'y mysedd a 'mhen symud iddyn nhw. Doeddwn i ddim wedi clywed cerddoriaeth fel hyn o'r blaen ac eto ro'n ni'n ei chysylltu â diwylliant cerddorol y sipsiwn ac roedd yn fy atgoffa o ramant a natur eu ffordd o fyw.

Roedd y ffermwyr lleol oddeutu Lland'och, a phob ardal arall siŵr o fod, yn falch clywed bod y sipsiwn wedi dod i'w bröydd. Ac roedd y sipsiwn hwythau'n gwybod pa ffermydd estynnai groeso iddyn nhw. Fyddai'r sipsiwn ddim yn ffwdanu cerdded lawr ar hyd feidir bell os oedden nhw'n gwybod na chaent groeso yno wedi'r ymdrech. Byddent yn gadael arwydd ar goeden gyfagos neu ar y stand la'th i roi gwybod i eraill os oedd croeso yno ai peidio.

Os oedd ceffyl, caseg neu ebol yn dioddef o salwch, yn amal byddai'r ffermwr yn cysylltu â'r sipsiwn. Wedi'r cyfan roedd cyngor y Romani yn rhatach na'r fet. Rhoddwyd meddyginiaeth a chyngor i'r ffermwr ond nid beth oedd cynnwys yr eli. Roedd hwnnw'n cael ei gadw'n gyfrinach glòs iawn er gwaetha ymdrechion taer llawer i ddod o hyd i'r cynhwysion.

Rhoddwyd eli rhag y ddarwden ar law neu ar fraich ac weithiau ar yr wyneb a'r pen o dan gopa o wallt trwchus. Ar gyfer cael gwared ar ddafaden, defnyddiai'r sipsiwn hen ddull o'i gwella trwy roi'r cyngor yn gyfnewid am brynu rhywbeth o'r fasged ar drothwy'r tŷ. Awgrymwyd y dylai'r dioddefwr boeri ar y ddafaden â phoer cynta'r bore, a dyna a wnâi fy mam-gu. Byddai ymdrech deg i ddilyn cyfarwyddiadau'r sipsiwn, am fod y gymdeithas leol yn credu'n hollol yn eu gallu nhw i wella.

Petae rhyw afiechyd yn taro, wel, galw'r doctor oedd y weithred ola un. Cadwai Mam-gu ei 'border bach' o fint, teim, sats a gamil. Roedd te gamil yn uchel ar y rhestr cymorth cynta.

Dw i'n cofio te sena i ryddhau'r perfedd a the wermwd lwyd i wella llosg cylla hefyd. Byddai Mam-gu'n argymell ei yfed yn amal oherwydd ei fod tu hwnt o lesol, medde hi, a gwir yw'r dywediad: po chwerwaf y moddion, y mwyaf llesol yw. Tyfai'r hen ŵr, neu *Artemisia abrotanum*, yn ei gardd hefyd a defnyddiwyd ei arogl cryf i gadw pryfed a chilion mas o'r pantri. Roedd yn cael ei ddefnyddio hefyd mewn powltis i dynnu crawn cornwd i'w ben a'i aeddfedu. Cadwai Mam-gu ei phils a'i meddyginiaethau yn drefnus, yn sych ac yn ffres ac mor agos i'r tân â phosibl. Roedd i gwpwrdd y pils agen gul er mwyn diogelwch a byddai hanner ei gynnwys ynghudd.

Doeddwn i ddim wedi sylweddoli ar y pryd gymaint oedd pwysigrwydd ac arwyddocâd arwyddion y sipsiwn er i fi eu gweld ar hyd a lled cefn gwlad drwy mhlentyndod. Adeiladwyd stôr o wybodaeth am agweddau pobol tuag at y sipsiwn dros y blynyddoedd, oherwydd doedd dim llawer o deuluoedd yn symud cartrefi ac ymfudo ac felly roedd cymdeithasau gwledig a'u gwead yn gadarn a'r cof yn hir amdanyn nhw. Doedd hi ddim yn anghyffredin cwrdd ag aelod o deulu a oedd yn cynrychioli'r chweched neu'r seithfed genhedlaeth o'u hachau. Ceisiai'r sipsi roi arwyddion parhaol yn wybodaeth am deuluoedd ar furiau cerrig, stand la'th neu goeden. Byddent yn cyfleu gwybodaeth am garedigrwydd neu'n rhybuddio am berygl llifogydd efallai, neu anifeiliaid ymosodol fel cŵn. Byddai'r arwyddion yn medru cyfeirio at leoliad heddwas, ynad heddwch, beili dŵr neu blant anystywallt. Awgrymwyd pryd i ymddwyn yn dda gan arwydd y Groes, a hefyd ble fydde croeso i adrodd stori, lle roedd caredigrwydd a lle trigai pobol y Beibl. Gosodwyd cerrig ar yr heol mewn ffordd arbennig i ddynodi cyfeiriad rhywle, pobol ddyfeisgar iawn yw'r sipsiwn. Mwy na thebyg fod y ffôn symudol wedi cael croeso ym mywydau'r sipsiwn erbyn heddi.

Yn ystod un ymweliad â 'mherthnasau yn nhŷ'r ysgol, Treddafydd, rwy'n cofio am Marjorie Lovell, aelod hynaf y teulu Lovells ar y pryd, yn galw gyda'i basgedaid o nwyddau. Ond y tro hwn roedd ei dillad yn dra gwahanol i'r hyn a ddisgwyliem weld ar sipsi; amdani roedd cot ffwr hir a'i blewiach yn sgleiniog o frown a du yn dal y goleuni a dangos ei bod hi'n un ddrudfawr a swanc, hyd yn oed i fi! Ac medde hi wrth fy modryb, a oedd wedi bod yn cynnal sgwrs â hi am y tywydd, iechyd y teulu, safle'r gwersyll a chynnwys y fasged, 'Have you got a pair of scissors I could borrow?'

Fe ddaethpwyd o hyd i siswrn a'i estyn i'r sipsi a phawb ohonom yn disgwyl i weld i ba ddiben roedd angen siswrn? Dechreuodd dorri *pelts* y got ffwr yn rhydd oddi wrth ei gilydd gan greu tyllau a rhwygiadau yn y got brydferth. Allai fy modryb na'i phlant na finnau ddim deall y rheswm am y fath fandaliaeth. Hongiai'r darnau'n llipa gan ddangos lliwiau'r wisg oddi tani. Roedd ceg fy modryb ar agor, fel pob un ohonon ni. Gofynnodd i'r sipsi yn ei syndod, fel petai'n methu cael y geiriau allan, 'Why . . . why?' Atebodd Marjorie Lovell yn syth gyda phendantrwydd hyderus, 'If I didn't do that to the coat, nobody would give me anything ever again.'

Roedd rhywun wedi rhoi'r got ffwr ddrudfawr iddi a hithau'n ei thro wedi'i gwisgo fel arwydd o'i gwerthfawrogiad am y weithred garedig. Ond ar yr un pryd roedd am wisgo'r got ar ei thelerau hi ei hunan. Mwy na thebyg, fel brenhines y llwyth Lovells o gyrion Hwlffordd, roedd Marjorie Lovell yn ddynes gymharol gyfoethog, ond eto roedd am barhau i gadw cysylltiad â'r bobol roedd hi'n eu hadnabod drwy fynd ar dramp ar draws gwlad yn galw hwnt ac yma. Nid begian a begera oedd hyn: roedd ganddi rywbeth i'w gynnig. Hoffai Marjorie gwmni a chysylltiad â'r ardaloedd a fuasai'n rhan annatod o draddodiad y sipsiwn. Wedi codi gwersyll, dôi'r ceirt a'r ceffylau i'r pentrefi cyfagos a chrwydrai'r menywod a'r sipsiwn ieuanc ar hyd a lled y wlad gan gnocio ar ddrysau cartrefi a ffermdai lle gwyddent y caent groeso. Fyddai menyw mewn cot ffwr ffansi ddim yn cael yr un ymateb, wath ma pobol yn dueddol o edrych ar yr allanolion on'd y'n nhw?

Mae ambell i ddigwyddiad arall yn aros yn y cof ynglŷn â'r sipsiwn hefyd. Cefais swydd fel athrawes bro yn ardal y Preseli yng nghwmni Ann James, Broyan, a oedd yn gyfrifol am ymweld ag ysgolion i'r de hyd at Abergweun a'r cyffinie. Gyda nifer y plant ar gofrestr Ysgol Aber-cuch wedi disgyn i hanner dwsin, penderfynodd y Cyngor Sir ei chau. Fydden i'n galw'n amal a chael croeso cynnes gan Ivy Simmonds (Matthias wedi iddi briodi). Ac fe weles i, yn sgil y penderfyniad i'w chau'n derfynol fod llawer o'r llyfrau a oedd yn rhan o lyfrgell yr ysgol i'w cludo allan a'u rhoi mewn pentwr ar waelod yr iard. Byddai gweithwyr y Cyngor yn mynd yn eu tro i gynnau'r annibendod truenus yn goelcerth wenfflam. Dw i wedi bod yn bry' llyfrau erioed a gofynnais i'r brifathrawes, 'A ga i bip?' Feddylies i, tybed a oedd yna lyfr neu lyfrau yr hoffwn eu cael a'u cadw cyn i'r fflamau eu llyncu a'u distrywio? Ar ben y pentwr, fel petai yn 'y nenu, fe weles gyfrol gyda chlawr lliw pabi coch, sef y gyfrol am Nansi Lovell, *Hunangofiant Hen Sipsi o Stabal* gan Elena Puw Davies. Erbyn heddi, mae'r llyfr yn un o drysorau fy llyfrgell a dw i wedi mwynhau llawer awr yng nghanol y cynnwys difyr dros y blynyddoedd, yn enwedig wrth baratoi sgwrs neu gyflwyniad cyhoeddus am y sipsiwn.

Ond nid dyna'r tro cyntaf i fi ddod ar draws hanes Nansi Lovell a'r gyfrol amdani. Pan own i'n ddisgybl pump oed yn ysgol y pentre yn Lland'och, un o bleserau'r wythnos oedd eistedd yn eiddgar i wrando ar Hannah Davies, athrawes yr adran babanod, yn darllen stori i ni. Dw i'n cofio mwynhau un o glasuron yr iaith Gymraeg, *Teulu Bach Nantoer* gan Moelona. Ond ryw ddiwrnod dywedodd yr athrawes, 'Mae llyfyr newydd 'da fi heddi.' Yn ei llaw roedd llyfr coch â llun gwraig yn eistedd o flaen carafán sipsiwn. Roedd hi'n edrych fel petai hi'n dala pib i ysmygu tybaco. Fu prynhawniau Gwener fyth 'run peth wedyn ar ôl clywed Hannah Davies yn darllen hanes y sipsiwn. A phwy fedrai ddyfalu y byddwn yn berchen ar y llyfr hwnnw a'i werthfawrogi gymaint yn ddiweddarach yn 'y mywyd? Mae llinell gynta Nansi Lovell fel petai wedi ei hysgrifennu jyst i fi:

> Ie, merch i, yr hen sipsi a welaist ti ddoe yn eistedd wrth ddrws ei charafán â chetyn yn ei cheg, sydd yn ysgrifennu atat.

Yna brawddeg gyntaf yn ei llythyr:

> Fel y teimlwn fy nghalon yn ymestyn atat, daeth i'm meddwl yr hoffwn i ti gael gwybod fy hanes.

Wir i chi, allen i dyngu fod yr hen Nansi am rannu ei hanes gyda fi, a dim ond fi, a phan o'n i'n clywed y straeon, ro'n i'n dychmygu ei bod hithau'n eistedd ar fy mhwys.

Adeg Rhyfel

PAN O'N I RYW ddeuddeg oed dw i'n cofio eistedd wrth ochor gwely Mam-gu ar y llofft yn Bell View. Roedd hi'n wael iawn a dw i'n cofio Mam yn golchi llestri swper ar y llawr. Bu Mam-gu farw yn ystod Ionawr 1942, ac fel petai'r digwyddiad trawmatig hwnnw wedi'i serio ar 'y nghof i, dw i'n cofio pethe ddigwyddodd oddeutu'r adeg honno fel tae'n ddoe.

Yr oedd yn hwyrnos, ond heb nosi'n dywyll iawn pan glywais sŵn byddarol, sŵn nad o'n i wedi clywed ei fath o'r blaen. Fe grynodd y ffenestri a theimlais y gadair yn mynd oddi tanaf. Dilynodd ail ffrwydrad tebyg i'r un cyntaf. Drannoeth daeth gwybodaeth fod dau fom wedi cwmpo'n agos i'r pentre. Wedi clywed hyn, fe ruthrodd criw mawr o blant ac oedolion i fyny i'r cae o dan fferm Tŷ Hir. Dw i'n cofio gweld crater mawr yn agos iawn i'r ffermdy – dyna'r twll mwyaf a welais erioed ac roedd darnau mawr o glotas ar hyd y lle ynghyd â dwsinau o gwningod wedi trigo. Ro'n i'n gyfarwydd â'r gair *shrapnel* trwy hanes Dad-cu yn y Rhyfel Mawr, a dechreuais chwilio am ddarnau metal gyda'r bwriad o'u cymryd a'u dangos yn yr ysgol.

Yn ôl yr hanes roedd George Tŷ Hir a'i feibion wedi bod yn y ffermdy ac roedd buwch yn dost yn y glowty. Wedi cynnau'r lamp storom baraffin ac agor drysau'r tŷ fe gerddon nhw ar draws y clos a'r lamp o'u blaenau a bu'r golau a'r fflachiadau'n ddigon i awyren yr Almaenwyr ollwng dau fom tuag at y goleuni. Yr enw ar y cae lle disgynnodd y bom wedi hynny oedd Parc y Bom, ac mae'r enw wedi para hyd heddi.

Laddwyd neb, diolch byth, er i ni gael shiglad annisgwyl. Roedd yr ail grater rhwng Plas Glanteifi a chodiad tir ar y chwith, ac roedd grym y ffrwydrad mor ddinistriol nes iddo blygu ffens haearn gref o flaen y tŷ fel petai wedi'i gwneud o bren tenau. Roedd y ddau fom wedi'u gollwng mewn llinell syth, ond chawson ni ddim gwybod y manylion yng nghanol y rhyfel.

Rwy'n cofio gweld cochni llachar yn llanw'r ffurfafen i'r de ddwyrain o'r tir uchel yn ymyl fferm Pen-cnwc, pan fomiwyd tref a dociau Abertawe. A phan ollyngwyd bomiau ar ddociau Aberdaugleddau roedd yr olygfa o fanc Sgubor Hen yn fwy trawiadol, yn ysgytwol a brawychus.

DAW *GAS MASKS* ag atgofion cyfnod y rhyfel yn ôl i fi – roedd rhaid i ni eu cario dros ein hysgwydd i'r ysgol bob dydd ar ddechrau'r rhyfel a châi phawb y *drill* bob hyn a hyn. Roedd darn dros y *filter* ar drwyn y masg wedi'i selio â thâp gyda'r eglurhad fod yr Almaen wedi darganfod nwy gwenwynig newydd. Roedden ni'n barod am bopeth. Roedd nyrs wedi dangos i ni sut oedd gosod babi cyfan i orwedd mewn masg arbennig hyd yn oed. Roedden ni'n gwbod beth i'w wneud â'n mygydau ni ac roedd pob ifaciwî wedi dod â masg nwy gyda nhw i Land'och.

Mae'r *pill-box* a adeiladwyd ar fur y castell i warchod y bont yn Aberteifi yn dal i fod yno. Roedd sawl un ohonyn nhw ar hyd a lled y wlad. Faint o werth fyddai'r amddiffynfeydd hyn pe bydde byddin yr Almaen wedi croesi dŵr y Sianel, sgwn i?

Doedd dim goleuni stryd, dim ond am lampau nwy yn taflu goleuni gwan ar ochor Sir Aberteifi o strydoedd Lland'och yng nghyfnod y blacowt. Byddai rhywun yn eu cynnau gyda'r nos a'u diffodd yn y bore. Gan fod trydan wedi cyrraedd pentre Lland'och, roedd rhaid cuddio ffenestri'r cartrefi a hyd yn oed ffenestri'r eglwys a'r capeli. Os byddai llygedyn o olau yn dangos, dôi warden yr A.R.P. (Air Raid Precaution) heibio a chaech eich galw i gyfri. Roedd fy nhad yn A.R.P. ac os byddech yn perthyn i'r Hôm Gârd hefyd byddai'r gofynion arnoch yn drwm wedi diwrnod caled o waith. Roedd rhai dynion yn gweithio oriau hirion yn ystod y nos er mwyn sicrhau bod y rheolau llym yn cael eu cadw i'r llythyren. Rhoddai iwnifform falchder a rhyw statws i'r Hôm Gârd, a chyda coes brws yn lle reiffl roedd platŵn reit smart yn martsio drwy'r pentre. Efallai nad oedd y goes brws yn tanio bwledi, ond fe ladde honno chi tae rhywun yn eich bwrw chi yn y lle iawn â hi! Ymhen amser byddai'r criw yn martsio fel pendil cloc a rhyw Gapten Mainwaring yn gwthio'i frest mas o'u blaenau. Clywyd am un gŵr yn un o'r pentrefi cyfagos yn gwthio gwellt dan un goes yn ei drowsus a gwair dan y llall. Wrth fartsio wedyn byddent yn gweiddi, 'Gwellt, gwair, gwellt, gwair.' Hawsach o lawer i'w gofio na 'Left, right'. Mae'n siŵr na fyddai'r gwŷr dewr hyn wedi medru atal y gelyn petaen nhw wedi cyrraedd yma, ond ro'n nhw'n rhoi hyder i'r pentrefwyr mewn cyfnod pryderus iawn, serch hynny.

Cyfeiriwyd at yr ifaciwîs fel plant noddedig, plant cadw, neu blant dŵad, ond bellach mae'r gair llafar ifaciwî, sef gair y werin, wedi ei dderbyn yn rhan o'r iaith Gymraeg. Ymhob rhyfel, trwy'r oesoedd, ymhob rhan o'r byd mae ffoaduriaid, trueiniaid a phlant yn arbennig wedi bod yn froc o ddinistr rhyfeloedd. Roeddwn wedi clywed sôn fod plant yn mynd i ddod i Land'och er mwyn eu diogelwch o ddinasoedd mawrion Lloegr. Wedi cyflafan Dunkerque, yr ofn oedd y byddai lluoedd arfog yr Almaen yn croesi i dir mawr Lloegr. O'r herwydd, y plant a welsom gyntaf oedd ysgol feithrin a babanod o Hythe, Swydd Gaint, a oedd yn union gyferbyn â Ffrainc ar draws y Sianel wedi'r cyfan. Fe gyrhaeddon nhw Grymych ar drên cyn cael eu dosbarthu i Land'och, Cilgerran a Boncath mewn bysiau. Dwy a hanner oedd oed yr ifancaf a dw i wedi meddwl sawl gwaith am y rhieni – a finnau wedi magu plant fy hun – yn gorfod ffarwelio â'u plant a'u hanfon i le dieithr. Doedden nhw ddim wedi gweld y bobol hyn o'r blaen na'u cartrefi, ac yn sicr heb glywed eu hiaith. Dyna un o'r digwyddiadau rhyfeddaf a welais erioed. A phan ddaeth y rhan fwyaf ohonyn nhw i feistroli'r iaith Gymraeg – nifer ohonyn nhw ynghynt o lawer na rhai o'r rheiny a ddysgais fel athrawes bro – roedd hynny'n wyrth.

Daeth nifer fawr o drigolion y pentre ynghyd yn yr ysgol a'r *billeting officer* Mr Chinn, oedd yn swyddog gyda'r Cyngor Dosbarth, yn trefnu pethau. Bu Nhad yn cynorthwyo gyda'r dosbarthu. Roedd un o'r plant lleiaf yn cysgu'n drwm pan gyrhaeddodd Crymych, a dal i gysgu oedd e yn yr ysgol. Cafodd y plant groeso mawr a chynnes gan bentrefwyr caredig Lland'och. Roedd llawer ohonyn nhw'n gwybod beth oedd rhyfel trwy brofiadau a cholli anwyliaid. Fe agoron nhw eu breichiau iddyn nhw a'u cymryd i mewn i'w haelwydydd, i ystafelloedd sbâr, neu i gartref lle nad oedd gwely sbâr hyd yn oed. Ond roedd y crwtyn bach cysglyd ar ôl heb ei fabwysiadu ac yn unig iawn ar y llwyfan dros-dro. Cymerodd Nyrs Parry drueni drosto a chododd ei llaw, 'Af i â Danny bach adre i'r Cwm.'

Ac meddai nhad, 'Mi garia i Danny adre i chi ar fy nghefen.' Bu Danny yno yn y Cwm am flynyddoedd. Ymdoddodd gweddill yr ifaciwîs i mewn i'r gymuned hefyd, ac wrth fynychu ysgol Sul a chwrdd yn fuan iawn roeddynt yn canu, yn adrodd ac yn dysgu adnodau cystal â phlant brodorol y pentre.

Roedd Bell View yn *full-house* ar y pryd, a Mam-gu dros ei phedwar ugain oed ag ystafell ei hunan ganddi. Nid oedd Carey wedi mynd i'r coleg bryd hynny chwaith. Ond, cyn hir, cyrhaeddodd y don nesaf o ifaciwîs yn ystod cyfnod ymosodiad y *doodle-bugs* neu'r *flying bombs*. Dioddefodd ardaloedd y dociau a'r East-End yn ddirfawr a phobol dlawd oedd y rhan fwyaf o'r trigolion yn yr ardaoledd hyn.

Byddai Mr Chinn yn dosbarthu'r ifaciwîs yn ei fodur, a phenderfynodd Mam dderbyn un i Bell View. Croten fach saith mlwydd oed oedd hi o'r enw Marlene Sell. Ac wrth ei chyflwyno meddai Mr Chinn, 'Does dim ganddi ond *gas mask*. Dim byd. Mae wedi dod atoch chi yn syth o'r *Air Raid Shelter* yn Llundain.' Druan â hi, ond ychwanegodd Mam, 'Peidiwch â gofidio, Mr Chinn, fydda i wedi gwitho dilledyn i hon erbyn diwedd y dydd.' Roedd Mam yn wniadures grefftus ac yn gyfarwydd iawn â gwneud dillad i ffitio unrhyw oedran. A mwy na thebyg roedd digon o ddefnydd ar gael o ddillad yr arferwn i eu gwisgo.

Daeth ifaciwis i fyw at ein cymdogion hefyd, sef Eddie Cloak o Hythe y drws nesa ac roedd chwaer i Marlene wedi dod i aros gyda theulu dri neu bedwar drws i lawr o Bell View. Mae un frawddeg arbennig wedi aros yn fy nghof ers hynny. Wrth weld ei chwaer yn cerdded heibio i'n tŷ ni, gwaeddodd Marlene allan, nerth ei llais, trwy ffenestr y llofft, 'I've got a real bed!' A hithau'n mynd ar ei hwyth oed, doedd hi ddim wedi cysgu mewn gwely erioed. Roedd Mam wedi gwneud gwely i Marlene, a rhannai ystafell gyda fi. Eto ni chysylltodd ei rhieni â hi yn ystod y cyfnod. Chafodd Marlene ddim carden na llythyr ganddyn nhw, ond efallai nad oedd y rhieni'n gwybod ble roedd hi'n lletya ymhell o'u chartref yn Llundain.

Ond roedd rhieni'r ifaciwîs cyntaf yn cael tocyn trên arbennig i ddod i lawr i Land'och i weld eu plant. Rwy'n cofio un bore Sadwrn arbennig roeddwn yng nghegin drws nesa pan gnociodd rhywun ar ddrws y ffrynt. Gweiddi a mynd mewn fyddai arfer y cymdogion, felly, meddai Marged Ann Griffiths wrth Eddie Cloak, yr ifaciwî, 'Mae rhyw fenyw ddieithr yn nrws y ffrynt. Cer i weld pwy yw hi a beth mae hi eisie?' Wedi i'r fenyw wrth y drws syllu ar y crwt am dipyn ac yntau heb ymateb, yn sydyn dechreuodd hi wylo'n hidl. Des i ddeall wedyn mai mam Eddie Cloak oedd yno ond nad oedd e wedi ei hadnabod hi.

Roedd ein hifaciwî ni, Marlene, yn un o dri ar ddeg o blant. Rwy'n ei chofio'n blentyn ffein a chanddi lais synhwyrol dros ben. Bu'n rhoces fach ddiffwdan a disgybledig gydol ei arhosiad ac ni fu'n hiraethu o gwbwl, wel, ddim trwy wbod i fi. Pan ddaeth yn amser iddi ddychwelyd at ei theulu, fel llawer o'n cymdogion a fu'n lletya ifaciwîs, roedd hiraeth mawr ar Mam ar ei hôl. Penderfynodd sawl gwraig, fel Mam, godi tocyn *return* ar y Cardi Bach o orsaf Aberteifi i Grymych. Nid gwd-bei bach brysiog ar blatfform Aberteifi oedd i fod ond ffarwél emosiynol iawn yng Nghrymych, lle dôi'r holl ifaciwîs ar wasgar ynghyd, cyn dringo ar drên arbennig i'w cludo 'nôl i'w cartrefi gwreiddiol.

Ni fu llawer o gysylltiad wedyn â'r ifaciwîs na'u teuluoedd – efallai na fedrent ysgrifennu. Ni chawsom gyfle i gyfarfod â'r rhieni chwaith. Roedd eu hathrawon, Miss Bates ac un athrawes arall, yn lletya yn Fron-deg, Stryd Fawr, Llandudoch. Doedd amryw ohonyn nhw ddim eisiau dychwelyd, eto daeth rhai yn ôl lawer tro yn y blynyddoedd dilynol i'n gweld ni, a hyd yn oed ddod i'r ardal ar wyliau. Priododd amryw o fechgyn o Land'och â merched o Hythe a dychwelodd rhai i Land'och i fyw yn barhaol.

Fues i ddim yn Ysgol Lland'och yr un pryd â'r ifaciwîs. Daeth criw o fechgyn o Oldham High School for Boys, Lerpwl i rannu ysgol ac addysg gyda ni, er nad ifaciwîs oedden nhw fel y cyfryw yn y Cownti Sgŵl yn Aberteifi ar ddechrau'r Rhyfel. Bu bomio trwm ar ddinas a dociau Lerpwl a symudwyd cannoedd o ddisgyblion, er diogelwch, allan o'r ddinas, a gwnaethpwyd yr un peth o ddinasoedd eraill hefyd. Roedd eu hathrawon yn dod gyda nhw ond fel y symudent i fyny'r ysgol bydden nhw'n rhannu'r athrawon parhaol gyda ni. Yn eu plith roedd yr awdur, y dramodydd a'r sgriptiwr Alun Owen, a ddaeth i fyw i Land'och ymhen blynyddoedd. Cafodd ei enwebu ar gyfer Oscar am ei sgript ar gyfer ffilm gyntaf y Beatles *A Hard Day's Night* yn 1965.

Rhyw bedwar cant o ddisgyblion oedd yn y Cownti Sgŵl. We'n ni'n rhannu popeth â'r *scousers*. Desgiau unigol oedd y ffasiwn yn y cyfnod hwnnw. Wel, roedd dau ohonom wrth bob desg, ac felly roedd mwy o gopïo'n digwydd nag arfer. Ac wedi'r *blitz* dychrynllyd ar Abertawe ymunodd carfan o ferched Ysgol De La Beche â ni yn Cownti. Dw i'n cofio ymweld â'r dre a gweld stryd fawr Abertawe. Roedd yr holl adeiladau yn wastad ac fe welech y pellter tuag at y dociau yn glir. Roedd yn wyrth fod rhai o'r trigolion wedi dianc yn fyw. Ymdoddodd y merched i mewn i drefn yr ysgol yn hawdd ac roeddent yn gyfarwydd â newid dosbarth ac athro bob lleuad. Câi rhai athrawon eu galw i fyny i'r lluoedd arfog, ond roedd sefydlogrwydd yno hefyd o ran ein profiad ni fel disgyblion.

Roedd yn gyfnod cythryblus a chofiadwy, ond eto roedd trefn, amynedd, caredigrwydd ac awyrgylch dda yn nodweddion annisgwyl ac yn cadw pawb yn gytûn. Mae'r holl ddigwyddiadau'n teimlo fel breuddwyd erbyn heddi ond yn mynnu aros yn y cof hefyd. Sut fyddai pethau pe bydden nhw'n digwydd heddi?

FEL RHAN O OFYNION ac amodau gwledydd y gorllewin ar ddiwedd yr Ail Ryfel Byd roedd gorfodaeth ar ieuenctid yr Almaen i gymdeithasu â phobol ieuanc y Gorllewin Rhydd. O dan nawdd Urdd Gobaith Cymru byddai llys ieuenctid yn cwrdd yn rheolaidd ym Mhlas Pantyfedwen, y Borth, Aberystwyth ac roedd naws cydwladol iddo. O dan lywyddiaeth Tomi Scourfield a'i wraig Beti, a hanai o Sir Benfro, trefnwyd i garfan o ieuenctid o siroedd Cymru ymweld â rhan o'r Almaen. Ces i gyfle gyda'r Urdd i deithio dramor am y tro cyntaf. Roedd y rhacsyn bws a'n cludodd ni mas yno gyda'r un mwyaf anghyfforddus a deithiais arno erioed. Wedi cyrraedd Dover a hwylio ar y fferi yn Calais, aethon ni mlaen i Cologne. Anghofia i fyth mo'r profiad o weld dinistr y ddinas hardd wedi ei gwasgu'n anialwch o rwbel, llwch a difrod rhyfel. Sefais mewn rhyfeddod, yn anabl i fynegi 'nheimladau mewn geiriau, dim ond dal fy anadl mewn sioc. Ac yna fel gweledigaeth wyrthiol urddasol, gwelais yr eglwys gadeiriol gothig o'm blaen i'n herio'r llanast o'i hamgylch. I fi, roedd hi'n cynnig gobaith a her am heddwch y dyfodol, a doedd dim difrod o gwbwl i'w gogoniant hi, yn ôl beth allen i ei weld.

Aethom ymlaen i dref o'r enw Heidenheim yn nhalaith Bafaria. Pwy feddyliai ar y pryd y byddai fy merch, Carys, yn ddiweddarach wedi priodi ag Almaenwr a'i wreiddiau nid nepell o'r dref hon? Fe gawson ni lety gyda phobol ifanc o'r un oedran â ni ond doedden ni ddim yn medru'r un gair o'u hiaith. Er hyn, pobol gyffredin oedden nhw, fel ninnau, a'u dyheadau am heddwch ac i ddeall ein gilydd yn well yr un dyhead yn gwmws. Prif ffynhonnell waith yn y dref oedd ffatri enwog Steiff, sy'n enwog am gynhyrchu'r tedi bêrs. Fe brynais dedi yn anrheg i Tudor Garnon, mab Carey. Cofiwch chi, pe bydden i'n gwybod y pryd hynny y bydde'r tedis 'ma yn werth ffortiwn ar raglenni teledu fel *Flog It* a chanolfannau gwerthu yn Llundain, fydden wedi gwacáu 'nghês o ddillad a'i lenwi â thedi bêrs. Roedd tad y ferch lle cefais lety yn gweithio ar greu'r eirth yn y ffatri, ac yn wir fe gawson ni ymweliad tywysedig i weld y gweithlu diwyd yn creu'r creaduriaid bach blewog. Nid nepell o Heidenheim gwelsom eglwys Ulm sydd â'r tŵr uchaf yn yr Almaen. Heb os, roedd hi'n daith i'w chofio.

MAE'R RHYFELOEDD yn Irac ac Affganistan yn cael cryn sylw ar y cyfryngau'r dyddiau hyn, ac er bod meysydd y gad ymhell o dawelwch ardaloedd gwledig Cymru, fe ddaw cwymp milwyr â galar a thristwch yn rhy agos yn aml. Ym mis Tachwedd 2011 bu trafodaeth gyhoeddus eto ynglŷn â Sul y Cofio a dull y seremonïau, ac mae gofal, therapi a thriniaeth i filwyr sydd wedi'u clwyfo wedi cael cyhoeddusrwydd eang a chyson. Waeth beth fyddai'r gyfraith neu'r awdurdodau yn ei benderfynu ynglŷn â'r drefn, ni fyddai fy mam-gu, neu'n wir unrhyw un arall oedd o gwmpas adeg yr Ail Ryfel Byd, wedi peidio â chofio. Pan gollir perthynas mewn rhyfel mae'r profiadau dirdynnol yn rhai personol iawn, a bydd teuluoedd yn amal yn delio â'r golled trwy rannu atgofion, neu drwy gadw trysorau ac arteffactau gwerthfawr a fydd yn gyswllt uniongyrchol â'r ymadawedig neu rai a fu'n ymladd mewn cyflafan.

Cadwai fy mam-gu focs tun toffi wedi ei addurno â blodau prydferth yn y tŷ mewn drôr â chlo iddo. Roedd y tun fel newydd a chymerai ofal arbennig ohono. Dôi ag e mas nawr ac yn y man, ac ynddo roedd cardiau, fel cardiau post o ran maint, wedi'u haddurno â brodwaith cain ac wedi'u cludo neu eu danfon o Ffrainc. Roedd rhai ohonynt o wledydd eraill ac mewn ieithoedd gwahanol. Yn ystod munudau pryderus yn y ffosydd awgrymwyd y dylai'r milwyr gynllunio a chreu cardiau â brodwaith arnynt neu sgetsio a hyd yn oed gyfansoddi barddoniaeth fel therapi mewn cyfnodau gwerthfawr o osteg a thawelwch cyn mynd 'dros y top'.

Roedd Mam-gu yn cofio am ei mab, William George, yn y Somme. Ac er iddo ddychwelyd, dioddefodd yn ddirfawr o effaith y nwy mwstard. Bu fy nhad ac eraill roeddwn i'n eu hadnabod hefyd yn y rhyfel hwnnw. Rhannwyd rhai o'r cardiau ymhlith wyrion fy ewythr, ond fe gadwodd Mam-gu'r lleill. Byddwn innau yn ystod fy nheithiau gyda changhennau o Ferched y Wawr, neu gymdeithasau diwylliadol eraill, yn eu dangos i'r gwrandawyr, yn enwedig tua misoedd y gaeaf a diwedd y flwyddyn pan oedd y cofio am y rhai a gollwyd mewn rhyfeloedd yn dymhorol.

Roedd rhywun wedi fy nghlywed wrthi un tro ac wedi rhoi fy enw i gynhyrchydd gyda BBC Radio Cymru. Cysylltodd Rachael Garside â fi, ac yn digwydd bod, roedd fy merch, Carys, adre ar wyliau yn Bell View ar yr un pryd. Daeth Rachael draw i recordio'n sylwadau ni am gofio, am y cadoediad a'n profiadau ni. A oedd y wladwriaeth yn bwriadu newid y drefn? Ai pabi coch ynteu babi gwyn? Yn fy marn i, os yw'r profiad wedi eich bwrw chi, bydd eich rhesymu chi'n hollol wahanol a byddwch yn ymateb yn gwbwl bersonol. Beth bynnag yw'r penderfyniadau gwleidyddol, nid yw'r golled bersonol yn mynd i leihau na chael ei dileu.

Gan fod Carys wedi priodi ag Almaenwr ac wedi ymgartrefu yn Bafaria – a fu'n wlad annibynnol ei hun unwaith yn cael ei rheoli gan dreftadaeth frenhinol – medrai hi gynnig peth gwybodaeth o safbwynt milwr oedd yn ymladd yn erbyn y fyddin Brydeinig. Roedd tad-yng-nghyfraith Carys wedi gorfod ymrestru ym myddin yr Almaen yn ystod yr Ail Ryfel Byd a dioddefodd yntau amser trawmatig iawn ar faes y gad. Bu'n garcharor rhyfel yn Rwsia tan iddo gael ei achub gan yr Americanwyr ar ddiwedd y brwydro a dychwelyd i'w famwlad. Dioddefodd yn arw a bu farw'n gymharol ifanc a'i fab, Paul, yn 18 oed. Dyw pobol ddim yn dueddol o feddwl am yr ochor arall, ydyn nhw? Pobol gyffredin oedd yn brwydro yn ei herbyn ni.

Nid nepell o gartref Carys, Paul a'u mab Garnon mae tref Dachau. Pan aeth Jeff a minnau allan ar wyliau at Carys a'r teulu, rwy'n cofio gweld yr enw ar arwydd ffordd oddi ar yr *autobahn* wrth deithio o faes awyr Munich. Roeddwn i'n ddigon hen i gofio'r hanesion yn y papurau ac ar donfeddi'r radio am y gwersylloedd carchar ofnadwy. Dôi enwau fel Buchenwald, Belsen, Ravensbrŭck, Auschwitz, Birkenau a Dachau yn ôl o ddyfnderoedd y cof fel ysbrydion difaol. Ond rhaid i fi gyfaddef, pan welais yr enw 'Dachau' o mlaen i, fe deimles ryw gryndod a nychdod yn dod drosto i. Mae'n debyg fod tref Dachau ei hun yn lle tlws a chysglyd.

Gofynnodd Carys i fi a hoffwn weld olion y carchar. 'Na, dim diolch!' oedd fy ymateb cyntaf gyda phendantrwydd cadarn. Ond eglurodd Carys fod olion, seiliau ac un caban gydag amgueddfa fechan wedi eu cadw er mwyn sicrhau, trwy addysg, na fyddai'r fath erchyllterau'n digwydd eto. Yn ystod y rhyfel ni wyddai trigolion y dref am fodolaeth y carchar a'i weithgareddau gwrthun. Cariai'r trên y carcharorion i mewn i'r gwersyll tu ôl i fur a gwifrau trydanol. Ond trên un ffordd ydoedd. Doedd neb yn gadael.

Esboniodd Carys fod ei gŵr, Paul, wedi dysgu hanes y gwersyll a'r carchardai fel rhan orfodol o'r cwricwlwm yn ystod ei addysg am fod yr Almaen yn cymryd y bennod erchyll hon o'i hanes o ddifri ac yn dymuno na fydd rhywbeth mor ofnadwy â hyn yn digwydd byth eto. Ac yn ystod y blynyddoedd nesaf, mi fydd Garnon Ioan hefyd yn cael yr un sylfaen hanes yn ei addysg yntau. Lliniarais ychydig wedyn ac aeth Jeff, Carys, Paul a finnau i weld y carchar.

Roedd yn ddiwrnod braf o haf. Sefais ar seiliau'r adeiladau a ddymchwelwyd ac euthum i ymweld â'r amgueddfa gan weld y byncs a'u cyfleusterau cyfyng. Syllais ar furluniau a mapiau, ac roedd y cyflwyniad cyfan yn helaeth ac yn addysgol. Ond wedyn, gwelais rai o'r ffwrnesi. Ac er eu bod yn lân bellach fe'm trawyd gan arogl arbennig iawn. Roedd yn arogl cryf, llymsur, fel arogl esgyrn yn llosgi. Ac fe ges i fy nhynnu 'nôl i'm hieuenctid. Byddwn yn pilo esgyrn ffowlyn wrth y bwrdd ac yn taflu'r esgyrn i'r tân agored. Nid braster yn llosgi oedd yr arogl ond drewdod arbennig a lenwai fy ffroenau. Fe gofiaf tra bydda i byw. Roedd yn arogl unigryw.

Dan ffurfafen las chlywais i ddim cân yr un aderyn. Roedd yno dawelwch annaturiol, a chyfaddefaf fy mod i'n clywed y tawelwch. Teimlais fod rhywbeth o'i le yno. Ond roedd Carys yn gadarnhaol iawn ac yn eiddgar i ddangos olion cyfnod tywyll yn hanes yr Almaen. Bellach mae'r genhedlaeth bresennol a'r rhai i ddod yn dysgu trwy ddod i adnabod yr hanes tywyll hwnnw. Gair cyfoes yw'r gair *spin*, ac yn ddiamheuol bu rheolaeth o'r cyfryngau yn allweddol i bropaganda y Natsiaid ar y pryd. Dw i'n mawr obeithio y bydd hanes yn nyddu heddwch a chydweithrediad rhwng dyn a chyd-ddyn a rhwng cenedl a chenedl, ac y bydd hynny'n sail barhaol i'r cytgord mae pawb yn dyheu amdano.

Magu Teulu

ROEDD HI'N FRAINT cael bod yn athrawes ifanc dros dro yn Ysgol Llwynihirion. Roedd ardaloedd Brynberian ac Eglwyswrw yn ardaloedd gwerinol Cymreig a'u pobol ddiwylliedig yn agos iawn at y tir a'i thraddodiadau. Y tu allan i weithgareddau'r ysgol cynhaliwyd y *penny readings* ac aelwyd yr Urdd a chymdeithasau capeli. Roedd Ifor Davies, pennaeth Ysgol Llwynihirion, yn flaenllaw ac yn weithgar iawn yn trefnu a chynnal llawer o'r cyfarfodydd. Ac yn y cyfnod hwnnw roedd y *scholarship* neu'r *11 plus* yn ganolog i'r profiad addysg ac yn uchafbwynt i lawer o'r rhieni wrth iddynt gyfeirio'u plant tuag at lwyddiant yn yr arholiad ac ennill statws a pharatoad am addysg uwch. Cofiaf i fi gael gair o gyngor synhwyrol a gwerthfawr gan Ifor Davies

'Cofiwch chi, Mair, bydd mwy na hanner y plant hyn yn aros yn y fro 'ma. Fydda i'n hapus, nid am eu llwyddiant yn yr arholiad, ond eu bod yn ddinasyddion gwerthfawr yn yr ardal hon ac i ddilyn mla'n o'u cyndeidiau.' Fe gofiaf amdano, wedi i ystafelloedd Ysgol Llwynihirion gael eu paentio'n wyn, yn gosod cwpledi epigramatig a diarhebion trawiadol mewn lliw coch a llythrennau breision ar hyd y muriau. Mwy na thebyg fod y plant wedi sylwi arnynt ac wedi eu dysgu'n ddiarwybod. Maen nhw'n ddwfn yn fy nghof o hyd, pethau fel:

A feddo gof a fydd gaeth
Cyfaredd cof yw hiraeth

Hefyd:

Segurdod yw clod y cledd
A rhwd yw ei anrhydedd

Un o'r cymeriadau y des i'w hadnabod yn dda yn fy nghyfnod yn dysgu yn ysgol Llwynihirion oedd Jenny Howells, Penan-ty. Bu'n ffigwr adnabyddus ac ymroddgar yn y bröydd hyn drwy ei hoes gan hybu a chyfrannu'n helaeth sawl peth. Trwyddi hi, yn anuniongyrchol, y cwrddais i â Jeff am y tro cyntaf erioed. Tachwedd 1946 oedd hi a dywedodd Jenny wrtha i, 'Rwy'n mynd i alw amdanat i fynd â ti i Ffair Feigan.'

'Shwt y'n ni'n mynd?' gofynnais inne.

'Cerdded wrth gwrs. Ond cofia hyn, sdim cerdded 'nôl i fod. Gofala dy fod ti'n gweld rhywun â char 'dag e. Os na fydd car 'dag e, gofala fod moto beic ganddo.'

Wel, i un yn dod o bentre glan môr a phopeth yn gyfleus, roedd cerdded pellter yn dipyn o sioc. A doedd y ffair ddim yn ffair fel rown i'n adnabod un o'r rheiny. Roedd cannoedd o bobol wedi ymgynnull a'r rhan fwyaf ohonyn nhw'n sefyllian a chloncan. Ffair ddefaid a phonis mynydd oedd Ffair Feigan, ond rwy'n cofio gweld stondinau rowlio ceiniog a tharo tuniau gwag lawr o silffau trwy daflu peli pren atyn nhw. Byddai'r enillwyr yn cael ffon yn wobr am eu hymdrechion.

A fan 'ny y gwelais i Jeff am y tro cyntaf, yn siarad â bachgen o Eglwyswrw. Roedd y crwt o Eglwyswrw yn lifrai'r Llynges gyda'i gapan crwn Jack Tar am ei ben, y bib o'i goler sgwâr ar ei gefn a'r trowsus *bell-bottoms*. Roedd hi'n gyfnod gwasanaeth milwrol ar y pryd. Ond y cwestiwn ofynnais i oedd, 'Pwy yw hwnna sy gyda'r morwr?' Fe oedd yr un ddaliodd fy llygad i. Ac roedd un peth amlwg iawn o'i blaid o'r dechrau – roedd ganddo gar! Aethon ni 'nôl o Ffair Feigan mewn Austin 7 a byddai dweud ei fod yn orlawn ddim yn or-ddweud. Roedden ni fel sardîns! Roedd car Jeff fel pin mewn papur. Nid modur newydd oedd e ond edrychai yn sbic an' sban – fel holl foduron Jeff, fel mae'n digwydd, ond do'n i ddim yn gwbod hynny ar y pryd. Dros y blynyddoedd, fu dim angen i fi wneud yn siŵr fod gwynt yn y teiars a digon o olew o'r maint ar y *dip-stick* erio'd, roedd Jeff yn ofalus tu hwnt.

Wedi'r daith gynta honno yn yr Austin 7, dethon i adnabod ein gilydd yn well, un o Eglwys-wen rhwng Crymych ac Eglwyswrw oedd Jeff. Yn ddiweddarach, des i wbod fod chwaer gan Jeff, Phyllis, yn byw yn Lland'och, ac roedd hithau'n gydaelod ac yn Fedyddwraig ym Mlaenwaun.

Parhaodd y garwriaeth tra oeddwn i ym Mrynberian a'r cyffinie a chafodd Jeff swydd gyda Phwyllgor Gweithredol Amaethyddol y Rhyfel yn Sir Benfro neu'r 'War Ag' yng nghanolfan Boncath. Doedd dim tractorau i'w gweld ar lechweddau'r Preseli ar ddiwedd y rhyfel, ond bu Jeff yn gyfrwng i gyflwyno'r chwyldro peirianyddol i ffermwyr y fro a hynny drwy weithio'n ymarferol yn aredig, llyfnu, hau a rowlio, a chyflwyno peiriannau lladd gwair a'r beinder ar diroedd gwastad.

Fe barhaon ni i weld ein gilydd ac roedd y *penny readings* a'r cymdeithasau eraill yn gyfryngau cyfleus iawn i gwrdd, rhaid dweud. Wrth gwrs, cyrddau cystadleuol fydden ni'n eu galw nhw yn Lland'och gydag eisteddfodau capel yn digwydd yn ogystal. Tyfodd mudiad yr Urdd a sefydlwyd eisteddfodau cylch y Frenni a Chemaes. A phan ddaeth gwaith y 'War Ag' i ben o ran hybu cynhyrchu bwyd drwy wledydd Prydain, bu raid i Jeff chwilio am ragor o waith. Roedd chwaer ei fam yn briod ag Edwards, y cwmni bysys yng Nghrymych, ac roedd e eisoes wedi cael profiad o yrru rhai o fysys bach y wlad. Symudodd Jeff wedyn, fel llawer o fechgyn eraill, i chwilio am waith tebyg yn Nghastell-nedd. Fe'i cyflogwyd i yrru gyda chwmni United Welsh yn gyntaf ac ar ôl hynny gyda N&C Luxury Coaches oedd yn cludo plant, glowyr a siopwyr ar y gwasanaeth cyflym o Abertawe i Gaerdydd.

A finnau'n fyfyrwraig yng Ngholeg y Barri erbyn hyn, defnyddiwn fysys yr N&C, sef y *Brown Bombers*, i ymweld â mrawd Carey, oedd yn weinidog ym Mhen-y-bont ar Ogwr. Ar 26 Mawrth 1959 priodais â Jeffrey Hubert Glannedd James yng nghapel Blaenwaun am hanner awr wedi wyth y bore a'r Parchedig John Thomas – er ei fod wedi ymddeol – yn gweinyddu'r ordinhad. Carey roddodd fi bant, ac roedd e'n siŵr o fod yn falch o gael gwneud hynny! Y forwyn briodas oedd Hazel – merch fy nghyfnither Margaret – er mwyn parhau'r arfer a'r cyswllt teuluol, oherwydd bu fy mam yn forwyn briodas i fam Margaret, sef Sarah Jane neu Anti Sali, a finnau'n forwyn fach iddi hi hefyd. Y gwas priodas oedd Berwyn Lewis, sboner fy ffrind Glenys. Cynhaliwyd seremoni'r briodas yn gynnar er mwyn i ni gael amser i deithio i Abertawe a hedfan draw i Guernsey. Roedd gan y ddau ohonom uchelgais i hedfan gyda'r angylion, ond roeddwn i lawr bron cyn i ni godi. Gobaith pob pâr priod ar eu mis mêl oedd na gyfarfuent â phobol o'n nhw eu nabod, ond wrth i Jeff a finne ddisgyn o'n seithfed ne' i frecwast ar y bore cynta, meddai gŵr wrth y bwrdd cyfagos, 'A shwt mae pobol Lland'och heddi te?'

Roedd wedi taflu llygad busneslyd dros dudalennau'r gofrestr ac wedi gweld ein henwau a'n cyfeiriad ni. Meddyg oedd yntau â pherthnasau'n byw yn Lland'och, a dôi i lawr yn rheolaidd ar ei wyliau i'r pentre. Roedd gennyf un perthynas ofergoelus yn fy nheulu ac meddai hi'n dywyll am ein priodas ni, 'Marry in Lent, you'll live to repent', Fe'n bendithiwyd â bron hanner can mlynedd o hapusrwydd a dedwyddwch a thanseiliwyd yr hen ddywediad yn llwyr. Dw i'n cofio amdano o hyd oherwydd hynny! Beth wyddai hi?

GANWYD JEFF ar dyddyn bach ar lethrau Foel Drigarn yn drydydd mewn rhes o chwech o blant. Yr hynaf oedd Phyllis – a fu'n byw yn Lland'och – ac yn dilyn roedd Dora sy'n byw yng Nghrymych, Jeff wedyn, yna Teifryn a fu'n fecanic gyda chwmni J. E. Howard, Colin a fu'n forwr ac sy'n byw nawr yn Aberteifi, a'r cyw melyn ola oedd Clive a ddioddefodd o afiechyd drwy ei oes.

Wedi addysg yn Ysgol Eglwys-wen fe gyflogwyd Jeff, ac yntau'n bedair ar ddeg oed, yn brentis o arddwr ym Mhlas Rhosygilwen. Erbyn heddi, mae'r lle hwnnw wedi cael trallwysiad diwylliannol – adeiladwyd neuadd gyngerdd newydd a daeth yn enwog yn genedlaethol ac yn rhyngwladol fel lle ardderchog i gynnal cyngherddau. Addaswyd y plasty i gadw ymwelwyr, ac yn fwy diweddar, mewn cae cyfagos, codwyd fferm solar i harneisio ynni'r haul. Yng nghyfnod y Jeff ifanc yn ei arddegau roedd trefn wahanol i bethau. Trwy gysylltiadau teuluol – roedd mab y garddwr yn briod â Dora, chwaer Jeff – y cafodd Jeff le yn y plasty. Roedd yn daith o bellter o Eglwyswrw i Rhos-hill, yn enwedig ar gefn beic ym mhob tywydd, ac o ran cyfleustra cafodd lety ac aros gyda'i chwaer o'r Llun i'r Sadwrn.

Ond nid garddio oedd yr unig dasg roedd yn rhaid i Jeff ymgymryd â hi. Byddai'n codi'n blygeiniol am chwech o'r gloch bob bore. Un o'i dasgau cyntaf oedd glanhau rhesi ar resi o sgidiau, yn eu plith sgidiau gwrywod, menywod a phlant ifanc. Fe newidiai'r teulu eu sgidiau sawl gwaith y dydd; i fod yn ffasiynol, er mwyn ysgafnder, i fynd i siopa ac i gynnal partïon nos. Cyn dyfodiad trydan roedd rhaid paratoi cyflenwad digonol o goed tân, a Jeff oedd yn gyfrifol, ynghyd ag eraill, am eu torri'n gymen a'u gosod yn bentyrrau cyfleus o danwydd.

Roedd cynnyrch yr ardd ffrwythlon yn ffynhonnell o incwm cyson i'r teulu. Fe gariai Jeff focseidi o gynnyrch gardd – llysiau, ffrwythau a blodau – draw i'r ffordd fawr ger Capel Tŷ Rhos i gwrdd â'r bws boreol a fyddai'n cludo'r cyfan i dref Aberteifi. Roedd bysys bach y wlad yn wythïen werthfawr i gludo negesau a chynnyrch at ddrws siopau fel Wilson's a Mapstone. A gredwch chi mai cyflog Jeff ar y pryd oedd tua phunt yr wythnos?

Dros gyfnod yr Ail Ryfel Byd doedd Jeff ddim yn ddigon hen i ymrestru ac fe gafodd ei gyflogi i fasiwna gyda chwmni o adeiladwyr lleol. Ymhlith y cytundebau gafodd y cwmni roedd codi hostel ger fferm y Frochest ar gyrion Eglwyswrw i gadw carcharorion Eidalaidd. Alla i gofio'n glir a chroyw am garcharorion rhyfel Eidalaidd yn Lland'och yn ystod y Rhyfel – yn eu gwisgoedd siocled brown a phatshys crwn melyn neu wyrdd golau ar eu cefnau neu ar eu pengliniau. Er mai Catholigion oeddynt o ran credo, dôi llawer gyda'u meistri i gapel Blaenwaun. Doedden nhw ddim yn deall iaith y nefoedd ar y dechrau, ond roedd mynychu'r capel yn gyfle iddyn nhw gymdeithasu. Un o'r aelodau a ddôi i'r oedfaon oedd Miss Owen, y Crofft, ac yn gwmni iddi roedd carcharor o'r enw Romo Miggiano. Hefyd roedd Angelo Belotti yn byw ac yn gweithio ar fferm Bryn Llewelyn gerllaw. Byddai yntau'n dod i'r oedfa. Gosododd y llythrennau A.B. mewn concrit ar y trawst i mewn i'r beudy ym Mryn Llewelyn i bara byth.

Byddai Miss Owen yn dod i Bell View cyn mynd i'r cwrdd, ac roedd rheswm da am hynny. Gwisgai ddillad drudfawr ffasiynol ar gyfer yr oedfaon, wedi'u prynu bron heb eithriad yn siop y Realm ar ben rhiw Grosvenor yn Aberteifi. Cadwyd siop y Realm gan ddwy chwaer a oedd yn aelodau ym Mlaenwaun. Byddai Miss Owen yn cadw'i dillad 'gorau' mewn wardrôb yn Bell View ac wedyn cerddai'r holl ffordd o'r Crofft cyn galw yn Bell View i ailwisgo dillad y Realm ar gyfer y cysegr. Yna, galwai ar y ffordd adre i ddiosg y dillad parch a'u hongian yn y wardrôb tan y gwasanaeth nesaf.

Ymunai, gyda Romo Miggiano, i gael swper ar ein haelwyd. Er mai cyfnod y rhyfel oedd hi, roedd Mam yn dod o hyd i swper i bawb. Doedd dim prinder croeso, na chyfeillgarwch na bwyd. Wedi'r cyfan, cadwem ardd doreithiog, mochyn neu ddau yn y twlc ac ychydig ieir hefyd. Cofiaf weld Mam yn edrych ar Romo ac mewn Cymraeg gloyw ac yn uchel ei llais meddai, 'Meddylwch ei fod e mor bell o gartre.' Yna trodd ataf i, 'A meddylia ei fod e 'run oedran â Carey, dy frawd.' Roedd y sylw hwnnw yn bwrw gartre – roedd e'r un fath â ni. Doedd dim sôn am elyniaeth na rhyfel na dim felly.

Ar ddiwedd y Rhyfel priodwyd Angelo Belotti â Mair Finch (Penwaun, Llandudoch) a bu'r teulu'n cadw a chynnal fferm ieir lwyddiannus ym Mrongwyn Bach, ger Pen-parc. A hyd yn oed heddi mae'r teulu'n cadw caffi yn nhre Aberteifi.

Jeff, yn ŵr ifanc, golygus.

Diwrnod ein priodas – sylwch ar yr het. Mae'r wyrion yn gofyn i fi am y llun hwn, 'Beth ti'n neud yn gwisgo plat ar dy ben?' Ffasiwn yr oes yw'r unig beth alla i weud.

Carys a Meinir yn mynd i'r ysgol Sul ac Emyr, y cyw melyn olaf gartre gyda mam.

Amser te dydd Nadolig yn y saithdegau.

Ymweld â Chastell Caernarfon ar un o'r tripiau blynyddol i'r 'north' – Meinir, Carys, Jeff ac Emyr yn ei bram.

Meinir, Carys, fi a Siani'r ci yn yr haul yn Nhre-saith.

Yn barod i'r Gymanfa Ganu.

Wncwl Clement, yn y tei a'r trowser tywyll, wrth ei fodd gyda'r holl ymwelwyr yn Nhre-saith.

Parti canu Merched y Wawr Lland'och yn cystadlu yn Eisteddfod Lland'och yn 1996.

Saib ar un o deithiau Merched y Wawr i Lanuwchllyn.

Gyda ffrindiau o ddyddiau ysgol, Annie a Glenys, a'u gwŷr ar y daith i Oberammergau yn 1984.

Dweud rhyw stori ym mharti Nadolig Clwb Cinio'r Henoed, sdim stop arna i.

Glenys a fi, ffrindiau bore oes, tu fas i Fethsaida yng nghyfarfod Cymanfa Bedyddwyr Penfro.

Bell View o bell.

B. V. Rees – Vic – a finnau'n hel atgofion am fywyd Lland'och.

Mynd am dro i un o lynnoedd Llanberis yng nghwmni
Basil, mab Teivy, a'i wraig Lydia.

David Joseph a'i ferch Elin Mair ar ymweliad â Bell View.

Jeff a fi tu fas i Bell View – barod i fynd am dro i rywle.

Jeff wrth ei fodd yn tacluso'r fynwent a Garnon bach
yn dysgu'r grefft.

Jeff yn dathlu'r pedwar ugain gyda'i berthnasau a'i ffrindiau.

Dathlu'r pedwar ugain fy hunan gan dorri'r gacen gyda help Garnon.

Teulu'r Almaen – Paul, Carys a Garnon – yn eu gwisg draddodiadol ar ddiwrnod cymun cyntaf Garnon, Pasg 2013.

Meinir, Delme a'r bechgyn, Ynyr ac Edryd, ar wyliau yn yr Almaen.

Emyr a'i wraig Nicola a'r tri mab Oliver, Ben a Raph.

Bois Bryn Iwan, Ynyr ac Edryd, gyda'u cefnder Garnon.

Rhaid ymdrechu i ddarllen nawr.

Dychwelyd i Sir Benfro a Lland'och a wnaeth Jeff. A finnau wedi colli fy rhieni roedd Bell View, wedi i ni briodi, yn nyth barod i sefydlu aelwyd a theulu. Cafodd e swydd gyda G. Llewelyn & Son, Churn Works, yn Hwlffordd. Cyflogwyd dau gowper yno, ac roedd eu crefftwaith mor arbennig yn creu buddai 'run ffurf â chasgen fel nad oedd lle i drwch blewyn rhwng y styllod. Ond roedd oes y tshyrns yn dod i ben ac enillodd y cwmni asiantaeth i werthu tractorau a pheiriannau Massey Ferguson. Roedd Jeff yn adnabod y ffermwyr a'r ardaloedd yn dda iawn. Roedd yn deall dyheadau'r unigolyn ac roedd e'n deall natur y gymdeithas, a doedd dim nad oedd Jeff yn ei wybod am dractors chwaith. Roedd yn ben gwerthwr hefyd a fydde fe ddim yn gorffen ei ddiwrnod gwaith nes oedd hi'n naw o'r gloch y nos a rhagor. Mae'n debyg fod y ffermwyr yn hoff o adnabyddiaeth a chlonc a chytundeb a ymddangosai'n fargen. Arwydd dda o werthwr llwyddiannus oedd na ddôi 'nôl â dim gydag e. Roedd *part-exchange* yn rhywbeth i'r dyfodol. Sefydlwyd canghennau o gwmni G. Llewelyn yn Hwlffordd a Chaerfyrddin ac yn ddiweddarach ger gorsaf y Cardi Bach a'r mart yn Aberteifi lle'r aeth Jeff i weithio fel rheolwr. Yn nes ymlaen prynwyd busnes G. Llewelyn gan gwmni J. E. Howard a gwahoddwyd Jeff i fod yn rheolwr ar y gangen honno yn Aberteifi. Roedd enw da gan y ddau gwmni ac roedd y gweithwyr yn deall eu gwaith, yn deall y farchnad ac yn gofalu am ofynion eu cwsmeriaid. Ehangodd y cwmni ymhellach dros dde Cymru.

Yna gwerthwyd y busnes i gwmni arall ac roedd steil y cyfarwyddwyr ieuanc yn wahanol iawn a deuent lawr i weld y canghennau yng Nghymru mewn hofrennydd. Roedd Jeff yn gorfod trefnu glanfa addas a chyfleus i'r aderyn dur a modur gyda *chauffeur* i'w trosglwyddo i safle'r busnes yn ddiogel.

Dw i'n ei gofio'n dweud, 'Os nad yw car yn ddigon da i ddod lawr o'r *head office*, fydd y busnes ddim 'ma yn hir iawn!'

Ac fel petai ei frawddeg yn temtio rhagluniaeth, aeth yr hwch drwy'r siop. Teimlai Jeff yn ddiflas iawn ond cododd ei ysbryd i raddau pan glywodd fod cangen Caerfyrddin i gau hefyd. Ag yntau allan o waith, cafodd gynnig swydd fel *storeman* yn yr R.A.E. yn Aber-porth. Roedd cymydog i ni wedi ei gyflogi yn Nhrecŵn a gofynnais iddo, 'Shwt ma pethe'n mynd yn Nhrecŵn?' Codai yntau am chwech y bore ac roedd yn gyn-ffermwr, a diwydrwydd a gwaith caled yn rhan o'i natur. 'O, y mynd sy waetha,' atebodd yn boenus. 'Ar ôl i chi gyrra'dd, sdim gwaith i'w wneud!'

Doedd y gwaith yn R.A.E. ddim at ddant Jeff ac felly newidiodd ei swydd. Fe'i cyflogwyd gan Gyngor Sir Benfro i fod yn llyfrgellydd teithiol dros ogledd Penfro, i lawr hyd ochrau Abergweun. Roedd fan arall felen yn gyfrifol am ddarparu llyfrau i ddarllenwyr de'r sir. Dyma'r fenter gyntaf o'i bath yn y sir, roedd Jeff eisoes yn ei hadnabod yn dda iawn ac felly'n berffaith i'r gwaith. Cymerai'r rownd gyfan fis i'w chwblhau – ac roedd ei ymarweddiad serchog, ei bersonoliaeth hyfryd a'i adnabyddiaeth ddofn o'i wreiddiau yn plesio'r cwsmeriaid yn fawr. Câi ddychwelyd i Bell View bob nos a pharcio'r fan yn agos i'n tŷ, ac fel pob modur arall o'i eiddo fe'i golchai'n lân a'i chadw fel pin newydd, fel petae e'n berchen arni.

Gofynnodd rhywun i fi unwaith beth dynnodd fy sylw i gyntaf at Jeff. Atebais innau, 'Wel, rhwng bod car ganddo i roi reid i fi 'nôl o Ffair Feigan a'r ffaith ei fod e'n Fedyddiwr roedd gydag e gredenshials iawn i ddechre. Marciau llawn ddwedwn i.' Yn wir, cafodd yr enw Glannedd ar ôl gweinidog gyda'r Bedyddwyr yn yr ardal ar y pryd, sef y Parchedig Glannedd Morris.

Hyd yn oed o'i weld am y tro cyntaf, fel y gwnes i yn Ffair Feigan, yn ffigwr glandeg, sgwâr, cymharol dal a chopa o wallt du, roedd Jeff yn ffigwr trawiadol. Roedd yn drwsiadus o'i ben i'w sodlau; o doriad ei wallt i gwlwm ei dei a sglein ei sgidiau. Ac ar ei wyneb, fel codiad haul, gwelais y wên fwyaf serchog a naturiol. Roedd mor ddiymdrech o garedig a hynny'n dod o'r galon.

Fe wreiddiodd Jeff yng nghymdogaeth dda y Preseli. Roedd parch ac edmygedd at gyd-ddyn, roedd caredigrwydd a chymwynas yng nghyfansoddiad anysgrifenedig y ffordd o fyw, ac roedd seiliau cadarn bywydau'r teuluoedd lleol, y cartrefi a'r pentrefi wedi'u gosod yn ddwfn mewn Cristnogaeth wâr. Rhedai egwyddorion gorau'r gymdeithas honno trwy wythiennau Jeff. Roedd yn ŵr doeth, ac yn wrandäwr da hefyd. Roedd ei adnabyddiaeth o wŷr a gwragedd a ffordd o fyw cefn gwlad y Preseli ym mêr ei esgyrn. Dim rhyfedd iddo wneud llwyddiant mawr o werthu peiriannau dros gyfnod hir ei yrfa, oherwydd rhoddai ei ymddygiad hyder i'w gwsmeriaid. Byddai'r ffermwyr, ac yn wir pawb, yn ymddiried yn Jeff fel person gonest a dedwydd. Roedd taro bargen yn hawsach wedyn.

Nid yn unig mewn gwaith a swydd roedd Jeff yn drefnus, ond yn y tŷ hefyd. Roedd ei ddroriau yn llawn o gymhendod. Os bydde fe'n chwilio am rywbeth arbennig, bydde fe'n ei ddarganfod yn syth. Twmlo pethau fyddwn i yn ei wneud a lwc yn chwarae rhan bwysig o ran a fyddwn yn dod o hyd i rywbeth ai peidio.

Roedd Jeff yn ŵr disgybledig iawn, yn ei feddwl, ei eiriau a'i weithredoedd oherwydd bod ganddo ddigon o amynedd hefyd. Mewn gwasgfa Jeff oedd y dyn delfrydol i fod yn ei gwmni achos medrai ddadwneud sefyllfa anodd, gallai gyfamodi a sicrhau tegwch. Welais i erioed mohono'n codi'i lais ar y plant: efallai mai tuedd i beidio â dweud oedd ynddo fe. 'Dyfroedd tawel, dyfroedd dyfnion,' medd yr hen ddihareb, ac os oedd rhywbeth yn ei boeni byddai'n gwasgu arno o'r tu mewn. Serch hynny, byddai ei olwg yn ddigon i adrodd y stori i fi. Ac er bod hen ddywediad arall yn dweud, 'mater gobennydd, cysgwch drosto,' fydde Jeff a finne byth yn mynd i'r gwely cyn datrys unrhyw broblem a oedd ar ei feddwl cyn esgyn i'r dowlad. Byddai gwawr y bore yn well i bawb wedyn.

Fe anrhydeddwyd Jeff o fewn y capel trwy ei ddyrchafu'n ddiacon ac yn ysgrifennydd y fynwent. Yn y swydd honno roedd ei brofiad amhrisiadwy a'i drefn a'i ddestlusrwydd yn adnoddau arbennig o addas ar gyfer cofnodi a chofrestru rhifau ar y rhesi a'r cerrig unigol. Âi lan i'r fynwent a threulio amser yno'n cynorthwyo trefnwyr angladdau a thorwyr beddau i sicrhau fod popeth yn ei le ar gyfer angladd. Torrai'r borfa'n rheolaidd o gwmpas y capel a chadw'r peiriant torri porfa mewn cyflwr gwych fel petai'n eiddo iddo ei hunan eto. Dywedodd wrtha i unwaith ei fod wedi sylwi ar le gwag yn y fynwent wrth droed bedd teulu Bell View, a phan agorwyd y gofrestr yn dilyn ei farwolaeth ar 15 Mawrth 2008, gwelwyd ei fod eisoes wedi nodi ei enw ei hun mewn pensel wrth ochor y man hwnnw.

Oherwydd ei swydd gyda'r capel a'r fynwent, câi alwadau di-ri oddi wrth bobol o bell ac agos yn chwilio eu hachau. Roedd manylder Jeff yn ffynhonnell ddi-ail o gywirdeb a chyfleustra wrth ddatrys a chyfeirio ymchwilwyr i'r mannau cywir – dolur heintus yw clefyd y goeden deuluol.

BENDITHIWYD EIN PRIODAS pan anwyd tri o blant i ni. Ganwyd yr hynaf, Carys Garnon, yn 1960; Meinir Garnon yn 1963 a'r trydydd, Emyr Garnon, pan ddaeth 'yr hen grwt' i'n plith yn 1968. Tri o natur hollol wahanol i'w gilydd y'n nhw. Tri sy'n dilyn llwybr gwahanol iawn mewn bywyd. Fel finnau, Ysgol Lland'och ac Ysgol Uwchradd Aberteifi oedd y sail addysgol cyn mentro i'r byd mawr, ond feddyliais i erioed y byddai 'run ohonyn nhw'n symud dramor i fyw chwaith.

Ganed Carys, ein cyntaf anedig, ar 21 Medi 1960 am 8.15 y bore a hithau'n fabi bach iawn ychydig dros bum pwys. Babi sgrechlyd oedd hi ac fe ddihunai o glywed y sŵn lleiaf yn y tŷ, neu falle i'r babi cyntaf gael gormod o faldod 'da ni, cofiwch. Ond un swnllyd a *fussy* yw Carys o hyd, yn gymeriad siaradus iawn ac o'r dyddiau cynnar hynny gwelwn argoelion o'i hoffter at ddysgu iaith. Medrai ddarllen cyn dechrau'r ysgol hyd yn oed a doedd dim swildod yn perthyn iddi o gwbwl wrth fentro ar lwyfan i gystadlu a phethau tebyg.

Trwy argymhelliad ei hathro Almaeneg yn Ysgol Uwchradd Aberteifi, Beuno Williams, yr aeth Carys ymlaen i astudio Almaeneg a Chymraeg yng Ngholeg Politechnig Cymru yn Nhrefforest, Pontypridd. Dw i'n cofio am un garreg filltir yn ei siwrnai wrth iddi chwilio am ble i fynd astudio, fe gafodd gyfweliad ym Mholitechnig Rhydychen ac fe'i holwyd yn llawn syndod; 'Do you *really* speak Welsh at home?' Atebodd Carys mai'r Gymraeg oedd iaith naturiol yr aelwyd, y capel, yr ysgol ac ymhlith ffrindiau. Ateb y dyn oedd yn cynnal y cyfweliad oedd, 'You'd be starting the course with a distinct advantage!' Cafodd Carys ei chodi yn ddwyieithog, wrth gwrs, ac mae clust ganddi at nabod iaith. Dyna gyngor da fyddai'r frawddeg drawiadol honno i'r bobol hynny sydd yn wrth-Gymreig:

peth da yw cofio bod dwyieithrwydd yn agor drysau i fod yn amlieithog.

Yn y BBC y cafodd Carys swydd gyntaf, yng Nghaerdydd, a thra oedd hi ar wyliau gyda'i ffrindiau o'r gwaith ar Ynys Ibiza fe ddaeth Almaeneg yn handi iawn hefyd. Un noson, eisteddai criw o fechgyn o'r Almaen ar ford gyfagos i'r criw hwyliog o Gymru yn pwyso a mesur y merched drws nesa'. Aeth Carys draw atynt wrth adael gan wneud rhyw sylw mewn Almaeneg, ac un o'r bechgyn a wridodd mewn sioc oedd Paul Wetzl, cigydd o bentre Hausen, Bafaria. A dyna i chi ddechrau'r berthynas a ddenodd Carys dramor.

Roedd Jeff yn ddyn tawel, tawel, ond os bu tawelwch erioed, roedd yn amlwg iawn pan gyhoeddodd Carys wrthym ymhen amser, 'Rwy'n mynd i roi'r gorau i'n swydd a mynd mas i'r Almaen neu fe golla i gymaint o Almaeneg sy 'da fi.'

Roedd Jeff yn torri'i galon o weld ei ferch hyna'n gadael ei swydd, ac yn fwy na hynny, yn gadael Cymru. 'Wyt ti'n siŵr nawr?' oedd ei gwestiwn cyson.

Priodwyd Carys a Paul, nid ym Mlaenwaun, nid ym Munich, ond yn Hawaii, o dan balmwydd hyfryd yn siglo i awelon y Môr Tawel a chordiau gitâr yn 1995. I Carys roedd yn ormod o ffwdan, yn ormod o straffagl i gael pawb ynghyd yn Lland'och neu yn yr Almaen, felly cafwyd y briodas wrth allor drofannol hanner ffordd o amgylch y byd. Fu Jeff na finne na'r Wetzl-iaid ddim yn Hawaii. Ydych chi yn fy ngweld i mewn sgert wellt *hula-hula* yn siglo i alawon hudolus y Polynesiaid? Er, pam lai 'fyd! Ac i goroni'r cyfan, y Parchedig John Young, gweinidog Bedyddiedig o'r Unol Daleithiau America weinyddodd sacrament y briodas.

Doedd dim brys i gael etifedd, ac ar 20 Mawrth 2004

bendithiwyd ei haelwyd pan anwyd mab iddynt, Garnon Ioan Wetzl. Mae'r ffaith fod Garnon yn siarad Cymraeg yn destun diolch a llawenydd mawr i fi. 'Ma Nghwmrag i wedi gwella lot ers i fi fod lan 'da bois Bryn Iwan,' medde fe ar un o'i ymweliadau. Bois Bryn Iwan yw plant Delme a Meinir, sef Ynyr ac Edryd. Mae Garnon hefyd wedi etifeddu ffraethineb y teulu. Fel Catholigion, iddyn nhw mae'r tad eglwysig yn ffigwr pwysig iawn i deulu'r eglwys. Un noson, oddeutu'r adeg pan ymddiswyddodd y Pab Benedict, cafodd Carys alwad ffôn â'r newyddion trist fod eu tad eglwysig wedi marw. Ryw chwech wythnos oedd hi cyn y Pasg, ac roedd Garnon yn brysur yn paratoi ar gyfer ei gymun cyntaf ac ymateb y crwt bach i'r newyddion trist oedd, 'Wedd rhaid iddo fe farw nawr? Alle fe ddim wedi dala mla'n tan wedi'r Cymundeb?' Daw Paul, Carys a Garnon draw i Land'och yn rheolaidd am rai wythnosau yn yr haf a thros y Nadolig a'r Flwyddyn Newydd. Ers i fi golli Jeff yn 2008 mae Carys yn ffonio bob nos i gael sgwrs yn gyson a di-ffael.

Ymhen tair blynedd i'r mis ers genedigaeth Carys, cyrhaeddodd ein hail blentyn, Meinir, ar 1 Medi am 11.50 y nos. Roedd ganddi wallt golau a llygaid gleision, a bu peth tynnu coes am ei bod yn wahanol iawn i Jeff, Carys a finnau o ran pryd a gwedd. Mae hi'n dawelach na'i chwaer hŷn ac yn debyg i'w thad o ran natur a phersonoliaeth gan deimlo pethau i'r byw. Mae ganddi sens o hiwmor awchus, sydd mor nodweddiadol o 'nheulu i; mewn sgwrs neu fel rhan o gwmni mae Meinir yn cyflwyno'i hergyd eiriol yn annisgwyl yn amal. Roedd Meinir yn or-ofalus wrth baratoi gwaith ysgol a byddai'r bin sbwriel yn llawn o bapur wrth iddi lunio'r ail neu'r trydydd drafft. Gofidiai am bob prawf gan fod mor sâl â chi ar ddiwrnod unrhyw arholiad.

Aeth ymlaen i Brifysgol Bangor, graddio yn y Gymraeg a hyfforddi fel athrawes. Wedi dysgu am chwe blynedd ymunodd â Chyngor Llyfrau Cymru fel Swyddog Ysgolion, ac wedi cyfnod yn magu teulu dychwelodd i'r byd llyfrau i weithio i Wasg Gomer, Llandysul. Ac yno mae o hyd yng nghanol y llyfre.

Mae Meinir yn mwynhau canu mewn côr a chafodd brofiadau gwych yn rhengoedd y sopranos gyda Chôr Ieuenctid Dyffryn Teifi, Cantorion Teifi a Chôr Dewi Sant. Parhaodd â'i haelodaeth yn eglwys Blaenwaun, ac yn fwy na hynny hi yw'r unig organydd yno bellach. Priododd Meinir â Delme James, saer coed o Fryn Iwan, yn 1989. Annibynnwr yw e ond maen nhw'n dweud bod yr Annibynwyr drws nesa' i'r Bedyddiwr ar y sbectrwm crefyddol. Ac os bu dau sy'n siwto'i gilydd i'r dim eriod, wel, dyma nhw.

Roedd cynlluniau mawr gan Delme, yr arch grefftwr, i godi tŷ ar ddarn o dir drws nesa i'w rieni . . . mae bron i chwarter canrif ers hynny. Fel dywed Meinir am Pen-caer, 'y plas' fel ma nhw'n ei alw fe, 'Dyw e ddim wedi bennu'r gwaith 'to, fel mae crefftwyr gyda'u heiddo eu hunain.'

Ganed dau fab i Delme a Meinir, sef Ynyr Garnon ac Edryd Garnon. Ganed Ynyr yn Ysbyty Glangwili, ond daeth Edryd i'r byd mewn lle go wahanol – yn garej eu cartref. Fel gallwch chi ddychmygu, bu tynnu coes gan fechgyn cefn gwlad am enwi'r ail-anedig, 'Beth am Morris, neu Henry Ford?' meddai un. 'Neu Dai Hatsw, efallai?'

Roedd Edryd, y newydd-ddyfodiad, yn dod yn ei flaen fel botwm ond doedd pethau ddim cystal ar Meinir. Yn dilyn llawdriniaeth yn Ysbyty Singleton, Abertawe rhuthrwyd Meinir 'nôl i'r ysbyty yn dilyn ceulad gwaed peryglus a bu sawl noson hir o ofid a chonsýrn amdani. Bu Jeff a finnau'n gwarchod y plantos am fisoedd ar aelwyd Pen-caer. Mae plentyn dwyflwydd a hanner yn weddol fishi ar ei ben ei hunan, a chyda babi i'w fwydo a'i ddiddanu hefyd, wel, roedd digon i'w wneud.

Roeddwn yn gwybod fod ardal Bryn Iwan, fel yn wir roedd Lland'och, yn cynnig amryw o gyfleoedd i bobol ifanc berfformio'n gyhoeddus. Bydd Aelwyd Hafodwenog, a sefydlwyd gan Mansel ac Eirlys Phillips ac eraill o'r fro, yn cyfarfod yn rheolaidd gan roi cyfle i ieuenctid gymdeithasu a chystadlu mewn eisteddfodau bro ac yn genedlaethol. Gyda Dawnswyr Talog yn yr ardal hefyd, mae'n braf gweld yr wyrion yn mwynhau dawnsio gwerin traddodiadol a chlocsio. Mae rhwydwaith teuluoedd Cymraeg y ffermydd a'r bröydd hyn yn rhoi sefydlogrwydd i ddiogelu'r iaith a'r diwylliant Cymraeg, a'r cydweithrediad hwylus rhwng cartref, capel ac eglwys, ysgol, clybiau Ffermwyr Ifanc, Aelwyd yr Urdd a chymdeithasau eraill yn parhau'n seiliau cadarn i'r gymdogaeth arbennig.

Ganed ein mab – a'r cyw melyn ola – Emyr Garnon ar 3 Tachwedd 1968 am 4.15 y bore, yn gwmni i'w ddwy chwaer ac yn rhodd bendithiol o fachgen. O ran ei wedd a'i bryd tywyll mae e'n fwy tebyg i Carys, ac mae'n ŵr annibynnol a chyfoes iawn ei ddiddordebau. Dyma chi fachan cŵl a drodd yn athro parchus. Ry'n ni fel teulu'n ei edmygu am iddo addasu doniau cynhenid oedd ganddo fel crefftwr a'u troi at feysydd technoleg.

Byddai'r merched siŵr o ddweud i fi sbwylo Emyr yn rhacs, wel whare teg, roeddwn i dros y deugain yn ei gael e! Yn wahanol i'r merched, doedd ganddo ddim diddordeb o gwbwl mewn darllen a rhaid cyfaddef fy mod wedi dechrau becso amdano. Aethon ni i'r 'north' i aros gyda Basil, mab Teivy 'nghyfnither, a'i wraig Lydia. Roedd Basil yn hoff o chwarae golff, ac un diwrnod aeth Emyr gydag e i droedio'r lawntiau cymen yng Nghaernarfon a gweld shwd oedd cael pêl fach wen i mewn i'r twll cyfyng ei geg.

Wedi dychwelyd i Bell View a finnau ar fynd i dre Aberteifi i siopa gofynnodd Emyr i fi, 'A wyt ti'n fodlon prynu cylchgrawn *Golf World* i fi yn y dre?'

'Beth wyt ti am neud â hwnnw? Darlleni di mohono fe?' medde fi. Ond atebodd Emyr, 'Rwy'n addo i ti Mam, ddarllena i bob gair ohono.'

A *Golf World* a daniodd ei ddiddordeb i ddarllen. Cafodd y cylchgrawn yn fisol a blodeuodd ei awydd i ddarllen llyfrau eraill wedi hynny. Ond amlygu doniau ei dad-cu a'i hen dad-cu, sef doniau'r crefftwr, a wnâi Emyr a disgleiriodd mewn gwersi gwaith coed a metel. Dywedodd y diweddar Max Bowen, ei athro gwaith coed amdano, 'Ma hwn yn gwbod sut ma handlo tŵls!'

Medrai Emyr greu pethau hardd a deniadol o ddarnau o bren. Ac un o 'nhrysorau hyd heddi yw'r llwy garu a greodd Emyr yn anrheg i fi ac mae sawl dodrefnyn o'i ddyddiau ysgol yn addurno parlwr Bell View. Aeth i'r coleg i Gaerlŷr a graddiodd gydag anrhydedd yn ei hoff faes, sef cynllunio dodrefn.

Heddi mae'n bennaeth ar yr adran dechnoleg yn Ysgol Uwchradd Aberteifi lle mae ei wraig, Nicola, yn bennaeth ar yr ysgol gyfan. Ganed tri o blant iddyn nhw; yr hynaf yw Oliver Garnon, yr ail yw Benjamin William; a'r trydydd Raphael Noah – a ddaeth o blith yr angylion yn ôl ei enw. Meddai Emyr wrtha i, 'Ddylet ti fod yn gwbod dy Feibl, Mam! Daw'r enw Raphael o'r Llyfr Mawr. Dyw e ddim yn perthyn i'r arlunydd enwog ond mae wedi dod yn enw ffasiynol dros y pum mlyne' dwetha.'

Ddangosodd Emyr mo'r un diddordeb mewn dysgu canu'r piano fel ei chwiorydd Carys a Meinir chwaith – doedd dim bag yn cael ei agor o un dydd Llun i'r llall! Parodd y gwersi ddim yn hir iawn oherwydd roedd y gitâr wedi gafael ynddo. Roedd llawer o fechgyn talentog ym myd cerddoriaeth yn gyfoedion iddo, pobol fel Brychan Llŷr, Emyr Pen-lan a Chris Lewis a ddatblygodd i greu'r grŵp poblogaidd Jess. Bu Emyr yn eu cynorthwyo mewn gigs gan deithio mor bell â Sweden ar un achlysur. Yn sgil y don dalentog honno o gerddorion, dysgodd Emyr ei hunan i chwarae gitâr rhythm a ffurfiwyd deuawd lwyddiannus rhyngddo fe a'i ffrind, sef Jim 'n Ems.

Er mwyn dianc oddi wrth ofynion gwaith a thechnoleg, mae Emyr wedi parhau i ddangos diddordeb mawr mewn golff ac mae'n aelod ffyddlon o Glwb Golff Aberteifi ac yn hyfforddi yno hefyd. Mae ganddo nifer o fechgyn ifanc o dan ei hyfforddiant sy'n awyddus i wella'u safon ar fore Sadwrn. Mae Benjamin ei fab yn dipyn o olffiwr, ac mewn twrnament yn y Gwbert yn ddiweddar, a oedd yn cynnwys dynion hŷn, daeth Benjamin i'r brig gan guro'i dad hefyd.

FE DORRODD Carys, Meinir ac Emyr eu cwysi eu hunain mewn bywyd a chael cefnogaeth Jeff a minnau bob amser. 'Rhaid magu'r ŵyr i fagu'n llwyr,' medden nhw, a chyda chwech o wyrion dw i'n teimlo mod i wedi gwneud hynny.

Gwaith Cyhoeddus

CAFODD MERCHED pentre Lland'och wahoddiad i fynd draw i Aberteifi er mwyn ffurfio cangen o Ferched y Wawr, yn 1971. Byddai'n fudiad Cymraeg cwbwl newydd. Daeth cynrychiolaeth o'r Mwnt, y Ferwig, Aber-porth, Pen-parc, Llechryd, Pontgarreg a'r dre ynghyd yn festri Capel y Bedyddwyr, Pen-parc.

Sefydlwyd Cangen Cylch Teifi a gwahoddwyd Phyllis Terry-Thomas yn llywydd ac yn ei thro ar y noson gyntaf honno, daeth hi i gyflwyno'r wraig wadd, Mair Kitchener Davies oedd i annerch yr aelodau awyddus. Ymhen ychydig cynhaliwyd Noson Gawl yng ngwesty Castell Malgwyn a daeth dros gant ynghyd i gymdeithasu ac i wrando ar Dic a Tydfor yn diddanu. Ymaelododd Eirwen Halket Jones a finnau yn y fenter a chafwyd y blas rhyfeddaf yn sgil ei llwyddiant. A maes o law fe anrhydeddwyd y ddwy ohonom, drwy ein penodi'n is-lywydd ac yn llywydd yn ein tro. Wrth edrych yn ôl dw i mor falch gweld cangen tref Aberteifi yn parhau, ond hefyd i weld genedigaeth a thyfiant amryw o ganghennau eraill yn yr ardal. Braf yw gweld canghennau megis y Mwnt, Lland'och, Aber-porth, Bro Cranogwen, Ffynnon-groes a Blaen-ffos sydd wedi codi fel grawn unnos.

Rwy'n parhau'n aelod yng nghangen Merched y Wawr, Lland'och ac yn mynychu'r rhan fwyaf o'i chyfarfodydd. A dros y blynyddoedd dw i siŵr o fod wedi ymweld â phob cangen, fwy nag unwaith, fel gwraig wadd ar nosweithi cyfarfodydd neu ar achlysuron arbennig fel y Nadolig. Bu dyfodiad a llwyddiant ysgubol mudiad Merched y Wawr yn gyfrwng nid yn unig i arafu dirywiad yr iaith a thrysorau'r diwylliant Cymraeg ond i ychwanegu at y cyfoeth hefyd. Mae'r teid wedi dod miwn yn hynny o beth!

Gyda thwf mudiad Merched y Wawr daeth toreth o wahoddiadau i fi annerch canghennau a chynadleddau ymhell ac agos. Roeddwn yn ddiolchgar am y cynigion ac yn derbyn y gwahoddiadau fel anrhydedd fawr. Sut oeddwn i am ddechrau noson gydag aelodau disgwylgar?

Roedd Emyr yn grwt gweddol ifanc ar y pryd a gofynnodd e i fi 'Mam, wyt ti'n wraig wadd 'to. Beth *yw* hwnnw?' Atebais innau, fel o'n i'n neud yn amal drwy ddweud, 'Mae'r prifathro wedi dweud wrthot ti, os nad wyt ti'n gwbod beth yw ystyr gair, cer i edrych yn y geiriadur. Ma geiriadur i gal lan fan 'co ar ben y piano!'

Wrth i fi ddod lawr o'r llofft wedi gwisgo'n barod i fynd mas i wahoddiad arall, daeth Emyr ataf mewn cynnwrf a'i fys ar fan arbennig yn y geiriadur, 'Rwy wedi'i ffeindio fe!'

'D'wed wrtha i beth mae'n ddweud.'

'Gwadd . . . Creadur bach tew sy'n mynd mas yn y nos, a dyw e' ddim yn gweld ymhellach na'i drwyn!' Dw i wedi chwerthin wrthyf fy hunan droeon am ateb Emyr. Os bu 'na ddisgrifiad addas ohono i ar y pryd hynny, wel, hwnna oedd e.

Y storïau gorau bob amser yw'r rhai gwir. Ac rwy'n dechrau nosweth gyda stori'r 'wadd' yn amal pan rwy'n ymddangos o flaen cynulleidfa. Mae'n un o'r straeon gorau y gallech eu defnyddio. Dyw hi ddim yn cynnwys rheg na dim afflednais a allai gynddeiriogi'r un dyn byw, ac mae'n neud i bawb wherthin.

Mae gen i stori arall am wadd a dw i'n defnyddio honno'n amal hefyd:

> Roedd yna ddyn ag un diddordeb uwchben popeth arall, sef torri ei lawnt o flaen ei dŷ gyda'r streipiau golau a thywyll oedd yn nodweddiadol o'r prif gwrt yn Wimbledon. Doedd dim un chwynnyn ynddi ac roedd pob blewyn o borfa yr un hyd a'r un lliw. Ond pan gododd un bore, roedd gwahadden wedi croesi'r lawnt o un cornel i'r llall gan adael tyrrau o bridd ym mhobman, gan sarnu a difwyno'i lawnt berffaith. Fe yrrodd hyn y dyn yn wallgof. Ceisiodd ei wraig ei dawelu ond roedd yn benderfynol o ddal y troseddwr.
>
> 'Rwy'n mynd i aros lawr trwy'r nos heno. Rwy'n mynd i ddala'r creadur 'na 'se fe'r peth ola wna i. Rwy'n mynd i'w ladd e!'
>
> Gwisgodd sgarff, dwy got a throwsus cynnes ac arhosodd am y troseddwr bach. Yna, yn nhawelwch y nos gwelodd symudiad dan bridd y lawnt a thasgodd draw at y *disturbance*.
>
> Fe ddalodd y wahadden fach!
>
> 'Wyt ti'n gwbod, am hanner nos roeddwn i wedi penderfynu dy ladd di. Ond ma lladd yn rhy dda i ti – rwy'n credu mod i am dy gladdu di'n fyw.'

Fethodd y stori honno erioed â chodi gwên! Mae'r hen wahadden fach wedi bod yn dda iawn i fi mewn nosweithiau Noson Lawen ar hyd y blynyddoedd.

Wrth baratoi ar gyfer noson, byddwn i'n cael cip ar benawdau bras straeon o'dd gyda fi ac yn dewis rhai ohonyn nhw i'w dweud. Fe allai gair neu ddau ar garden fach yng nghledr y llaw fod yn ddigon i brocio'r cof, a fues i'n ailgylchu tipyn o'r cardiau hir yna gewch chi mewn pecynnau o sanau neilons er mwyn ysgrifennu arnyn nhw. Wrth whilmentan am rywbeth mewn drâr yn ddiweddar, ces afael ar un neu ddau o'r cardiau yma a dyma rai o'r penawdau oedd arnyn nhw: Dwy wylan, Hairspray, Hwch a'r Gwas, Spring Bed, Pregethwr a'r Whiskey, Dai Dilute, Lady Godiva, Twins, Councillor Jones, Trampyn, Lucozade, Gwraig Ddidoreth, Cardi a Colli Llais. Na, alla i ddim neud na phen na chwt o'r rhester honno erbyn hyn chwaith!

Mae darllen a dweud stori yn ddau beth hollol wahanol a gall cymryd ysbaid a rhoi pwyslais gogleisiol ar ambell i air fod yn ddoniol ynddo'i hunan. Efallai na fyddwch chi'n gwenu ryw lawer wrth ddarllen y geiriau isod, ond maen nhw wedi diddanu sawl cynulleidfa dros y blynyddoedd, credwch fi. Y gamp, wrth gwrs, yw adeiladu a phlethu'r straeon i'w gilydd, ond fe adawa i hynna am y tro!

Ro'dd ffermwr eisiau clirio erw o dir coed a gofynnodd i Wil o'dd profiad 'da fe o wneud gwaith fel hyn. 'Fues i yn y Sahara,' atebodd Wil. 'Ond sdim coed fanna,' meddai'r ffermwr. 'Dim *heddi*, nagoes,' oedd ateb sych Wil.

'Pe byddet ti'n gorfod rhoi'r gore i win neu wragedd, p'run fyddet ti'n dewis, Dai?' gofynnodd Wil.
'Wel, mae'n dibynnu ar y *vintage*!' medde ynte'n giwt.

Fe ofynnodd Cardi i'r pregethwr briodi ei ferch ar glos y fferm. Pam? Er mwyn i'r ieir gael y reis.

Fe roddodd y wraig 'co y gorau i chwarae golff gan ei bod yn methu â bwrw'r bêl. Nawr ma hi wedi prynu car newydd ac mae'n bwrw popeth!

Faint o'r gloch odych chi'n dechre gweithio yn y swyddfa 'ma?
Rhyw ddwy awr ar ôl cyrraedd.

Ro'dd dwy leian wedi rhedeg mas o betrol mewn *lay-by* ac ro'dd ar y ddwy angen mynd i'r tŷ bach ar frys, felly fe lenwon nhw'r can cario petrol â'u dŵr. Daeth plismon heibio a medde fe, 'Dw i ddim yn meddwl llawer am eich crefydd chi, ond jiw dw i'n edmygu'ch ffydd chi!'

Jac: Ga i wy, os gwelwch yn dda?
Gweinyddes: Ar dost?
Jac: Olreit, os nad oes platiau 'da chi.

Athro: Pa lythyren sydd ar ôl A?
Plentyn: Y lleill i gyd, Miss.

Athro: Beth allwch chi ddweud wrtha i am ffermwyr y ddeunawfed ganrif?
Plentyn: Ma nhw i gyd wedi marw.

Athro: Os ydych chi'n torri dau afal a dwy bersen yn ddeg darn, beth sydd gyda chi?
Plentyn: Salad ffrwythe.

Stopiodd plismon gar ar y ffordd a dweud wrth y gyrrwr nad oedd ei olau cefn coch yn gweithio. Meddai'r gyrrwr yn wyllt, 'Peidiwch â becso am y golau coch, ble yffach ma ngharafán i wedi mynd?'

Beth wnei di pan fyddi di'n fawr fel dy fam?
Mynd ar ddeiet.

Fe wnes dipyn o ddefnydd o'r straeon hyn a mwy ar lwyfan a hefyd fel siaradwr gwadd mewn ciniawau gyda nifer o gymdeithasau gwahanol ar hyd a lled y wlad. Blasais dwrci a phlwm pwdin droeon yn yr wythnosau'n arwain at y Nadolig, a byddai'r cymdeithasau Cymraeg i gyd yn gwledda i ddathlu Gŵyl Ddewi. Bob tro cyn cychwyn o'r tŷ, byddwn i'n atgoffa fy hun o'r geiriau hyn:

Bwyta'n gall, ond nid yn rhy dda
Siarad yn dda, ond nid yn rhy gall.

O ran bod yn berson cyhoeddus ac arwain nosweithi cymdeithasol ac adloniant lleol, gallaf ddweud fy mod wedi bwrw fy mhrentisiaeth gynnar trwy weithgarwch capel ac ysgol Sul, trwy gael y cyfle i gymryd rhan mewn oedfaon ac i ddibynnu ar gof yn hytrach na darn o bapur.

Y tu hwnt i Land'och lledodd y gorwelion i fi tra oeddwn yng Ngholeg y Barri. Pan ymunodd Norah Isaac â staff y coleg, roedd ei brwdfrydedd heintus dros sefydlu ysgolion cynradd trwy gyfrwng y Gymraeg os rhywbeth wedi ychwanegu at y cyfleoedd cyhoeddus hyn. Gofynnai Norah i fi arwain y nosweithi llawen ac i drefnu rhaglenni yn cynnwys cyfraniadau fy nghyd fyfyrwyr. Cefais lawer o gintach a chwyno gan rai o'r merched oedd yn gorfod teithio er mwyn cymryd rhan mewn cyngherddau mewn mannau mor bell i ffwrdd ag Abertawe a

Maesteg. Nos Sadwrn oedd yr unig noson rydd mewn wythnos brysur iawn i ni fyfyrwyr, ac roedd llygaid rhai o'r merched ar bethau nad oedden nhw i'w cael ar raglen noson lawen. Bu'n rhaid iddyn nhw wrando ar fy storïau drosodd a throsodd, druan â nhw, ond teimlwn fod y gwaith arloesol a'r ymgyrchoedd i godi arian dros gymdeithasau, a oedd mor weithgar yn ceisio sefydlu ysgolion Cymraeg, yn waith pwysig iawn. Ac edrychwch ar y gwyrthiau sy'n digwydd yn ne Cymru heddi!

Doedd yr un ferch erioed wedi ei gwahodd i arwain Gŵyl Fawr Aberteifi erioed o'r blaen. Bu Tomos y Fet a Gwynfi Jenkins yn arwain y digwyddiad pwysig hwn yng nghalendr diwylliannol yr ardal yn ddeheuig iawn cyn i fi gael y gwahoddiad. Roedd y fraint o fod y ferch gyntaf i arwain yr Ŵyl yn fy nghyffroi'n ddirfawr. Cofiwch, bu llawer o anfodlonrwydd o du rhai elfennau ceidwadol eu natur am y syniad o gael merch yn arwain. A'n gwaredo! Ond, mentro wnes i, a bues i wrthi yng nghwmni Berwyn Williams yn arwain y cystadlaethau eisteddfodol am ugain mlynedd a rhagor yn y babell fawr. Mae'n hyfryd gweld y rhai a gyflwynais yn ifanc iawn ar lwyfan yn datblygu'n enillwyr cenedlaethol wedyn.

Gofynnodd rhywun i fi unwaith, 'A gawsoch chi gynnig i arwain ar lwyfan yr Eisteddfod Genedlaethol erioed Mair?'

'Naddo, diolch am hynny,' atebais heb ddim grawnwin sur o gwbwl. Falle fod un o'r teulu'n ddigon, oherwydd bu Carey, fy mrawd, yn un o'r arweinyddion ar lwyfan Eisteddfod Genedlaethol Cymru Aberteifi yn 1976. Ac er nad wyf erioed wedi arwain ar lwyfan y Brifwyl, dw i wedi bod yn beirniadu mewn eisteddfodau lleol ers blynyddoedd ac yn tafoli adrannau llefaru, canu a dawnsio gwerin eisteddfodau cylch yr Urdd ac yn sirol. Byddai ambell i eisteddfod yn para tan oriau mân y bore; wel, doedd dim gorffen yn gynharach na'r amser y flwyddyn gynt i fod. Gwnâi ambell i drefnydd bwynt o dreio ymestyn noson er mwyn curo'r cloc. Ganol gaeaf gerwin bu bron i fi fethu â chyrraedd adre sawl tro. Dw i'n cofio beirniadu gyda Gwynfi Jenkins ym Mhonthirwaun a'r drws yn agor a dyn yn gweiddi mas, 'Os odych chi am fynd gatre, gwell i chi fynd nawr!' Mae'n debyg ei bod yn wyn dan eira y tu fas.

OND OS GOFYNNWCH i fi beth sy'n gwneud arweinydd da ar noson lawen, fe ddweda i wrthoch chi: adnabod natur y gynulleidfa yw'r gyfrinach, ymateb yn fyrfyfyr a chadw pethe i fynd, dyna'r pethe pwysig. Gall cerdded mas i fôr o wynebau mewn neuadd lawn fod yn brofiad eitha brawychus, ac mae'n hollbwysig cael y gynulleidfa o'ch plaid o'r brawddegau cyntaf oll. Cofiwch, mae'r noson gyfan yn eich dwylo chi, fyddwch chi ar y llwyfan yn amlach na'r gwesteion, ac mae'n rhaid i chi fwynhau eich hun hefyd. Oni bai fy mod i'n cael pleser wrth arwain, fyddwn i ddim wedi ei wneud e am gymaint o flynyddoedd, credwch chi fi! A sut dw i'n dal sylw'r gynulleidfa? Wel, ma nhw'n bownd o sylwi arna i i ddechre, achos dw i'n jogel o faint ac ma'r llais yn teithio'n bell heb yr un meicroffon. Fydda i wastad yn agor y noson gyda stori sy'n gysylltiedig â'r ardal mewn rhyw fodd er mwyn creu digrifwch yn syth.

'Slawer dydd, cyngerdd o ddoniau lleol mewn awyrgylch gartrefol oedd Noson Lawen i bob pwrpas. Fe ddaeth yr enw a'r patrwm sy'n gyfarwydd i ni heddi o raglenni radio Stiwdio

Bangor ddechrau'r pedwardegau gyda Thriawd y Coleg a'r Co Bach yn serennu. Canu ac adrodd oedd cynnwys ein nosweithiau lleol ni'n bennaf, ond gwelwyd bod modd cael llawer o hwyl o ddarnau llafar a sgetshys yn dilyn poblogrwydd y rhaglen *Noson Lawen* ar y radio. Sgetsh oedd yn mynd lawr yn dda bob amser oedd honno lle'r oedd yna gysylltiad cryf iawn â digwyddiad lleol fel potshan, etholiad plwyf neu ddirwy i berson adnabyddus yn yr ardal a'r gynulleidfa'n rowlio chwerthin o wybod beth oedd cyd-destun y cefndir. Weithiau byddai ambell griw yn mentro cynnwys enwau pobol go iawn yn y sgetsh, a doedd neb yn becso am hynny chwaith, hwyl a sbri oedd y cwbwl.

Doedd neb yn ofni cael ei gyhuddo o hiliaeth neu wahaniaethu oherwydd ei oed, maint, anabledd neu rywbeth arall ar lwyfan. Doedd ystyr presennol y gair hoyw ddim yn bod hyd yn oed bryd 'ny. Ond fyddai yna ddefnydd am bobol wahanol, boed yn dew, tenau, twp, byddar, dall, gwryw neu yn fenyw hyd yn oed! Fel arlunydd cartŵn, gorliwio rhai agweddau mae'r storïwr er mwyn digrifwch a'r elfen wahanol honno oedd yr hyn oedd yn ei gwneud yn stori ddoniol. Ond nid malais fyddai achos y chwerthin, dim ond rhannu adnabyddiaeth, yr un ydyn ni i gyd yn y bôn. Roedd angen straeon newydd yn gyson hefyd, a ganwyd sawl stori o'r amrywiaeth gogoneddus oedd yn y gymdeithas. Galwai pobol o India heibio i'n tŷ ni yn gwerthu teis sidan a nwyddau eraill ac fe ddatblygon nhw'n gymeriadau mewn sgetshys a straeon.

Ond gwneud sbri ar fy mhen fy hun oeddwn i bob tro a chreu straeon o 'nghefndir innau. Daeth hi'n ffasiwn yn y ffeiriau slawer dydd i chi sefyll ar beiriant i gael eich pwyso, yna byddai'r peiriant yn dweud beth oedd eich pwysau. Meddai peiriant wrtha i un diwrnod, 'Un ar y tro, plîs!' Chwerthin diniwed a'r dweud didwyll yn siŵr o gydio. Gall cynulleidfa weld drwy stori nad yw'n taro deuddeg yn eitha cyflym. Byddai straeon am ysgol a phlant ysgol yn mynd lawr yn dda bob amser ac fel athrawes roedd profiad go iawn gen i o sawl hanesyn digri. Ond doedd dim rhaid eu bod nhw wedi digwydd go iawn i fi chwaith; clywais hanesion doniol gan athrawon ac yna byddwn yn toddi'r stori honno i mewn i un arall. Er mwyn cael stori nad oedd neb wedi clywed amdani, roedd angen rhywbeth gwir yn sail iddi. A dweud y gwir, does dim llawer o straeon benthyg 'da fi. Wedi dweud hyn, ers ymddangos ar y teledu mae sawl un wedi gwneud defnydd o fy straeon *i*. Addasu profiadau i greu straeon fyddwn i, nid dweud jôcs. Hyd yn oed os byddai trefnydd noson yn dweud fod llawer o Saeson yn y gynulleidfa, fyddwn i byth yn cyfieithu stori. Wel fyddai hi ddim yn gweithio yn Saesneg beth bynnag.

Os gwerinol oedd y nosweithi llawen cynnar, roedd yna ganu o safon arbennig. Byddai capeli'r cylch fel Blaenwaun yn perfformio oratorio ac roedd operâu'n cael eu perfformio yn yr ysgol uwchradd. Felly, roedd cytganau clasurol a phoblogaidd yn rhan o arlwy'r corau a berfformiai ar lwyfan. Gwahoddwyd enillwyr yn eisteddfodau'r Urdd a'r Genedlaethol fel unawdwyr arbennig, ac os oedd tenor a soprano yno byddai'r ddeuawd boblogaidd 'Hywel a Blodwen' yn siŵr o gael ei chanu. Unawdau Cymreig poblogaidd y cyfnod oedd caneuon fel 'Nant y Mynydd' ac 'O na byddai'n haf o hyd,' a'r rhain yn dal i fod yn ganeuon a glywn ni heddi mewn cystadlaethau. Doedd byth unawd mewn iaith dramor yn cael ei chanu ar lwyfan y noson lawen chwaith. Cyflwynais amryw o unawdwyr, ac yn eu plith y tenor ifanc Dai Jones, Llanilar gyda'i ddigrifwch naturiol cefn llwyfan yn amlwg ymhell cyn iddo fynd yn un o sêr y sgrin.

Un o'r hen ganeuon poblogaidd oedd 'Llam y Cariadau' lle ail-adroddir y frawddeg 'Mae dydd ein priodas yn nesu' â'r cyweirnod yn mynd yn uwch bob tro. Wrth i'r gân fynd yn ei blaen, rwy'n cofio rhywun o'r gynulleidfa'n gweiddi mas 'Pryd ma'i fod te?' Chwerthinodd y gynulleidfa a'r unawdydd druan yn methu â chario mlaen. Roedd llawer o ymateb gan gynulleidfaoedd bryd hynny, sy'n wahanol iawn i heddi, gydag ambell i ardal yn ffraeth iawn wrth ymateb, fel ardal Maenclochog.

Daw stori i gof nawr am y 'solo twps' mewn eisteddfod, sef cystadleuaeth ar gyfer rhai oedd heb ennill o'r blaen wrth i ddyn o'r gynulleidfa weiddi mas, 'Ma honna wedi'i cha'l hi o'r bla'n!' Gofynnodd yr arweinydd i'r dyn, 'Ble?' Mewn eiliad, fe waeddodd rhywun yn ôl, 'Yn y sied tu ôl i'r neuadd!' Roedd tynnu coes yn rhan o'r hwyl ac roedd trueni gyda fi am ambell un oedd yn trio perfformio. Gyda'r hwyr y cynhaliwyd y solo twps ar ôl i'r tafarnau gau a doedd dim nerfau o gwbwl ar ambell i ddyn meddw wrth gamu i'r llwyfan neu wrth barablu yng nghefn y neuadd. Un peth sy'n sicr, byddai naws noson yn newid wrth i'r cloc symud yn ei flaen a'r tafodau ddechrau llacio.

Roedd hi'n beth cyffredin gweld neuaddau pentre dan eu sang mewn noson lawen, a fues i mewn cyngherddau mewn sawl festri hefyd am eu bod yn fwy o faint; llefydd fel festri Tabernacl Treforys sy'n lle mawr iawn â lle i lawer iawn o bobol. Wedi dyfodiad y rhaglen deledu *Noson Lawen* gwelwyd y gynulleidfa'n eistedd ar fêls gwellt i greu naws gwledig ac anffurfiol. Byddai'r sied ar y fferm yn cael ei golchi'n arbennig ar gyfer recordio'r *Noson Lawen*, ac yn y cylch hwn daeth siediau ffermydd Treriffith a Penwern-ddu yn enwog ym mharlyrau'r genedl. Er i fi arwain nosweithi llawen am flynyddoedd, teimlais hi'n fraint cael gwahoddiad gan Huw Jones o S4C i arwain y rhaglen deledu *Noson Lawen*, a fi oedd y fenyw gyntaf i wneud hynny. Byd dynion oedd byd arwain a chreu chomedi – wrth i fi lenwi'r sgrin, fe agorwyd y drws fenywod eraill i gamu i'r un maes.

O GYMRYD RHAN mewn amryw o ddigwyddiadau a gweithgareddau yn eglwys Blaenwaun, yn y coleg, gydag Aelwyd yr Urdd, mewn eisteddfodau a nosweithi llawen hefyd fe dyfodd fy hunanhyder, ac roeddwn yn mwynhau'r profiadau, rhaid dweud. Oes oedd gennyf ddawn i ddiddanu ac i fod yn gyhoeddus, roeddwn yn barod i ddefnyddio'r ddawn honno yn y capel hefyd.

Y Parchedig T. R. Jones oedd yn weinidog ar gapeli'r Bedyddwyr yr ofalaeth drws nesa i ni, a bu yntau'n gyfrifol am fy nhywys i gyfeiriad y pulpud. Roedd yn awyddus i gael rhywun addas i annerch y bobol ifanc mewn cyfarfodydd arbennig yn Ebeneser. Ond wedyn daeth y *Teifi-seid* i chwarae rhan hefyd, oherwydd i'w colofnau Cymraeg gyhoeddi hanesion pawb a phopeth gan gynnwys fy enw i a'r manylion am yr anerchiad. Roedd y prinder gweinidogion yn peri tristwch mawr i fi ac yn sydyn daeth swnami o wahoddiadau. 'Dewch wir i'n helpu ni. Dewch i bregethu, 'sda ni neb i gal 'ma.'

Fe gydymdeimlwn i'n fawr â'r ysgrifenyddion oedd yn chwilio am rywun i bregethu ar y Sul, a bues i'n gwasanaethu ac yn pregethu gyda phob enwad o ganolbarth Ceredigion i lawr i Abergweun. Roeddwn wedi annerch cynulleidfaoedd niferus dros Gymru gyfan fel llywydd chwiorydd yr Undeb, ond wrth ymweld â chapeli drwy gefn gwlad a threfi roeddwn yn gweld ac yn teimlo'r trai mewn aelodaeth, o ran Cymry Cymraeg ac mewn teyrngarwch a ffyddlondeb i eglwysi. Roeddwn i'n aelod o eglwys gaeth gymunol, ond ro'n i'n teimlo anesmwythyd wrth weld merched yn priodi ag aelodau o enwadau eraill a hwythau yn eu tro ddim yn cael cymuno â ni. Fe wrthodais y gwahoddiad i gymryd gofal o oedfa ac offrwm ordinhad sacrament y Cymun Sanctaidd oherwydd teimlwn mai dim ond gweinidog ordeiniedig a gawsai'r fendith a'r hawl i wneud hynny.

Gofynnwyd i fi gan rywun a oeddwn wedi pregethu yn un o gapeli'r Undodiaid erioed. Mae'r ateb a rois yn stori ddifyr ei hun. Roedd Capel y Bedyddwyr yn Aberaeron wedi cau a drain yn ei orchuddio, ond daeth cais oddi wrth yr Undodiaid i'w logi a'i ddefnyddio gan eu haelodau hwythau. Roedd yn rhaid i'r aelodaeth drafod y mater hwn o ddifri, ac mewn cyfarfod sirol gyda'r Bedyddwyr cododd y Parchedig W. J. Gruffydd ar ei draed, ac yn ei ffordd ddihafal ei hun dywedodd, 'Y'ch chi'n siarad am golled, yr unig golled rwy i'n ei weld yw bod rhyw wraig yn mynd i golli cynnwys ar gyfer tarten fwyar bob blwyddyn!' Crychwyd ambell dalcen a chrafu pen cyn iddyn nhw sylweddoli bod drain a mieri'n tyfu'n drwch dros riniog a drws y capel wedi iddo gau. Fe gafodd yr Undodiaid yr hawl i ddefnyddio'r adeilad ar gyfer eu gwasanaethau eu hunain yn y diwedd. Ac ymhen amser, cefais i, fel Bedyddwraig, wahoddiad i bregethu yno gyda'r Undodiaid, fel dywedodd ei hysgrifennydd, 'Gewch chi bregethu, os ydych chi eisiau . . . ar fedydd.'

PAN OEDDWN yn y coleg yn y Barri roedd Norah Isaac eisoes yn cynnal ymgyrch gref dros sefydlu ysgolion Cymraeg eu cyfrwng ac roedd llawer o rieni, yn enwedig yn ne Cymru, yn gefnogol i'r syniad o sefydlu ysgolion o'r math. Roeddent eu hunain wedi eu hamddifadu o'r Gymraeg ond yn awyddus i'w plant gael addysg trwy gyfrwng y Gymraeg.

Tyfodd y syniad o sefydlu Mudiad Ysgolion Meithrin er lles plant nad oedden nhw'n clywed y Gymraeg ar eu haelwydydd. Doeddwn i na rhieni Lland'och, na llawer man arall yng Nghymru mae'n siŵr 'da fi, ddim yn ymwybodol o fodolaeth mudiad o'r fath yn y chwedegau. Roedd llawer o blant wedi dechrau yn yr ysgol yn ifanc iawn dros y blynyddoedd.

Oherwydd fy mod wedi gadael dysgu am gyfnod er mwyn magu'r plant, gofynnai amryw o famau i mi, 'Beth am sefydlu ysgol feithrin yn Lland'och? A fyddech chi'n barod i'n helpu ac i arwain yr alwad?'

Bues yn dychmygu un plentyn yn hiraethu am ei fam yng nghanol corws o'r lleill yn sgrechen ac wban yn ddidrugaredd – Emyr y mab fyddai'r yr un bach trist hwnnw, ro'n i'n sicr. Ymhen ychydig amser, galwyd cynulleidfa ynghyd gan y Parchedig W. H. Rowlands, gweinidog eglwys Blaenwaun, a oedd yn byw yn Rhos-gerdd ar y pryd. Roedd yntau wedi dod o Abertawe lle'r oedd ysgolion meithrin wedi eu sefydlu'n barod ac wedi cydio a ffynnu ymhlith teuluoedd y ddinas. Ffurfiwyd pwyllgor, ac yn dilyn y gweithgaredd cytunodd aelodau Blaenwaun i ryddhau festri Bethsaida am ddim i'w defnyddio fel ysgol feithrin y pentre a'r cyffinie. Ces wahoddiad i fod yn athrawes ar yr uned a chytunais ar yr amod bod fy mab yn barod i ddechrau yn yr ysgol gynradd gyntaf. Cefais gymorth Lal Llywelyn, merch o Fynachlog-ddu, a daeth deunaw o blant ynghyd ar y bore cyntaf. Fe ddechreuwyd ar ddau fore'r wythnos cyn ymestyn i dri bore wedi i'r ysgol sefydlu yn iawn. Byddai llawer o blant yn dod o ardaloedd anghysbell fel Cipin gan fod eu rhieni'n awyddus iddynt gymdeithasu â phlant eraill, ac roeddent yn ddiolchgar iawn am y cyfle hwnnw. Swydd ddi-dâl oedd hi ar y pryd, ond roedd gennym bwyllgor brwdfrydig a gweithgar i godi arian ac i gyflenwi'r ysgol feithrin ag offer a llyfrau angenrheidiol. Cynhaliwyd sawl bore coffi a nifer o ffeiriau er mwyn codi arian, fel y gallwch chi ddychmygu.

Gosodwyd carpedi ar y llawr, a thynnwyd dodrefn trymion y festri ynghyd i wneud byrddau ac i atal y plant rhag agor drysau. Roedd gennym biano yno'n barod a dysgwn hwiangerddi a rhigymau i'r plantos mân. Bues i'n mynychu cyrsiau ar addysgu babanod a phlant meithrin, ond roeddwn yn gyfarwydd â chyfundrefn felly yn ardal y Barri lle'r oedd ysgolion meithrin Saesneg eu hiaith eisoes wedi'u sefydlu. A hyd yn oed yn Lland'och gwelais iaith y cartrefi'n newid a'r Gymraeg yn cael ei dyfrhau a'i gwanhau gan briodasau cymysg o ran iaith.

Gan fod Carys yn byw yn yr Almaen, mae'n ddiddorol i fi weld sut maen nhw'n gwneud pethe fan 'na. Mae'n debyg mai *kindergarten* sydd ganddyn nhw a bydd y plant yn mynychu'r ysgol gynradd o chwe mlwydd oed hyd at ddeg. Roedd y plant wrth eu bodd yn canu, ac roedd yn syndod mawr i fi faint y medrent ei ddysgu ar y cof yn ystod eu blynyddoedd cynnar iawn. Bûm i'n athrawes yn yr ysgol feithrin am flynyddoedd a bu nifer, gan gynnwys Lal Llywelyn, yn gymorth i fi.

Wedi cyflawni'r deng mlynedd gyntaf derbyniais gloc sy'n dal i gadw'r amser yn Bell View. Bu'r nifer ar y gofrestr yn gyson trwy'r amser, ac ymhen amser cryfhaodd yr alwad am leoedd nes i ni orfod cael rhestr aros. Mae Ysgol Feithrin Lland'och yn parhau hyd heddi ac wedi esblygu a thyfu trwy gyfnodau yn Ysgol y Capel wedi i'r adeilad ddod yn wag a'r plant yn ymuno â'r ysgol gynradd. Bu'r ysgol feithrin am gyfnod yn neuadd y pentre ond bellach mae'n uned swyddogol sy'n rhan o'r ysgol gynradd ac mae galw mawr am ymrestru yn yr uned feithrin yno yn ogystal â'r cylch Ti a Fi. Trwy'r mewnlifiad mae natur ieithyddol y gymdeithas wedi newid, ond eto mae'r galw'n parhau.

Pob hwyl a dyfodol disglair i Ysgol Feithrin Lland'och ac yn wir i'r mudiad cenedlaethol. Dw i'n falch iawn i fi fedru cyfrannu ychydig at ddatblygiad yr uned yn fy mhentre bach i. Ac mae'r cof am fy nghyfnod ymhlith y cywion bach yn felys iawn.

BU'R ERGYD o golli fy rhieni mor agos at ei gilydd a finnau'n ferch ifanc, ar drothwy fy nghyfnod yn y brifysgol yn brofiad ysgytwol ac mae effaith y profiad hwnnw'n barhaol. Mam oedd y llaw a fu'n siglo'r crud a bu ei gofal a'i hymroddiad doeth yn cerdded gyda fi gydol fy oes. Fe ddysgais gymaint oddi wrthi. Os cawn fy mendithio â phlant, roedd esiampl fy mam yn mynd i fod yn rhan annatod o fy mhenderfyniad i aros gartref gyda'r plant.

Yn ystod magwraeth gynnar Carys, ein plentyn cyntaf, bu 'nghyfnither yn ei gwarchod pan ddychwelais i'm swydd yn Ysgol Lland'och. Ond pan dyfodd un yn ddau, a dau yn dri penderfynais fy mod i am aros gartref gyda'r plant er mwyn rhoi'r un fagwraeth iddynt ag a gefais i gan fy mam.

Pan oedd y plant yn fach, dw i'n cofio cael galwad ffôn oddi wrth Granville John, prifathro ysgol gynradd Crymych ar y pryd. Byrdwn ei neges oedd, 'Mair, mae swydd newydd wedi ei chreu o fewn Dyfed ar gyfer Sir Benfro'n benodol, swydd ddelfrydol i chi, Mair – swydd athro bro.' Meddyliais am funud, swydd athro peripatetig – neu fel ddwedodd rhywun, a very pathetic teacher!

Aeth Granville ymlaen, 'Mae'n swydd wahanol iawn. Gofalwch eich bod yn ceisio amdani. Mae'r prifathrawon i gyd yn eich adnabod yn dda. Fe fyddan nhw'n eich croesawu'n ddiamod ac maen nhw'n gwbod am eich doniau a'ch gallu i ysbrydoli. Dy'n nhw ddim eisiau rhywun â chynlluniau newydd sy heb eu profi ac yn ddieithr i'r bröydd a'u treftadaeth.'

Ni fyddai'r *guinea pigs* siŵr o fod. Gyrrais gais ysgrifenedig i mewn gyda hanes fy mhrofiad fel athrawes ac un neu ddau o lythyron o gymeradwyaeth, rhag ofn. Ces ddau gyfweliad, un yn Hwlffordd ac un ym Mhibwr-lwyd, Caerfyrddin. Teifryn Michael oedd yr unig ymgynghorydd yn Swyddfa'r Sir ac roeddwn yn adnabod Teifryn yn dda iawn a bu cydweithrediad hyfryd rhyngom ar hyd yr amser. Penodwyd dwy athrawes fro i'r sir, fi yn rhan ucha'r sir ac Ann James, y Broyan, yn rhan isa'r Fro Gymraeg. A beth yw mwy nag un wraig? Trwbwl!

Ar y pryd doedd dim bwriad i anfon athrawon bro i lawr i ardaloedd Penfro a Dinbych-y-pysgod i'r 'Little England beyond Wales'. Roeddwn i'n gyfrifol am ryw bymtheg o ysgolion cynradd yn y rhanbarth gogleddol, ac ychydig yn ôl bues i'n cyfri'r ysgolion cynradd gwledig sy wedi cau ers fy nyddie i fel athrawes fro: Trewyddel, Hermon, Blaen-ffos, Bwlchygroes, Aber-cuch, Glan-rhyd, Glandŵr, Mynachlog-ddu, Capel Newydd, Llanddewi Felffre, Pen-ffordd . . .

Ar y dechrau, cynnal cyrsiau i athrawon fyddwn i gyda'r athrawon bro eraill. Pan ddatblygwyd Cynllun y Porth, roedd rhaid cyflwyno'r dulliau newydd a siarad am y cynllun a sut i'w ddefnyddio mewn ymgais i wella safon y Gymraeg yn llafar ac yn ysgrifenedig.

Daeth y teid mowr i mewn o du draw i Glawdd Offa a bron â boddi'r cyfan. Byddai'r teuluoedd Seisnig yn prynu pob bwthyn a thyddyn yng nghefn gwlad bron ac roedd rhaid atal y teid ar fyrder. Fe sefydlwyd canolfan iaith yn Ysgol y Preseli, Crymych fel mewn sawl ardal arall debyg. Cawsai'r hwyr-ddyfodiaid gymysgu â'i gilydd a dysgu'r iaith mewn cwmni. Byddai'r rhai a gafodd ychydig addysg yn y Gymraeg mewn ysgolion ar ris uwch o ran eu profiad wrth gwrs ac roedd yn fantais iddyn nhw.

Byddwn yn galw yn Ysgol Uwchradd y Preseli yn gyson i weld faint o gefndir Cymraeg a Chymreig oedd gan y disgyblion. Byddai rhai'n cyrraedd yr ardal ar ddydd Sadwrn ac yn mynd i'r ysgol uwchradd ar y Llun heb fod wedi clywed am Gymru na'r iaith Gymraeg. Fe gawson nhw'r sioc ryfedda o glywed y pennaeth yn siarad Cymraeg yn y gwasanaeth boreol. Rwy'n cofio un crwt yn dweud wrtha i, 'I'll never forgive my father for bringing me to this hole!'

Welsoch chi erioed fro mor brysur yn gymdeithasol ac yn ddiwylliadol, ac mae'n parhau felly. Gallech feddwl bod y mewnlifiad wedi symud i'r lleuad! Lynn Childs oedd yn gyfrifol am y ganolfan iaith yn yr ysgol ar y pryd. Hanai ei gŵr o Wdig ac roedd hithau wedi dysgu'r Gymraeg. Wrth alw yn y ganolfan un diwrnod gofynnais iddi, 'Beth yw'r holl Saeson 'ma?' Gwelais y wên ar ei hwyneb fel haul gwanwyn yn diflannu tu ôl i gwmwl. Yn sydyn sylweddolais fy nghamgymeriad yn dweud peth mor fyrbwyll am Saeson yn symud i'r ardal heb fecso am y Gymraeg. Ceisiais ymddiheuro ond roeddwn wedi dweud yr hyn a ddywedais erbyn 'ny.

Roedd yn fantais fawr i'r hwyrddyfodiaid fynd i'r ysgolion cynradd yn gyntaf, os oedd hynny'n bosibl, lle caent eu boddi'n llwyr yn y Gymraeg. Roedden nhw'n dod i'r ysgol uwchradd yn ddwyieithog wedyn.

Awn â charfannau o wyth deg o blant ar y tro i Wersyll yr Urdd, Llangrannog ac i Bentywyn yn Sir Gâr. Os oedd lle mwy dienaid, digysgod a heb ramant na Phentywyn ym mherfeddion gaeaf, wyddwn i ddim amdano! Fel y dywed y bardd 'mis tuchan yw mis Tachwedd' ac roedd rhaid paratoi cyfres o wersi ymarferol a difyr i bara am wythnos gyfan, o fore Llun i brynhawn Gwener, a hynny mewn oerni parhaol. Doedd dim pwll nofio yno, dim ond y teid tragwyddol yn dod miwn a mynd mas yn gyflym iawn ar y tywod gwastad a hynny yng nghwmni symffonïau'r gwyntoedd tymhestlog. Cawsom fwyd da, sesiynau o ddawnsio gwerin a chwmnïaeth wresog i wneud y cyfan yn werth chweil. Rwy'n cofio mynd yn sownd yn y llaid heb welingtons gyda'r criw, a Peter Hughes Griffiths – un o'r cryts o'n i'n eu cofio o 'nghyfnod hyfforddi yn ysgol Pen-boyr – yn gorfod 'y nghario yn ei freichie, ro'dd e dipyn yn iau bryd hynny cofiwch. Roedd cefnogaeth y rhieni'n galonnog hefyd ac yn tyfu gyda nifer yn awyddus i'r dysgu barhau.

O fyw yn Lland'och roeddwn yn ymwybodol o deidiau mowr y gwanwyn a'r hydref. A phan ddaw teid mowr miwn ma teid mowr ym mynd mas. Ac allech chi ddweud bod yr un peth yn wir gyda llanw'r hwyrddyfodiaid diddiwedd. Dim ond mewn pryd y sefydlwyd athrawon bro a chynlluniau cyffelyb i atal llawer o'n diwylliant a'n gwerthoedd ieithyddol a chymdeithasol rhag mynd i ebargofiant i'r cefnfor a'r gorwel pell yn ddiddychwel. Oni bai am frwdfrydedd yr holl athrawon bro, athrawon ysgolion cynradd ac uwchradd a'r awdurdodau, byddai llawer mwy wedi'u golchi i ffwrdd gyda'r teidiau.

Dydw i ddim yn digalonni er mod i'n danto ar brydiau. Heddi, mae plant yn siarad Cymraeg yng ngŵydd yr athrawon y tu mewn i'r dosbarthiadau ac yn rhy amal yn siarad Saesneg ar yr iard a'r tu allan. Doedd hynny ddim yn digwydd yn fy ieuenctid i. Roedd y gymdeithas yn ddigon cryf yn ieithyddol bryd hynny i gynnal y Gymraeg ym mhob agwedd ar fywyd – y cartref, y capel a'r ysgol.

Roeddwn yn dysgu Saesneg i blant yn yr ysgol fach ac roedd y plant yn cyrraedd safon gydradd i'r Gymraeg erbyn iddi ddod yn bryd iddyn nhw fynd i'r ysgol fowr. Y beibl ieithyddol yn Saesneg ar y pryd oedd y *First Aid in English* ac roedd eisiau cymorth cyntaf ar lawer ohonom. Fe'i llyncwn, p'run a oeddem yn ei ddeall ai peidio. Cynghorwn fy nisgyblion wrth iddyn nhw baratoi i sefyll aroliade, 'Peidiwch hala'r papur 'nôl yn wag, beth bynnag newch chi. Dangoswch eich bod wedi meddwl.'

Yn ystod arholiad byddwn yn parado 'nôl a mla'n rhwng y rhesi ac yn cael pip bach fan hyn a fan co! Dw i'n cofio un dasg oedd gerbron ar un diwrnod oedd cynnig geiriau cyfystyr i'r geiriau ar bapur. Fe sylwes fod un crwt wedi ysgrifennu 'ex-spaniel' gyferbyn a'r gair 'outside'. Jiw, we'n i ar goll am funud a gofynnais iddo wedyn, 'Beth o't ti'n feddwl wrth ysgrifennu *ex-spaniel*?'

'O, we'n i'n gwbod ei fod rhywbeth i neud â ci. Ffeiles i gofio *ex-terrier* ar y pryd ac ysgrifennes i *spaniel* lawr yn lle gadel lle gwag.' Whare teg iddo.

Erbyn heddi mae amryw o rwystrau neu argae môr wedi eu

gosod i atal erydu tebyg i'r hyn a welwyd yn y blynyddoedd diwethaf. Dw i'n byw mewn gobaith nad aiff y teid allan mor bell gan gario llawer o'n diwylliant gydag e. Pan ddaw'r teid mowr nesa ni fydd ar yr un patrwm. Mae dulliau addysg wedi newid gymaint, ac mae'r duedd bellach i gau ysgolion bach am resymau ariannol a chreu ysgolion ardal yn eu lle. Efallai daw cyfathrebu trwy deledu a chyfrifiaduron yn fwyfwy pwysig, pwy a ŵyr?

Ymddeolais o fod yn athrawes fro pan oeddwn yn un a thrigain oed, wedi cael oes o brofiad a mwynhad.

MAE RHAID i unrhyw un fod yn fore iawn i 'nala i. Doedd dim smic na sôn am yr hyn oedd i ddigwydd, ond roedd Jeff wedi cael gwbod a bu'n chwilio am luniau addas i'w dangos a gwybodaeth am fanylion amdanaf ar hyd llwybr bywyd. Sut cadwodd e'r cyfan yn gyfrinachol, dwi ddim yn gw'bod!

Digwyddodd y pethau hyn yn ystod cyfnod pan oeddwn yn pregethu'n lleyg. Derbyniais wahoddiad i fynd i gapel Hermon y Bedyddwyr yn Abergweun yn ystod 1994 ar ddiwrnod fy mhen-blwydd – dyma lle bu fy nhad yn aelod unwaith. Fe ddychwelais adre i Bell View ar ôl yr oedfa foreol i weld a oedd y plant a Jeff yn iawn. Yn wir, gofynnais i Jeff wedyn, 'Pam na ddei di lawr gyda fi i'r oedfa heno i Hermon? Fe gei di ddreifo fi lawr 'na.' Atebodd yn annisgwyl, 'Na . . . ma pethe eraill mla'n 'da fi.'

Feddylies i ddim rhagor am y peth, pwyllgor y capel falle.

Ond yr hyn nad oeddwn i'n ei wybod oedd bod diaconiaid Hermon i gyd yn gwybod am yr hyn oedd i ddigwydd a chawsant ganiatâd i gwrdd â fi wrth y fynedfa. Doedd dim anghyffredin yn hynny ar y pryd wrth gwrs. Ar ddiwedd yr oedfa es allan ac i lawr y grisiau llydan, ac wrth ddisgyn pwy welais i ar waelod y grisiau ond Arfon Haines Davies a gofynnais iddo heb feddwl dim, 'Beth y'ch chi'n 'neud ffor' hyn?' Edrychodd arna i gyda rhyw wên ddireidus ar ei wyneb, 'Pen-blwydd hapus!'

Bu bron i fi bango yn y fan a'r lle. Yr oedd wir yn ddiwrnod pen-blwydd arnaf y diwrnod hwnnw. Ond shwd oedd e'n gwbod?

'Be sy'n dilyn 'te?'

'Dwi am i chi ddod yn y car gyda fi.'

A dyna lle'r oedd car crand yn sglein i gyd yn disgwyl amdanaf, ond feddyliais i ddim am edrych yn ôl ar wynebau direidus diaconiaid ac aelodau Hermon ar ben y grisiau.

'I ble ry'n ni'n mynd?' holais yn llawn busnes.

'Gewch chi weld. Mi fyddwch chi'n gyfarwydd â'r ffordd.'

Ymhen ychydig amser aethon ni'r holl ffordd lan i Aberteifi ac i Theatr Mwldan er mwyn recordio'r rhaglen deledu *Pen-blwydd Hapus.*

'Dewch mewn gyda fi,' meddai Arfon ac fe ddilynais yn ufudd. Wrth fynd i mewn roeddwn yn ymwybodol fod y lle yn orlawn. Cefais gynnig gwisgo rhywbeth llai ffurfiol yn hytrach na dillad Sul, addas i bulpud ac oedfa. Roedd y cynhyrchwyr a meistres y gwisgoedd o'r cwmni teledu wedi bod draw yn Bell View ac wedi twrio trwy'r wardrob gyda Jeff. Feddylies i erioed y byddai Jeff yn gwybod y gwahaniaeth rhwng dillad bob dydd i hamddena a dillad y Sul. Ces lond wyneb o golur, powdwr a phaent, o flaen gwydr mawr wedi ei oleuo gan fwa o oleuadau trydan. Ond doedd dim syniad gen i pwy oedd i ymddangos ar y rhaglen. Roedd pawb wedi eu cuddio'n gyfrinachol iawn . . . rywle!

Dechreuodd y 'ffair' dan oleuadau llachar y teledu. Eisteddwn wrth ymyl Arfon Haines Davies ac wedi cyflwyniad byr i'r gynulleidfa niferus yn y duwch y tu hwnt i'r goleuadau, dechreuodd ganolbwyntio ar y cyfnod pan oeddwn i'n dysgu yn Llwynihirion. A phwy ddaeth ymlaen ar y llwyfan ac i mewn i'r goleuni, ond Jenny. Adroddodd hanesion difyr iawn am ddyddiau ein hieuenctid ac roedd hithau yn gamster ar eu dweud. Roedd yn sicr yn ddechrau byrlymus i'r rhaglen. Yna trodd Jenny ei sylw at un stori a digwyddiad arbennig pan aethom i fyny gyda pharti cyd-adrodd i Eisteddfod Genedlaethol yr Urdd yn Nhreorci yn 1947. Roedd y ddwy ohonom yn lletya mewn cartre i löwr yng Nghwm-parc. Ar y noson arbennig roedd yn bwrw glaw taranau – glaw cynnes, trwm – ond roedd y tŷ bach draw ym mhen pella'r ardd mewn lle hynod anghyfleus. Dechreuodd Jenny a finnau chwilio am siambr o dan y gwely neu am un ar sil y ffenest oedd yn dala *geranium* neu rywbeth, ond aflwyddiannus fu'r holl chwilio. Yn sydyn, estynnodd Jenny ornament mawr, pert a drudfawr yr olwg i fi – oddi ar y *mantle-piece*. Gadawaf ganlyniadau'r sefyllfa argyfyngus i'ch dychymyg chi.

Roedd y gynulleidfa yn eu dwble nawr, ac i ychwanegu at yr hwyl afieithus ar y llwyfan cyflwynodd Jenny lestr porslen hardd, o waith crochendy Aynsley, i fi er mwyn f'atgoffa o'r dalent a'r hwyl a gawsom flynyddoedd yn ôl yng Nghwm-parc. Roedd yn addurn prydferth a gwerthfawr ac mae'n parhau i arddangos blodau ar sil ffenestr fawr y parlwr yn Bell View hyd heddi.

Pwy nesa tybed, feddylies i? I'r golau llachar y llwyfan daeth Glenys Lewis, ffrind cywir bore oes. Aeth ar drywydd digwyddiad a drefnwyd gan ffrind y daethom i'w hadnabod yng ngwersyll yr Urdd, Glan-llyn am y tro cynta, sef Rhiannon. Athrawes oedd Rhiannon ym Manceinion, ac un tro danfonodd erthygl a ymddangosodd yn y *Woman's Own* at y ddwy ohonom. Dw i'n gallu gweld yr erythgl yn glir, glir hyd yn oed nawr, 'Do Something Different This Year!' meddai'r pennawd bras. Awgrymodd Rhiannon fod Glenys a minnau'n ymuno â hi ar wyliau marchogaeth ceffylau yn yr Alban. Doedd canolfannau marchogaeth Tregaron a'r Bannau ddim wedi'u datblygu eto. Ond wrth gwrs, roedd Glenys a finne'n ferched y wlad – fe allwn fynd ar gefn ceffyl yn iawn. Trefnodd Rhiannon y cyfan a bu'r ddwy ohonom yn lletya gyda hi ym Manceinion cyn symud ymlaen i Biggar, tref gymharol fechan rhwng dinasoedd mawrion Glasgow a Chaeredin.

Ar y diwrnod cyntaf roeddem allan drwy'r dydd ac roedd eistedd ar gefn ceffyl drwy gydol yr amser yn dipyn o brawf i'n cyfansoddiadau ni. Roedd y ceffyl danaf i yn edrych mlaen i gael hoe, whare teg iddo, a doeddwn inne ddim yn teimlo'n ddiogel iawn ar fy nhraed wedi disgyn o'r cyfrwy. Crwydro'r mynydd-dir wnaethon ni'r rhan fwyaf o'r amser a gallaf ddweud â llaw ar fy nghalon mod i wedi marchogaeth ar draws afon Clyde. Fe feddylion ni i ddechre mai croesi ar ryw bwynt lle roedd afon Clyde fel nant fechan yn agos i'w tharddle fydden ni, ond pan ddaethon ni wyneb yn wyneb â môr o afon fe sylweddolon ni mai antur go wahanol oedd o'n blaenau. Cynghorodd ein tywysydd abl ni i adael i'r ceffyl gymryd ei lwybr ei hun, ac wedi cyrraedd eangderau'r afon cafwyd mwy o gyfarwyddiadau. 'Rhowch eich coesau am wddf y ceffyl ac os yw'r dŵr yn ddwfn mewn ambell fan, gall y ceffyl nofio ar draws ei hunan.' Daethom i ben â'r cyffro hwnnw gyda thipyn o hwyl – a lot o ryddhad! Pan ddychwelwn i'r gwesty roedd y tair ohonom yn fwy na pharod i fynd am y gwely. Fe gwympon ni'n sypiau blinedig i ddyfnder y matras ar ein hwynebau, cyn llithro'n llwyr i wlad breuddwydion. Gwyliau i'w cofio oedden nhw – dyna ichi beth oedd *something different* go iawn.

Ar ddiwedd ei sgwrs ddifyr cyflwynodd Glenys siôl o wlân pur gyda phatrwm o dartan trawiadol yn anrheg i fi.

Wedyn daeth Gwynfi Jenkins ymlaen fel cynrychiolyd ac ysgrifennydd Gŵyl Fawr Aberteifi ar y pryd. Eglurodd sut cafwyd cyfarfod o bwyllgor gwaith yr Ŵyl er mwyn chwilio am arweinyddion newydd a hyd yn oed i ddod o hyd i fenyw i arwain a chwistrellu ychydig ffresni a threfn newydd i weithgarwch llwyfan. Roedd eisiau menyw *substantial* yn ôl y pwyllgor, a gofynnodd Gwynfi i fi ar eu rhan i ystyried derbyn y cynnig. Dw i'n falch meddwl we'n i'n ddigon *substantial* iddyn nhw! Digon yw dweud mod i wedi gwasanaethu'r Ŵyl fel arweinydd am flynyddoedd ac wedi mwynhau'r profiad yn fawr iawn. Ces gyfarfod â sêr y dyfodol pan oedden nhw'n ddim ond plant. Dw i'n cofio gweld Shân Cothi, ei mam a'i mam-gu, y tair yn eistedd yn y seddau blaen a'r tair 'run sbit â'i gilydd. Cyflwynodd Gwynfi Jenkins darian hardd i fi.

Y nesaf ar y llwyfan oedd Terwyn Tomos, cyn athro a phrifathro Ysgol Lland'och ac aelod brwd a gweithgar o bwyllgor eisteddfod y pentre; fe hefyd oedd cynhyrchydd Cwmni Drama Llandudoch, a oedd newydd ei atgyfodi ar y pryd. Methais â mynd i'r pwyllgor gwreiddiol ar gyfer sefydlu Eisteddfod Llandudoch a stori Terwyn y noson honno yn Theatr Mwldan oedd ei hanes yn dod â braslun o argymhellion y pwyllgor lan i Bell View er mwyn i fi gael edrych drostyn nhw a thrafod eu cynnwys gyda'n gilydd. Dilëwyd llawer o'r syniadau gwreiddiol am gystadlaethau, ond yn rhyfedd iawn pan adawodd Terwyn roedd y rhestr cystadlaethau yn fwy o ran nifer nag oedd i ddechrau. Ces docyn wythnos i'r Eisteddfod Genedlaethol yn anrheg gan Terwyn. Yn wir i chi, doeddwn i ddim wedi cael cymaint o anrhegion pen-blwydd erioed!

Cyfeiriodd y Parchedig Dafydd Henry Edwards, fy ngweinidog, at y ffaith mai fi oedd y fenyw gyntaf i fod yn ddiacon ac yn ysgrifennydd yn eglwys Blaenwaun. Cofiwch, bu fy eglwys yn araf iawn i adael menywod i gydio yn yr awenau. Coeliwch neu beidio, bues i'n ysgrifennydd am 36 o flynyddoedd ac rwy'n dal i fod yn ddiacon yno.

Roedd y noson yn ei hwyliau'n wir a meddyliais am ennyd, wel, dyna ddiwedd ar y gwesteion nawr siŵr o fod. Trueni nad oedd Carys yn medru bod yn y recordiad o'r rhaglen yn Theatr Mwldan hefyd, ond â hithau bellach wedi bod yn byw yn Bafaria ers pum mlynedd ar hugain, roedd y daith i Land'och yn bell ac roedd cryn amser ers i fi ei gweld ddiwethaf.

Ond mowredd mowr! Pwy wacodd mewn yr eiliad honno . . . Carys! Doedd dim eisiau presant ganddi, roedd ei gweld hi'n ddigon. Mae'n debyg iddi fod yn aros gyda'i chwaer Meinir ac felly fe gadwodd yn glir o Land'och ac o Aberteifi rhag ofn y byddai rhyw lygaid craff a busneslyd yn ei gweld hi. Roedd fy llawenydd yn gyflawn, am noson berffaith.

Bu'n amser hir cyn i fi ddod dros y profiad. Ond roedd yn ddigwyddiad bythgofiadwy, a phan ddarlledwyd y rhaglen roedd yn boblogaidd gyda'r gwylwyr hefyd. Yn wir, clywais gais y dydd o'r blaen am i'r math hwn o raglen ddychwelyd i'n sgriniau, rhaglenni sy'n dathlu ac yn codi calon. Mae recordiad gennyf o'r rhaglen a medraf wrando arni pan ddaw chwiw i ail-fyw'r nosweth ryfedd honno.

Ar silffau llyfrau parlwr Bell View, mae un llyfr arbennig sy'n tynnu sylw nid am ei geinder ond oherwydd ôl y traul sydd arno. Teitl y llyfr yw *Fi yw Hwn*, hunangofiant W. R. Evans. Mae'r tudalennau wedi datod o'i asgwrn cefn a byddent wedi hedfan dros y lle, a hyd yn oed eu colli, oni bai am fandyn lastig cryf a llydan sy'n 'u dala at ei gilydd. Cofiwch, mae wedi cael defnydd da, mae ôl bysedd arno, mae'n melynu mewn mannau ac mae sawl tudalen wedi rhaflo drwy ddefnydd cyson.

Ganed W. R. Evans yn Nhan-garn, Mynachlog-ddu yn 1910 ond bu farw ei fam cyn iddo gyrraedd ei ddwy flwydd oed. O'r herwydd symudodd at ei dad-cu a'i fam-gu yng Nglynsaithmaen wrth odre Cwm Cerwyn. Meddai W.R.:

> Roedd y cernydd a'r bannau yn eich gwylio o ddydd i ddydd rhag i chwi droseddu yn erbyn traddodiad a hanes . . . Mae grym traddodiad fel cerrynt trydan yn fyw drwy'r fro.

Roeddwn i'n adnabod W.R. cyn iddo ddod yn brifathro yng nghylch y Frenni a hynny pan oedd yn athro yn Ysgol Gynradd Abergweun. Pan fydde fe'n sefydlu'i hunan mewn ardal, dôi'n adnabyddus i lawer yn go glou. Yn fuan iawn ar ôl iddo symud i gylch y Frenni, dechreuwyd Bois y Frenni, carfan fythwyrdd sy'n parhau i ddiddanu cynulleidfaoedd ar hyd a lled Dyfed a thu hwnt.

Roedd Glenys, fy ffrind, yn ddisgybl yn Ysgol Bwlch-y-groes pan oedd W.R. yn bennaeth yno a des i'w adnabod e felly. Wedi'r rhyfel, dychwelodd i'w swydd yn Ysgol Bwlch-y-groes a thrwy nosweithiau llawen, eisteddfodau, cyngherddau ac fel cydathrawon ym mro'r Preseli dethon ni i adnabod ein gilydd ymhellach.

Pan oedd yr Eisteddfod Genedlaethol yn dod i Sir Benfro yn 1972 roedd W.R. am gyflwyno sioe newydd, wreiddiol a fyddai'n rhoi cyfle i nifer fawr o bobol y sir gymryd rhan ynddi. Byddai corau mawr yn cymryd rhan a gwythiennau o ddychymyg 'carlamus a chwerthinus' yn rhedeg drwy'r sgript.

Dyma ddywedodd W.R. am ei gynllun uchelgeisiol ar gyfer y sioe:

> Ar gyfer cynulleidfa o Gymry'r Eisteddfod, priodol fyddai delio â rhai o broblemau'n hiaith a'n diwylliant . . . Trwy wyrdroi ac ystumio chwedl *Culhwch ac Olwen*, teimlais y byddai teitl newydd, *Cilwch* (cadwch ymhell) *Rhag Olwen* yn deitl trawiadol a'i fod hefyd yn atgoffa pawb o'r teitl gwreiddiol! Roedd yr Olwen wreiddiol yn dlws a deniadol. Rhaid, felly, i'n Holwen ni fod yn fenyw fawr gas a oedd yn codi braw ar ei gŵr, sef Culhwch.

Credai W.R fod gan Sir Benfro actorion naturiol a dirodres a oedd yn gallu rhoi blas y pridd ar bopeth. Dewisodd Wil Morris neu 'Wil Bach' i chwarae rhan Culhwch. Medd W.R., 'Un Wil Bach sydd yn y byd mawr, cyfan, er bod llawer yn ei weld yn debyg i Norman Wisdom.'

Wedyn, fe ddes i mewn i'r pictwr! Ys dywed W.R, eto, 'Ar gyfer y talp mawr hwnnw o ddychryn, sef Olwen, Mair Garnon oedd y fenyw!' Cefais fronnau ffug, caled fel haearn, er mwyn gorliwio'i maint a'i dychryn. Os cofia i'n iawn, trawiais fwy nag un o'r bechgyn â'r pethau caled, nes byddai'r rheiny yn eu hyd ar lawr.

Tua thair blynedd ar ôl genedigaeth Emyr – y cyw melyn ola – oedd hi pan ges i'r alwad ffôn oddi wrth W.R. 'Mae'n bryd i ti ddod mas to!' Doedd y gair 'na' ddim i fod yn rhan o'r sgwrs.

Byddai agwedd fel honno'n annerbyniol i W.R. A dweud y gwir roedd yn anrhydedd i gael gwahoddiad i gymryd rhan un o'r cymeriadau amlycaf yn y sioe gerdd.

Cyfarwyddyd W.R. oedd y dylid cael cymeriad menyw arall yn y sioe oedd yn siarad Saesneg sâl, er mwyn gwneud hwyl am ei phen. Dewiswyd Jenny Howells, Penan-ty i chwarae rhan Liwsi Hot-Pants. Doedd Jenny ddim yn hoffi'r rhan ond, fel y dywedodd hi, 'Os yw W.R. isie i fi i neud e, mae rhaid 'i neud e.' Whare teg iddi.

Peter John, gyda'i 'lais soniarus a'i bersonoliaeth drawiadol' a chwaraeai ran yr Anghyfarwydd a'i frawd, Granville John, a fu wrthi'n cynhyrchu a pharatoi'r actorion ar gyfer llwyfannu am flwyddyn gyfan.

Roedd cynnwys cyn-aelodau Bois y Frenni ymhlith y marchogion yn rhoi pleser digymysg i W.R.; Glyn Rees, Ianto Siop, Cliff Sandbrook ac Eilir Rees. Roedden nhw'n farchogion tan gamp, yn ddoniol a ffraeth, 'Ianto yn rhaffo hen gywydd yn ddi-stop, ac ar frys mawr; Glyn y rhaffo darnau hir o'r Mabinogion mewn hen Gymraeg a Cliff yn tagu a baglu wrth drwy amseroedd y ferf!' Ar ben hyn i gyd, dyna lle oedd Eilir yn adrodd dyddiadau geni a marw Cymry enwog ar ei gof, a chymysgu'r cyfan yn gawl potsh. Fe goronodd Cacamwri bopeth trwy roi enghreifftiau o'r treiglad trwynol, gan gynnwys fy nhrancwilaiser, fy mhoteto-piler, fy mheriteneitis.

Dw i'n dal i chwerthin am Wil Bach, gyda'i gyfieithydd, yn mynd draw i gyfarfod ag Arglwydd Ffrainc i geisio gwerthu madarch o Ffatri Mynachlog-ddu i'r Arglwydd Pomp A Dŵr, sef Glanmor Thomas o Hwlffordd ac un o'm cyn-ddisgyblion ym Mwlch-y-groes. Roedd Geraint Davies o Abergweun hefyd yn ei phwlffagan hi'n dda drwy'r Ffrangeg fel y cyfieithydd.

Rwy'n sicr yn fy meddwl fod W.R. wedi gwbod yn union pwy oedd i chwarae rhannau'r prif gymeriadau cyn iddo ysgrifennu'r sgript. Roedd e wedi gwisgo'r cymeriadau yn nilladau ei syniadau yn nhafodiaith hyfryd gogledd Sir Benfro. Roeddwn yn nabod Wil Bach er fy mod yn ddwywaith neu fwy o'i faint e. Ro'n i'n ei roi e dan fy nghesail yn hawdd, a diflannai dan fy ngafel mewn rhannau o'r sioe, fel wenci bach.

Roedd 150 o gast ac yn y dechrau bydden ni'n cwrdd yn Ysgol Llwynihirion, ond yn fuan aeth yr ysgol yn rhy fach ac fe symudon ni i ymarfer mewn ysgolion uwchradd lle roedd neuaddau mwy o faint.

Rhys Jones a gyfansoddodd y gerddoriaeth a dôi yntau lawr o'r Rhyl i chwarae'r piano gyda chymorth Gilmour Griffiths ar yr organ yn ystod y perfformiadau. Bu Margaret Rhys, Eiry Jones, Wendy Thomas a John Griffiths yn cyfeilio hefyd. Teimlai W.R. ei fod e a Rhys Jones o'r un anian yn enwedig o ran hiwmor a syniadau. Roedd gobaith mawr wedyn am sioe go lew.

A dyma'r stori'n fras i chi. Daeth yr Anghyfarwydd, hen ŵr doeth o'r gorffennol pell – neu Peter John i chi a fi – mewn gwisg laes wen, i gynghori marchogion Arthur a Chulhwch; gosododd bump o dasgau i Gulhwch er mwyn iddo gael gwared â'r Olwen ofnadwy.

Ro'n i'n gorfod newid bedair gwaith ac fe wnaethon nhw'u gore i 'ngwneud i'n fwy o faint nag oeddwn i'n barod. Cyn dyddiau felcro roedd yn rhaid i un sgert ddod i ffwrdd yn sydyn, ac felly o'n i'n gwisgo pâr o siorts o eiddo 'mrawd, wel, roedd ganddo fe ben ôl mwy na'r cyffredin. Rhoddwyd pishyn ar ffurf 'v' i mewn yng nghefen y siorts o liw defnydd gwahanol er mwyn gwneud yn siŵr fod pawb yn eu gweld nhw. Gwisgais sawl wig yn ystod y sioe ac roedd bwlyn mawr arnyn nhw i ngwneud i edrych yn fwy o sffêr fyth. A bu'r *brassiere* anferth a chaled a gynlluniwyd gan y bechgyn yn destun hwyl a thalent a dyfodd yn greadigaeth chwedlonol. Wnes i ddim rhoi clowten i un o'r bechgyn yn bwrpasol, ond wrth symud 'nôl a mla'n mewn ystafelloedd cyfyng allwn i wneud dim obiti'r peth, fel pe tai bywyd ei hunan gan y peth. Roedd y *bra* fel tyse fe wedi'i wneud o fflint ac roedd Wil Bach yn ffito oddi tano'n eitha twt.

Cafwyd y ddau berfformiad cynta yn Ysgol Syr Thomas Picton, Hwlffordd yn ystod wythnos yr Eisteddfod Genedlaethol ac fe gawson ni ymateb ardderchog gan bobol Sir Benfro a'r lle yn orlawn bob nos fel mewn neuaddau eraill yn ystod y perfformiadau a ddigwyddodd wedyn. Os cofiaf yn iawn, fe fuon ni bron ym mhob sir yng Nghymru yn perfformio *Cilwch Rhag Olwen*; gan gynnwys dwy noson yn y King's Hall, Aberystwyth a phafiliwn Corwen ar wahoddiad a threfniant Dr Jim Davies, pennaeth y Coleg Normal ym Mangor.

Cludwyd ni ar hyd ffyrdd troellog Cymru ar amseroedd, annaearol ac fel y dywedodd un o'r cast a oedd yn ffermwr o Gastell Haidd, 'Rwy i'n mynd i odro bore 'ma cyn mynd i'r gwely!' a ninnau wedi cyrraedd gartref tua hanner awr wedi pedwar y bore.

Roedd yr hwyl a gafwyd gyda'n gilydd yn meddalu'r blinder, ac ys dywed yr hen Wil Shakespeare, 'The play's the thing.' Roedd safon y canu'n uchel iawn ac yn wir cynhyrchwyd record o'r sioe. Ro'n i'n canu sawl unawd ond yn eu lliwio ag ambell sgrech fan hyn a fan 'co, yn debyg i'r sêr opera enwog. Ffilmiwyd un perfformiad o'r ddrama gerdd yn y Barri a darlledwyd y rhaglen ar y teledu ar ddydd Nadolig ac ar ddydd San Steffan. Ond efallai mai'r gynulleidfa hynawsaf a chynhesaf a gawson oedd ym Mhontyberem. Ardal lofaol oedd hi, ac roedd e W.R. a'r bêl hirgron, fel dau frawd. O'r herwydd roedd cefndir y stori a'r hiwmor yn agos iawn at galonnau pobol Cwm Gwendraeth. Roedden nhw yn y bwlch o'ch blaen chi. Cofiwch, cyfyng iawn oedd y lle i newid yno a ninnau'n gorfod cuddio o dan y llwyfan. Doedd dim ystafelloedd i'r bechgyn a'r merched ar wahân ac roedd hast ar bawb i gyrraedd y llwyfan mewn pryd. Bu'r *brassiere* mawr, caled yn gymorth hael i'w gael mewn cyfyngder – fel Moses yn agor y Môr Coch.

Wedyn yn 1976, adeg Eisteddfod y Dathlu yn Aberteifi, sef 800 mlynedd ers sefydlu'r eisteddfod gyntaf yn 1176 gan yr Arglwydd Rhys yn y castell yn y dre, creodd W.R. ddrama gerdd arall. Nid oedd *Dafydd a Goliath* yr un math o ddrama â *Cilwch Rhag Olwen*. Nid yr un cefndir oedd i hon ac nid oedd cymaint o gymeriadau ynddi chwaith. Roedd yn seiliedig ar eiriau Waldo a 'daw dydd y bydd mawr y rhai bychain' yn thema ganolog. Roedd Wil Bach, Jenny Howells a finnau yn y cast eto ac yn mynd yn ôl ein seis unwaith yn rhagor.

Perfformiwyd y ddrama gerdd yn ystod yr Eisteddfod ac yng Ngŵyl Fawr Aberteifi i rai na fedrent ei gweld yn ystod y brifwyl.

Dw i'n cofio un achlysur arbennig pan oeddwn yn wraig wadd mewn noson yng nghyffinie Abergweun a chynigiwyd y diolchiadau gan W.R. ei hun, ymhlith ei eiriau oedd englyn byrfyfyr i mi:

> Ar daith rhowch im gymdeithion – rhai hynaws
>   i rannu diddanion
>   a rhowch yn y fenter hon
>   Ryw gornel i Fair Garnon.

Cofio Tri

WRTH GOFIO am droeon yr yrfa dros daith bywyd alla i ddim ond sylwi mod i wedi colli amryw o gyfeillion a chymeriadau arbennig iawn ers i fi ddachre ar y gyfrol hon. Daeth yr hen bladurwr heibio yn ei dro a'i ystod yn ehangach nag arfer a chymryd rhai a oedd wedi cyfrannu'n helaeth at ddiwylliant eu bröydd.

Ac mae'n wir yn teimlo fel petai natur wedi cyd-alaru weithiau yn y colledion; welson ni ddim llawer o wên yr haul yn ddiweddar, ac yn amlach na heb cawn ein cyfrach gan haenau o gymylau llwydion a duon a'r glaw'n disgyn fel dagrau weithiau, yn wlypach na'r atgofion cynnar. Collodd y coed eu gwisgoedd yn annhymhorol o gynnar mewn chwythiadau pwerus, neu fel 'na mae'n teimlo beth bynnag.

Ac i'r teuluoedd, i'r ardaloedd ac i finnau, fe gollon ni Peter John, Wil Morris a Jenny Howells yn 2012. Roedd pob un wedi cyfrannu'n hael at gyfoeth eu hardaloedd trwy ymroddiad, trwy rannu o'u talentau naturiol a'u presenoldeb ym mhopeth gan ddiddori cenedlaethau bro a gwlad yn gyhoeddus.

Jenny roeddwn yn ei hadnabod orau. Bu'n ffrind agos a chywir dros y blynyddoedd. Dw i'n cofio iddi ofyn i fi, dim ond rhyw flwyddyn cyn ei marw, 'Ti, cofia, sy'n siarad yn fy angla' i.' Ac fe gyflawnes i'r orchwyl, nad oedd yn orchwyl o gwbwl, ond yn fraint. Nid casgliad o straeon oedd gen i yn yr angladd ond teyrnged ddibapur o'r frest. Roedd e'n gwmws fel petawn i'n siarad â hi wyneb i wyneb, enaid i enaid.

Os nad oedd hi'n fawr roedd hi'n ddigon, achos un fechan o gorff oedd Jenny. Ac efallai o'r herwydd roedd hi tu hwnt o chwimwth ar ei thraed, ac yn chwim ei meddwl hefyd. Roedd hi'n llond ystafell o bresenoldeb ac yn ffynnon o ffraethineb. Ym mis Rhagfyr 2012, yn dilyn ei marwolaeth, fe fuasai'n naw deg oed. Merch Penan-ty oedd Jenny ac wedi priodi Eddie Howells, saer lleol o ardal Abergweun. Llechweddau agored a ffurfafen lydan y Preseli oedd ei chynefin. Neidiai ar gefn poni i arolygu ei theyrnas. Roedd y beics cwads yn ddierth iddi ac roedd hi'n nabod llwybrau'r myny' fel cefen ei llaw. Mae'r drydedd a'r bedwaredd genhedlaeth wedi ymwreiddio ym Mrynberian a hithau, Jenny, yn cael ei chydnabod yn fatriarch y teulu.

Wrth i fi deithio dros y myny' i Hwlffordd gwelwn ddefaid yn frith dros y llechweddau cyn belled ag y gwelwn. A meddwn wrth fy hunan, 'Jiw, teulu Penan-ty sy â'r defaid 'ma i gyd!' Merch ei milltir sgwâr oedd Jenny ac etifeddes y diwylliant lleol. Tyfodd drwy'r *penny readings*, y capel a chymdeithas y bobol ifanc, yr Urdd, yr eisteddfod a'r Ffermwyr Ifanc. Bu'n trwytho a dysgu cenedlaethau o blant a phobol ifanc ac roedd tu hwnt o deyrngar i'w milltir sgwâr. Roedd yn anfodlon iawn am gyfnod o weld neuadd bentre newydd yn cael ei hadeiladu yn Ffynnon-groes. Wedi'r cyfan Llwynihirion oedd canolbwynt y diwylliant Cymraeg yn y parthe hynny. Nid pwdu oedd hi ond amddiffyn a sefyll dros fuddiannau diwylliannol ei hardal ei hun. Cymerodd gryn amser iddi ymestyn ei pharodrwydd a'i gweledigaeth i dderbyn y newidiadau – un ardal oedd hi wedi'r cyfan.

Fe rannes i lwyfan gyda Jenny ar sawl achlysur mewn drama, eisteddfod a noson lawen, ac wrth gwrs yn sioeau cerdd chwedlonol W. R. Evans. Os oedd 'na rywun neu rywbeth oedd i'r gwrthwyneb i fi erioed – Jenny oedd honno! Hedd i'w llwch.

DIOLCH AM grefftwyr cefn gwlad. Maen nhw'n dueddol o aros yn eu bröydd, a thrwy gyfarfod â chymaint o'r ardalwyr yn dueddol o ddatblygu cymeriad neilltuol. Roedd Wil Morris, neu Wil Bach, yn saer coed a bu farw bedair blynedd wedi croesi oed yr addewid. Fel y daethai i adnabod ac anwesu graen y pren felly y daethai i adnabod natur cynulleidfaoedd cefn gwlad. Roedd Wil yn wahanol, yn ddyn gwreiddiol iawn a'i hiwmor yn hollol naturiol. Ar brydiau, oherwydd ei faint, fel Celt byr, cafodd ei gymharu â Norman Wisdom. Ond nid un swnllyd oedd Wil. Byddai'n taro ergyd pan oedd eisiau, ar yr amser iawn yn y man iawn, a dyna ni.

Dysgodd Wil hefyd y grefft o ddiddori cynulleidfaoedd yn y *penny readings*, yng nghapel Pen-y-groes lle'r oedd yn ddiacon, mewn nosweithi llawen, cwmni drama, yn yr eisteddfodau bychain ac yn hwyrach daeth yn un o sêr sioeau W. R. Evans.

Yn fy mhrofiad i, wrth rannu llwyfan gyda Wil Bach, doedd e ddim yn defnyddio sgript. Ei nodwedd reddfol oedd hiwmor byrfyfyr. Unwaith trefnwyd noson yng nghapel Maenclochog dan lywyddiaeth y Parchedig Gerald Jones ar ffurf y sioe deledu *This is Your Life* i W. R. Evans. Gwahoddwyd Jenny, Wil a finne i gyflwyno sgets sefyllfa ac i gynrychioli wmbreth o bobol oedd wedi cydweithio â W.R. dros y blynydde ac i ail-greu blas o'r hyn a fu. Meddwn i wrth y ddau arall, ''Soch chi'n meddwl y dylen ni gwrdd i ni gael penderfynu ar rediad y sgets?'

'Jiw, jiw, na wês, sdim eise pethe fel 'ny,' medd Wil. A phan ddringodd y tri ohonom ni risiau pulpud Maenclochog ar y noson, doedd yr un ohonom wedi clywed geirie'n gily' o'r blaen! Ond efallai ein bod o'r un anian. Rhaid oedd bod ar flaen eich tra'd i rannu llwyfan gyda Wil Bach, ond roedd yn brofiad unigryw a mwynheais bob owting yn fawr iawn. Ffurfiwyd parti noson lawen gyda Wil a Peter John yn aelodau blaenllaw a'i alw yn Bois Pwll Brwnt. Dôi'r enw o ardal o amgylch yr hen hewl rhwng Crymych, oddeutu Esgair-ordd a dros ros Mynachlog-ddu cyn disgyn lawr tuag ysgol y pentre. Daeth Wil yn enwocach o dipyn wedi i'r parti fabwysiadu'r enw rhamantus hwnnw.

PWY GELECH CHI i whare rhan Bendigeidfran, Caradog, neu ryw gymeriad fel y Braveheart Cymreig? Pwy arall ond y gŵr unigryw hwnnw o Grymych, Peter John. Gyda'i bresenoldeb mawr, ei lais cryf fel utgorn, ei farf drwchus o wawn cochlyd a'i gorffolaeth Geltaidd fyrdew, roedd yn fwy na bywyd ei hunan ac yn allblyg ym mhob sefyllfa. Alla i ei gofio yn ei grys Owain Glyndwr coch a melyn, ei siorts *khaki* a'i sandalau di-hosan.' Sdim rhyfedd i W. R. Evans ei gastio yng nghymeriad yr Anghyfarwydd yn ei ddrama gerdd *Cilwch Rhag Olwen*. Ac er i ni gael ymateb gwych i *Cilwch Rhag Olwen* yng Nghwm Gwendraeth, roedd yr hiwmor yn ddieithr i'r gynulleidfa fawr ym Mhafiliwn Corwen, a digon tawel oedd eu hymateb yn wir, hyd nes i Peter John gerdded i flaen y llwyfan. Doedd ei gyfarchiad ddim yn y sgript, 'Chwerthinwch – y diawled.' A newidiwyd yr awyrgylch yn gyfan gwbwl weddill y noson.

Cadw a rheoli garej a wnâi Peter fel galwedigaeth ac ehangodd y busnes pan sefydlwyd Siop Siân dan reolaeth ei wraig i werthu llyfrau Cymraeg a chrefftwaith o wneuthuriad Cymreig. Roedd yn aelod ffyddlon o Barti Bois y Frenni ac yn amlwg yn rhengoedd y cantorion mewn cymanfaoedd canu ac oedfaon mawl, a bu'n cystadlu mewn corau ar lwyfannau cenedlaethol am flynyddoedd. Bu'n ffyddlon i gymdeithasau diwylliannol, lawer ohonynt y tu allan i'w filltir sgwâr.

Tri thebyg o'r Preseli
O bair y Mabinogi,
Yn fach a mawr heb fod yn swil
Oedd Peter, Wil a Jenny.

Fe'u hedmygwn yn fawr ac mae'n golled fawr i'w teuluoedd, eu cydnabod ac i fi.

Anrhydeddau

GWNEUD CAIS ysgrifenedig fyddech chi heddi i fod yn Ynad Heddwch, ond nid felly oedd hi. Fe gefais lythyr oddi wrth y Capten John Hext Lewes, Arglwydd Raglaw Sir Aberteifi, ac er mai un o Sir Benfro oeddwn i, roedd eisiau cwrdd â mi yn Bell View heb gyfeirio at ddim ac yn hollol ddireswm. Bu rhaid comopo tipyn ar fy mhlant gan ddweud fod person pwysig iawn yn dod i'r tŷ. Cyrhaeddodd y gŵr bonheddig yn brydlon.

Roedd yn gwrtais iawn ond yn jocôs a naturiol yr un pryd. Gofynnodd i fi ystyried rhoi fy enw ymlaen i fod yn Ynad Heddwch ar fainc de Ceredigion. Os byddwn i'n cytuno byddai'n rhoi fy enw ymlaen i'r Arglwydd Ganghellor i'w ystyried yn fanwl. Buon ni'n trafod hanes fy nghefndir a'm daliadau gwleidyddol wrth i fi geisio ateb ystod eang o gwestiynau a chynnig atebion gonest. Dwedais wrtho, oherwydd fy mod i a 'nheulu o Sir Benfro, nad oedd gwahaniaeth pwy fydde'n sefyll mewn lecsiwn, y byddwn yn pleidleisio dros Waldo, cymaint oedd y parch oedd gennym ni a 'nghyfoedion ato. Dwedais hefyd pe byddwn yn sôn am rywun heblaw *Liberal*, y byddai'n siŵr o godi gwrychyn etholwyr Sir Aberteifi ar y pryd. Rhoddais hanes fy nghefndir iddo, mod i'n aelod ffyddlon o gapel Blaenwaun, wedi bod yn athro sefydlog a theithiol, mod i'n ddiddanwraig ac nad oeddwn wedi torri'r gyfraith ar unrhyw lefel – pe bawn i wedi gwneud hynny byddai'n Amen ar unrhyw gais!

Ymhen misoedd cefais lythyr mewn amlen swyddogol oddi wrth yr Arglwydd Ganghellor. Derbyniais y gwahoddiad i ymuno â mainc de Ceredigion am ei bod yn anrhydedd, ond wrth bwyso a mesur afraid dweud bod fy adnabyddiaeth o bobol yn gallu bod yn broblem. Rown i'n adnabod pawb! Dysgais lawer mewn byr amser ynglŷn â dod i benderfyniad gonest a theg drwy weithio fel tîm gyda'r ynadon eraill.

Eisteddais yn amal ar fainc Llys Aberteifi, a phan fu atgyweirio ar yr adeilad cynhaliwyd llys yn neuadd Aber-porth ac yng Nghastellnewydd Emlyn. Byddai ranshyn o dân yn cael ei gynnau yn y neuadd a phawb yn rhosto wedyn. Bûm yn eistedd hefyd yn Llysoedd y Goron yn Llambed ac Aberaeron. Yno byddai'r barnwr yn holi pam roeddem ni ynadon yn meddwl fod gan rai cyhuddedig dueddiadau at fod yn euog – rhaid oedd bod ar flaen eich traed a phwyso a mesur yn ôl eich cydwybod a thrwy brofiad.

Ar y dechrau, byddai swydd cadeirydd y fainc yn un barhaol am oes ond wedyn byddai swyddi cadeirydd ac is-gadeirydd yn cyfnewid yn rheolaidd a chefais y fraint o gadeirio'r fainc fwy nag unwaith. Ymhlith aelodau o'r fainc dros y blynyddoedd roedd Graham Partridge, Parc-y-Prat, un â gradd yn y gyfraith ac un y dysgais lawer oddi wrtho. Gwerthfawrogwn ei gyngor yn fawr. Bu Sally Davies Jones, Aneurin James, Cliff Davies, Julie Jones ac Alun Tegryn Davies yn gwmni hefyd. Ac roedd cynrychiolaeth gyson a theg ar y fainc bob tro i bwyso a mesur dedfrydau. Ar fainc Castellnewydd Emlyn cyd-dafolwn gyda Catherine Ramage a Gerwyn Morgan.

Deuai trawstoriad eang o gymdeithas o'n blaenau ni. Roedd yn brofiad trist iawn gweld rhai yr arferwn eu dysgu mewn ysgol. Fe welais newid mawr yn y chwarter canrif y bues i wrthi. Daeth dieithriaid i mewn i'n bröydd gan gyflawni troseddau nad oeddent yn rhan o'n ffordd ni o fyw. Roedd gwerthu a defnyddio cyffuriau yn enghraifft o hyn. Fel y teid, pan ddaw hwnnw i mewn mae'n cario broc môr, drecs, ffrwcs ac annibendod amrywiol a rhyfeddol. Ond pan fydd y teid yn mynd mas mae'n gadael gwrec a sbwriel ar ein traethau sy'n anharddu ac yn gwenwyno.

Un peth arall sy'n nodweddiadol o lawer o bobol sy'n ymddangos o flaen llys yw nad oes gas ganddynt am y profiad ac ambell un wedi bod o flaen y fainc sawl tro o'r blaen. I'r papurau lleol fel y *Tivy-Side* a'r *Western Telegraph* felly roedd cyhoeddi manylion y troseddau ac enwi pawb yn fodd i ddenu darllenwyr, a chredaf fod y cyhoeddusrwydd yn amal yn fwy o gosb i rai na dedfryd llys.

Yn ystod y chwe mis cyntaf o fod yn ynad cefais wahoddiad i fynd i Lanelli i eistedd yno ar y fainc. Ymddangosodd bachgen ifanc o'n blaenau. Roedd wedi'i arestio y noson flaenorol a'i gyhuddo o ladd rhywun. Dyna'r tro cyntaf i fi wynebu sefyllfa debyg mewn llys ynadon a finne'n eistedd ond hyd fy mraich oddi wrtho. Roedd yn brofiad newydd ac ysgytwol a sylweddolais fod newid mawr wedi digwydd mewn cymdeithas.

Clywais gyngor da gan farnwr unwaith. Wedi i chi ddod i benderfyniad, a bod y fainc gyfan wedi cyfrannu ato, ni ddylech fynd â'r profiad adre gyda chi a methu cysgu wedyn am eich bod yn byw'r holl ddigwyddiadau a'u haildreulio o hyd ac o hyd. Gadewch y cwbwl y llys.

Roedd fy magwraeth yn bwysig wrth i fi adeiladu ac aeddfedu

cyfansoddiad moesol a gonest. Ar y cyfan penderfyniad y mwyafrif neu'r lleiafrif gonest yw pob dedfryd. Mae medru adnabod cymeriad a chelwydd gole yn gymorth mawr, dyw anwiredd byth yr un peth yr eilwaith oherwydd mae'r dweud yn dueddol o fod yn wahanol. Gwaith cyfreithiwr yw dod o hyd i'r gwyriad hwnnw.

Wedi pum mlynedd ar hugain yn yr 'arswydus swydd' cefais sgrôl hardd a chopi o'r dystysgrif oddi wrth y Frenhines. Fi oedd y cyntaf i gael un debyg yn y Gymraeg ar fainc de Ceredigion. Mae'n debyg bod Alun Tegryn Davies wedi awgrymu, 'Peidiwch â rhoi un Saesneg i Mair.' Trefnwyd cinio yn Aberaeron i fy anrhydeddu ac i gyflwyno'r sgrôl.

I gyfarch Mair Garnon James ar ei hymddeoliad
o Fainc Ynadon Aberteifi – 10 Gorffennaf 1998

Os wyt Mair yn riteirio – mwy o'r Llys,
Mae'r holl le'n dymuno
Dy barhad mewn gwlad a bro
A'th ben doeth i'w bendithio

DIC JONES

Ces gyfweliad wedyn gyda Mansel Lewis, Arglwydd Raglaw cylch Llanelli, a gofynnodd yntau, 'What do you think of the Palace?' Profi'r dŵr oedd e, ac aeth ymlaen, 'Have you been there?'

'No'

'Why not?'

'No-one has asked me.'

Cyn diwedd yr wythnos, roedd y gwahoddiad wedi cyrraedd

i Jeff a finnau. Ac roedd rhaid cael dillad addas a het fowr fel llong ofod i gadw'r haul a'r glaw bant.

Diwrnod fy mhen-blwydd oedd hi ac roeddem wedi trefnu llety a thacsi i gyrraedd y reilings haearn o flaen 'Byc Hows' lle roedd swyddog yn aros i'n cyfarwyddo. Roedd rhwng tair a phedair mil o westeion yn y parti gardd ar y lawntiau cymen y tu ôl i'r plas. Dyna i chi ddiwrnod poeth a Jeff a finnau yn blino yn y gwres llethol. Yn sydyn daeth gair yn Gymraeg o enau gŵr o Dregaron fel mae'n digwydd. 'Peidiwch â becso os nad oes cadair ganddoch chi, rwy i wedi bod yma o'r blaen. Pan glywch y band yn chwarae'r anthem, bydd pawb yn codi ar eu traed a rhuthro i weld y Frenhines. Peidiwch â symud o'r fan lle'r y'ch chi, daw digon o gadeiriau'n rhydd wedyn.'

Fues i ddim yn falchach erioed. Yr ochor draw i'r lawnt roedd lle crand i dderbyn pwysigion o'r Gymanwlad, ro'n i'n teimlo mas o le'n reit i wala. Doeddwn i erioed wedi bod mor falch cyfarfod â Chardi. Dywedodd e wedyn, 'Pan fyddwch yn cael bwyd, platie bach a phethe bach fydd o'ch bla'n chi. Ond cofiwch, sdim i weud na allwch fynd rownd sawl gwaith i ail-lenwi nes i chi gael digon!' Cyngor da. Yno cefais fy *iced coffee* cynta 'rioed, ac roedd ei eisiau arnaf.

Mynd i Lundain! Meddylwch! Ond roedd pobol Lland'och yn gyfarwydd iawn â mynd tuag at Lundain slawer dy'. Does dim blynyddoedd mawr ers rhoi enwau dwyieithog ar strydoedd y pentre. Mae fy nheulu ers sawl cenhedlaeth bellach wedi byw yn Lland'och a dringo London Bank, neu Fanc Llundain byddai Mam-gu a Mam yn neud. Syndod mawr i fi oedd gweld arwydd yn nodi 'Bryn Hir' yn Gymraeg a 'Longdown Bank' oddi tano.

Whap wedi hynny y galwodd myfyriwr o Rydychen draw yn Bell View. Roedd un o'r pentrefwyr wedi ei anfon i fyny wedi iddo ddangos diddordeb mewn enwau llefydd. Dangosodd fap i fi o waith y mapiwr John Speed o tua 1620 a sylwais nad oedd ffordd i fynd draw o Land'och i Aberteifi, dim ond llwybr ar hyd yr afon i dynnu llongau i'w hangorfeydd. Yr unig ffordd mas o'r pentre oedd ar hyd y ffordd i fyny at fferm Parc-y-Prat ac at ffordd Llundain oedd yn mynd ymlaen i Benblewyn a thu hwnt. Yr hen ddywediad lleol oedd, 'Ma pob ffordd yn mynd i Lundain' ac felly dyna oedd London Bank ontefe? Wrth gwrs, trodd hwnnw yn Longdown Bank ac er bod y rhiw serth yn 'fryn hir', mae wedi colli ei ystyr gwreiddiol. Rydym wedi colli darn o hanes ac mae'n dangos mor hawdd yw cyfieithu a cholli hanes yr un pryd.

Ody'r Teid yn Mynd Mas?

'NID Y DŴR tu fas i'r llong sy'n ei suddo, ond y dŵr sy tu fewn.' Dyna un o ymadroddion gafaelgar a chofiadwy'r diweddar Barchedig John Thomas, fu'n weinidog ym Mlaenwaun am gyfnod hir. Mae fy nyled i a 'nheulu'n fawr iddo am ei arweiniad ysbrydoledig a'r cyfleoedd a roddodd i ni wneud pethau'n gyhoeddus. A hefyd, diolch iddo am ei anogaeth gyson a pharhaol i ni feithrin cof da a gwneud pob ymddangosiad a chyflwyniad, boed mewn capel neu festri, neuadd neu ysgol, yn raenus.

Roeddwn yn gweld y teid yn dod miwn ac yn mynd mas ddwywaith y dydd o 'nghartref. Gwelwn lannau afon Teifi yn ymddangos yn llaid brown gwlyb a sleimllyd o bellter neu'n diflannu'n raddol yn gyfan gwbwl pan ddôi'r teid i mewn. Mae'r aber a'r glannau yn sicr yn fwy pleserus i'r llygaid ac i'r enaid pan fydd y teid miwn. Daw'r llif i mewn o fae Aberteifi a'r Atlantig i sgwrio'r darnau lleidiog a'r glannau ac i roi llawnder a phrydferthwch i'r cyfan. Mae'n cuddio hylltra'r ffurfiau anwastad â gwyrddni ei ddyfroedd fel petai o balet arlunydd.

I rai, mae'n olygfa druenus gweld y cychod glandeg ynghlwm wrth eu cadwyni trymion yn gorwedd yn ddiymadferth fel anifeiliaid trig pan fo'r teid mas. Ond dan y teid nerthol maent yn atgyfodi, yn adfywio a dawnsio i rythmau'r don ac mae'n gyfrwng i longau masnach a phleser fynd a dod dan awelon caredig. Caf bleser digymysg yn gweld a mwynhau'r glendid. Gwelaf gysgodion y cymylau'n symud yn osgeiddig dros wyneb y dyfroedd. A phan ddaw moryn neu awel dyner o'r bae, mae'r tonnau'n codi fel cyfeiliant i ddawns werin neu fel *tango* a'r *paso doble* ac efallai *waltz* hyd yn oed na fyddai mas o le ar afon Donaw Las. Ond wedyn, mae llanw uchel yn ailgario sbwriel a brychni 'nôl mewn ac yn anharddu'r glannau. Ydi, mae perffeithrwydd yn anwadal.

Caem rybuddion gan Mam am lanw a thrai y teid. Dôi Trwyn y Garreg Ddu i'r golwg ar draeth Poppit pan fyddai'r teid mas, a'i chyngor hi fyddai, 'Gofala, paid â mynd allan heibio i Drwyn y Garreg Ddu.' Roedd tuedd i gerrynt peryglus grynhoi o'i hamgylch ac i dynnu a chario gwrec neu unrhyw beth allan i ddŵr dyfnach a phyllau tro. Ac roedd duwch a ffurf y garreg yn ychwanegu at yr ofn.

Mae'r glannau ar deid sy mas yn iwtopia i adar i fwydo ymysg y llaid. Yn wir mae Lland'och wedi bod yn gartref i ddau aderyn dieithr iawn dros y blynyddoedd diweddar, sef y fflamingo pinc a'r ibis sgleiniog. Credir iddyn nhw ddianc o erddi swolegol. Cawsant ffest flasus yn ystod eu harhosiad ar lannau Teifi ta p'un 'ny.

UN O'R ELFENNAU amlycaf ym mywyd eglwys Blaenwaun oedd yr un genhadol. Ac yng nghyfnod y Parchedig John Thomas bu llanw a graen ar bopeth a'r teidiau mawrion yn amlygu llawnder a gweithgaredd a oedd yn cyfannu crefydd a diwylliant i bentre ac ardal gyfan. Felly roedd edrych tuag at orwelion ehangach yn beth naturiol. Yng nghylch Lland'och, pan fyddai merch ifanc yn dangos diddordeb mewn Cristnogaeth, fel roeddwn i, byddai'n cael cymhelliad i fynd i gyfeiriad y genhadaeth yn hytrach na'r weinidogaeth. Unwaith, a finnau yn fy arddegau, cynnar gofynnodd fy ngweinidog i fi, 'A oes gennych chi, Mair, ddiddordeb i fynd i'r maes cenhadol?'

Nawr, roeddwn i'n cysylltu'r maes cenhadol â gwledydd fel Tsieina, 'Draw, draw yn Tsieina a thiroedd Siapan . . .' a gwledydd trofannol Affrica fel y Congo a Madagasgar ac roedd nifer o frodorion o'r Congo wedi ymweld â Phlas y Cilgwyn a chapeli'r fro o dan nawdd Cymdeithas Genhadol y Bedyddwyr dros y blynyddoedd.

Fe alwai ein gweinidog yng nghartrefi'r ofalaeth o leiaf unwaith yr wythnos o dan y drefn, un gweinidog, un pentre. Pan alwodd gyda ni, ei gwestiwn i fi oedd, 'A wyt ti wedi dweud wrth dy fam beth ofynnais i ti ddydd Sul dwethaf?' Wel, do'n i ddim wedi gwneud hynny ac wedi iddo ymadael parhaodd fy mam â'r stori.

'Beth ofynnodd Mr Thomas i ti?'

'Gofyn a oeddwn i am fod yn genhades,' meddwn ninnau,

'A beth wedest ti 'nôl wrtho?'

Roedd hynny'n fwy o ddiddordeb iddi hi na'r cwestiwn a ofynnwyd.

Fy ateb oedd, 'Dw i ddim yn lico gwres!'

Doeddwn i ddim ymhell o'r marc chwaith, dw i ddim yn hoffi mynd i wledydd twym na chwaith yn hoff o orwedd yn yr haul yn gwneud dim byd nes mod i'n edrych fel darn o dost. Er dw i wrth fy modd mewn tywydd braf a gweld haul ar y tonnau a ffurfafen las uwchben, 'O! na fyddai'n haf o hyd . . .' yn wir.

Mae gweld merched, bellach, yn cymryd gofal o eglwysi, yn mynd i'r offeiriadaeth ac yn cael swyddi cyfrifol iawn mewn cymdeithas yn codi fy nghalon yn fawr. Ond bellach, nid y gwres sy'n fy mhoeni i, ond yr oerfel. Ac mae'r teid yn mynd mas. Er bod ein gweinidog yn ein cynhesu'n ysbrydol ac yn arweinydd cydwybodol a phoblogaidd, mae rhyw oerfel ymhlith y gymdeithas ac nid yw'r tân na'r bwrlwm a'r brwdfrydedd a fu yn ei chalon hi yno mwyach.

Fe welir eglwysi'n cau a llawer o aelodau'n absennol. Ni feddyliais ar y pryd, pan oedd agos at chwe chant o aelodau ym Mlaenwaun, y byddwn wedi gweld cau ein capel cyfleustra, sef Bethsaida, ac aelodaeth Blaenwaun yn gostwng i lai na saith deg. Roedd cadw dau adeilad yn faich trwm iawn, ac fel roedd 'gweld y Garreg Ddu yn dangos ei thrwyn ar y traeth' ar y trai roedd rhaid gwneud penderfyniadau pellgyrhaeddol er mwyn cadw pethe i fynd. Bu newid chwyldroadol mewn patrymau byw, sdim dowt am 'ny. Daeth peiriannau i ddiwydiant amaeth, nychodd niferoedd gweision a morynion mewn ffermdai a phlasau, symudodd llawer o Gymry gwledig i fyw i'r dre a gwerthwyd llawer o dai yn dai haf a ffermydd i Saeson. Mae tai haf yn llefydd gwag am rannau helaeth o'r flwyddyn a'u perchnogion pell, anweledig sy'n cyfrannu dim i'n cymdeithas yn achosi pryder mawr i fi.

Heddi mae gwaith bugeiliol gweinidogion yn waith trwm yn bennaf gan fod gofalaethau ar wasgar, ac nid yw'r dull bugeilio a fu mor ymarferol bellach. Rydym yn ffodus fod y Parchedig Gareth Morris gennym yn weinidog ar Eglwys Blaenwaun a'r Parchedig Wynfford Thomas yng Nghapel Degwel, yr Annibynwyr. Ond wrth gwrs, mae'r ddau hefyd yn gofalu am nifer o eglwysi eraill, hyd at bump o rai gwasgaredig.

Eto, mae cnewyllyn da o Gymreictod yn parhau yn y pentre. Dy'n nhw ddim mor niferus falle ond maent yn weithgar a brwdfrydig. Dw i'n teimlo ambell waith fod eisiau pocrad dda ar y gymdeithas sydd ohoni, fel byddai Mam-gu yn ei wneud i'r tân cwlwm oedd wedi'i stwmo dros nos.

Erbyn heddi, mae Cwmni Drama Llandudoch yn enwog trwy Gymru fel un o sefydliadau diwylliannol pwysig yr ardal. Mae'r traddodiad dramâu lleol yn deillio'n wreiddiol o Aelwyd yr Urdd ac wedi i fi ddychwelyd i Land'och o Goleg y Barri bues i'n rhan o'r cwmni a fu'n weithgar yn parhau'r traddodiad. Ond wedyn daeth athro ifanc – a phrifathro'r pentre maes o law – sef Terwyn Tomos a oedd yn llawn Cymreictod, yn afieithus a brwdfrydig i ailgydio yn y traddodiad drama a'i godi i rywle uwch fyth.

Daeth Terwyn i fyw i Landudoch yn 1974, ac yn 1988 atgyfodwyd yr eisteddfod leol, ac yn sgil ei llwyddiant aeth Terwyn a'i bwyllgor ymroddgar ati i ailffurfio'r cwmni drama. Perfformiwyd y ddrama un act *Gwely a Brecwast* o waith Ifan Gruffydd, Tregaron a'i dilyn gyda chyngerdd a noson lawen a bues i'n arwain yr adloniant gan gynnwys sesiwn gonsuriaeth gan Terwyn Tomos ei hunan.

Cwmni drama cyffredinol yw Cwmni Drama Llandudoch, nid o ran ei ansawdd, chi'n deall, ond o ran y math o gynyrchiadau amrywiol maen nhw'n ymgymryd â nhw a'r rheiny'n cynnwys digon o hiwmor iachus. Fe berfformir dramâu gwahanol gan y cwmni bob blwyddyn a daw gwahoddiadau o bell ac agos i ymddangos ar lwyfannau neuaddau pentref o hyd. A dyw'r Eisteddfod Genedlaethol yn ddieithr iddyn nhw chwaith, yn wir cyrhaeddwyd y brig mewn cystadlaethau ar fwy nag un achlysur. Yn Wrecsam yn Awst 2011 gwahoddwyd pum cwmni i'r Eisteddfod Genedlaethol i berfformio yn ystod yr oriau cinio yn Theatr y Maes drwy'r wythnos a Chwmni Drama Llandudoch yn un o'r pump.

Mae'n werth cofnodi a rhestru'r actorion a'r cynorthwywyr brwdfrydig fu'n rhan o'r cwmni dros y blynydoedd. Ble fydden ni hebddyn nhw? Maen nhw wedi rhoi cymaint o bleser i gannoedd ar filoedd o bobol mewn neuaddau ar hyd ac ar led Cymru ac maen nhw'n parhau i wneud hynny, diolch i'r drefen. Yn gwmni ffyddlon i Terwyn Tomos dros y blynyddoedd bu Alun Evans, Graham Rees, Heledd Griffiths, Esther Davies, John Davies, Angela Golding, Richard Jones, Llinos Devonald, Howard Devonald, Llwyd Jenkins, Carys Evans, Wyn Davies, Carys Hamilton, Meinir Garnon, Hywel Roderick, Heulyn Roderick, Cecil Williams, Jane Pugh, Wyn Rees, Geraint Volk, Melda Griffiths, Henry Evans, Elgan Jones a finne, weithiau.

MAE'R TRADDODIAD eisteddfodol yn rhan greiddiol o ddiwylliant Lland'och, ac mae gennyf hen bosteri yn y tŷ sy'n cofnodi gweithgaredd yr eisteddfodau ar ddiwedd y bedwaredd ganrif ar bymtheg. Cynhelid yr eisteddfodau cynnar yn adeilad cyntaf capel Bethsaida lle saif y Storws heddi. Codwyd ail gapel, lle saif heddi, yn 1932. Ni chynhelid eisteddfodau wedyn yn y capeli, ond yn hytrach cynhaliwyd eisteddfodau'r ysgol ac eisteddfodau aelwydydd yr Urdd gan gynnwys Glanrhyd, Trewyddel a Lland'och. Trefnwyd eisteddfodau Gŵyl Ddewi ym Mhafiliwn Aberteifi.

Cyfarfu pwyllgor bychan, gweithgar yn 1987 i baratoi rhaglen addas a chyfoes a fyddai'n denu cystadleuwyr o bell ac agos i

Eisteddfod Lland'och. Cawson ni'n synnu achos bu rhieni a chystadleuwyr o bant yn holi ble'r oedd Lland'och a daeth y torfeydd o blant, ieuenctid a chystadleuwyr profiadol i'r eisteddfod dros y blynyddoedd. Roedd cymaint o frwdfrydedd yn deillio o'r pwyllgor a'r noddwyr a thyfodd yn ŵyl yn un llwyddiannus iawn. Ond wedi cyfres o aeafau a thywydd gwael, symudwyd yr eisteddfod i fis Mai yn y gobaith y byddai tywydd brafiach yn denu mwy o gynulleidfa. Ail-lenwodd y coffrau. Roeddwn mor falch o hyblygrwydd a chraffter y pwyllgor i symud yr eisteddfod er mwyn sicrhau ei dyfodol. Cafodd ei sefydlu eto, gyda dyddiad newydd, a'r llwyddiant haeddiannol a ddeilliodd o wneud hynny yn fur arall i amddiffyn diwylliant a Chymreictod y pentre ac i atal y teid rhag mynd mas ymhellach.

Wrth gerdded ar draws Morfa'r Netpwl at Lwybr y Graig fe welwch oddi tanoch safle arbennig yng nghanol gardd o lwyni rhosod gwylltion a choed ysgaw – sef Carreg y Fendith. Mae'r sylwadau isod ar hysbysfwrdd gerllaw'r garreg yn egluro'r hanes:

> Credir i'r garreg hon gael ei defnyddio yn y cyfnod cyn Gristnogol ac mae'n debygol iddi fod yn Faen Copan ar gromlech. Credai'r bobol ym modolaeth 'enaid yr afon' a ymddangosai ar ffurf pysgodyn. Yn ddiweddarach, pan drigai mynachod yn Abaty Llandudoch, deuai'r Abad i sefyll ar y garreg ar ddechrau'r tymor pysgota i fendithio'r cychod pysgota lleol. Caiff ei galw'n 'Garreg Ateb' – oherwydd os sefwch arni a gweiddi cewch glywed adlais yn dychwelyd ar draws yr afon.

Cofnododd George Owen, yr hanesydd, am helfa fawr o bysgod mewn rhwyd lusg yn 1603. Yn 1884 roedd 84 o lestri'r Sân ar yr afon, yn 1859 roedd 13, yn 1978 roedd 6 ac erbyn 1999 dim ond un cwch oedd ar ôl. Mae'r teid yn mynd mas ar y diwydiant pysgota weth.

Gerllaw'r Netpwl mae Pwll y Castell, y dyfnaf o byllau'r afon a'r un a geisid fwyaf ar fore Llun wrth i'r pysgotwyr dynnu carreg wedi'i rhifo, o un i chwech, o'r sach. Byddent yn symud o un pwll i'r llall yn ystod yr wythnos. Er bod rhywfaint o'r cynhaeaf yn cael ei werthu'n lleol, danfonwyd y rhan fwyaf o'r eogiaid a brithyllod y môr ar y Cardi Bach o orsaf Aberteifi i Paddington i'w gwerthu bant.

Un o'r rhesymau am ddirywiad y traddodiad pysgota yw trachwant a gor-bysgota gan longau tramor mawrion allan yn y Bae a thu hwnt. Trwy ddulliau pysgota masnachol dyw'r pysgod ddim yn cyrraedd yr aber a'r bar i ddychwelyd i afon Teifi. Fel mewn pob agwedd ar ddirywiad, yn y prinder sy'n dilyn y gwelwn werth yr hyn sy'n cael ei golli.

Dw i'n cofio am un o bentrefwyr Lland'och yn dweud wrthyf unwaith, 'Sdim byd gen i yn erbyn y dynion dŵad, ond dy'n nhw ddim yma'n ddigon hir i fagu gwreiddiau.' Fe fedrwch fyw mewn tŷ ar ben ei hunan, mewn pentre, mewn stryd drefol neu mewn fflatiau uchel, ond mae gwreiddio mewn lle yn rhywbeth hollol wahanol. Mae gen i wreiddiau dwfn iawn yn Lland'och, fel yn wir roedd gan sawl cenhedlaeth o'm teulu ac mae'r gwreiddyn wedi tyfu am lawr a chryfhau ym mhriddoedd fy milltir sgwâr. Dw i ddim wedi dymuno symud i unman arall na byw yn unlle heblaw Lland'och.

Roedd y dylanwadau cyfoethog a gefais yn fy ieuenctid wedi rhoi cryfder i'r gwreiddiau. Er fy mod yn byw gyda'm rhieni roeddwn yn rhannu aelwyd gyda Mam-gu hefyd. Hi oedd y frenhines. A medraf uniaethu fy hun â sylwadau cyn-brifathro a ddywedodd wrthyf, 'Roeddwn yn medru dweud ar ôl amser byr iawn o flaen dosbarth, pa ddisgyblion oedd â chysylltiad agos â chenhedlaeth hŷn eu teuluoedd – sef tad-cu a mam-gu – roedd rhywbeth mwy ganddyn nhw.'

Cyn dyfodiad llyfrau, radio a theledu roeddwn i a 'nghyfoedion yn clywed idiomau, diarhebion, adnodau a thafodiaith ardal wedi eu plethu i mewn i'r hanesion difyr ac roedd cymeriadau'r gymdeithas yn rhan o'r iaith honno. Roedd byd natur yn rhan naturiol o'n bywydau dyddiol; nythod adar, blodau'r cloddiau, lliwiau'r tymhorau, natur afon a môr a chymylau'r ffurfafen. Nid rhywbeth ar sgrin oedd y profiadau gawson ni ond profiadau uniongyrchol, rhai y gallen ni gyffwrdd â nhw.

Roedd y gymdeithas yn gymdogaeth dda ac yn glós iawn. Roedd bywyd capel yn bwysig i 'nheulu i, a phawb yn perthyn i un enwad. Ac ar y Sul nid, 'Rhaid i ti fynd' oedd hi ond, 'Wyt ti'n dod?' Roedd pawb yn un teulu mawr ac o'n i'n rhan o hynny ac yn cael cymryd rhan cystel ag unrhyw un arall.

Ryw flwyddyn neu ddwy yn ôl ro'n i'n cario tusw o flodau i addurno'r cysegr pan ofynnodd plentyn i fi, 'A allai i ddod mewn gyda chi? Dw i ddim wedi bod tu fewn i ddrws capel erioed!' Rhoddais wahoddiad iddi ac roedd ei llygaid a'i chwestiynau yn rhyfeddod i gyd.

Nid yn unig y capel a roddai faeth ac ystyr i 'mhrifiant i ond ysgol, ffrindiau, cymdogion a phentrefwyr hefyd. Mae'n ffasiynol bellach symud i'r dre efallai er mwyn cyfleustra. Ac mae'r rhai sydd wedi symud yn gwbwl hapus yn eu tai newydd o gynlluniau cyfoes gyda'u ceginau modern, ond dyw pethau fel perthyn a gwreiddiau ddim yr un peth yno falle. Pentre yw Lland'och, tre a thre'r castell yw Aberteifi. Bu dylanwadau gwahanol yn ei ffurfio hi. Yn wir, roedd ei phlant yn wahanol a'u tafodiaith yn wahanol a'r duedd ar un cyfnod i siarad Saesneg yn gyntaf cyn troi i'r Gymraeg gan blant y dre. Ond i fi, wrth gwrs, roedd Lland'och ar ei gwar hi, yr ochor arall i'r afon – yr ochor reit. Mae geiriau'r dafodiaith wedi aros ers cenedlaethau.

Efallai fod plant pentre yn llai hyderus, ond ar y llaw arall maen nhw'n adnabod pobol yn well. Maen nhw'n adnabod eu cefndir ac yn cydnabod eu cryfderau a'u gwendidau a thrwy hynny yn eu hadnabod eu hunain.

Er i fi golli Nhad cyn mynd i'r coleg a cholli Mam yn ystod fy nghyfnod yng Ngholeg y Barri, pan ddaeth gwahoddiad oddi wrth Norah Isaac i fynd i ddysgu i un o ysgolion cynradd Cymraeg Caerdydd ar ddiwedd fy nghwrs, diolchais iddi a dweud, 'Na, dim diolch, yn Lland'och mae 'nheulu. Dw i am fynd nôl. Dw i'n teimlo'n ddiogel yno ac rwy am ailfuddsoddi yn ardal fy mebyd.'

Doeddwn i ddim yn whilo am ddyrchafiad nac unrhyw anrhydeddau chwaith. Roeddwn i yr hyn oeddwn i oherwydd y dylanwadau cyfoethog a gefais, er gwell, oddi wrth gymdeithas wâr a rhadlon pentre Lland'och.

Mae cnewyllyn a bywyn byw o Gymreictod yn parhau yn y pentre ac mae digon o ewyllys da, brwdfrydedd ac egni yn parhau yn ei weledigaeth i gadw'r uned bentrefol yn un unigryw, gweithgar a phositif. Ma'r teid yn bell o fod mas.